DEUTSCHLAND UND DIE REPARATIONEN 1918/19

SCHRIFTENREIHE
DER VIERTELJAHRSHEFTE FÜR ZEITGESCHICHTE
NUMMER 25

Im Auftrag des Instituts für Zeitgeschichte
herausgegeben von Hans Rothfels und Theodor Eschenburg
Redaktion: Wolfgang Benz und Hermann Graml

DEUTSCHE VERLAGS-ANSTALT
STUTTGART

PETER KRÜGER

DEUTSCHLAND UND DIE REPARATIONEN 1918/19

Die Genesis des Reparationsproblems in Deutschland zwischen Waffenstillstand und Versailler Friedensschluß

DEUTSCHE VERLAGS-ANSTALT
STUTTGART

ISBN 3 421 01620 8
 Gesetzt aus der Monotype Walbaum-Antiqua. Umschlagentwurf: Edgar Dambacher. Satz und Druck: Buchdruckerei Georg Appl, Wemding. Bindearbeit: Deutsche Verlags-Anstalt GmbH, Stuttgart. Printed in Germany.

INHALT

VORWORT

Die innen- und außenpolitischen Probleme, die der deutsche Zusammenbruch im Herbst 1918 aufwarf, und der Versuch, die Ergebnisse des Ersten Weltkriegs auf der Pariser Friedenskonferenz zu bewältigen, wie auch schließlich die Folgen des Versailler Vertrags zogen als Forschungsaufgabe das Interesse der Historiker in solchem Maße auf sich, daß eine eingehende Untersuchung der deutschen Friedensvorbereitungen vom Herbst 1918 bis zum Frühjahr 1919 und der daraufhin in Versailles vertretenen Konzeption unterblieb. Ungeachtet dieser Entwicklung erscheint es aber, nicht zuletzt in Anbetracht der Forschungen über die deutschen Kriegsziele im Ersten Weltkrieg und der frisch angefachten Debatte über die Kontinuität der deutschen Außenpolitik vom Kaiserreich bis zu Hitler, als eine sehr wesentliche Frage, ob nicht und in welchem Sinne während des Zeitraums zwischen dem Waffenstillstand und dem Friedensschluß Vorentscheidungen fielen, welche die gesamte deutsche Außenpolitik der Weimarer Republik bestimmten, und zwar schon vor der immer wieder als entscheidend angesehenen Reaktion auf den Versailler Vertrag. Für dieses Thema hat Klaus Schwabe mit seiner umfangreichen diplomatiegeschichtlichen Untersuchung „Deutsche Revolution und Wilson-Frieden" (Düsseldorf 1971) unter dem bedeutsamen Aspekt der deutsch-amerikanischen Beziehungen 1918/19 reichhaltiges Material nachgewiesen. Eine wertvolle Erschließung wichtiger deutscher Quellen bietet der von Hagen Schulze bearbeitete Dokumentenband „Das Kabinett Scheidemann" in der Edition der „Akten der Reichskanzlei" (Boppard 1971). Beide Bücher werden hoffentlich eine nähere Beschäftigung mit diesem Zeitraum und eine Gesamtdarstellung der deutschen Friedenskonzeption, aufbauend auf der Kriegszieldebatte des Ersten Weltkrieges, von Herbst 1918 bis Juni 1919 anregen.

Das Fehlen einer solchen Untersuchung ist besonders fühlbar bei der Erörterung der Reparationsfrage, die eines der wesentlichsten Themen der Außenpolitik der zwanziger Jahre war. In den modernen wirtschaftsgeschichtlichen Darstellungen zur Weimarer Republik wird die an Entscheidungen und Erkenntnissen reiche Periode der finanziellen und wirtschaftlichen Friedensvorbereitungen mangels jeder Vorarbeiten rasch und ohne klare Aussagen übergangen. Als Voraussetzung einer eingehenden Erforschung der historischen Entwicklung des Reparationsproblems während der Weimarer Republik erscheint es deshalb sinnvoll, den Ausgangspunkt, „Deutschland und die Reparationen 1918/19", unter Berücksichtigung der innenpolitischen und wirtschaftlichen Verhältnisse Deutschlands vom Herbst 1918 bis zum Juni 1919 darzustellen und dabei möglichst eingehend die kleineren und größeren Meinungsunterschiede im Verlauf wechselnder Situationen zu beachten. Hierbei konnte bisher nicht ausgewertetes oder – wie im Falle der Akten der Geschäftsstelle

für die Friedensverhandlungen im Auswärtigen Amt – völlig unbekanntes Quellenmaterial verarbeitet werden.
Bei meiner Arbeit habe ich sowohl im Politischen Archiv des Auswärtigen Amts (Bonn) wie im Bundesarchiv (Koblenz) viel dankbar in Anspruch genommenes Entgegenkommen gefunden. Den Herren Professoren Erich Angermann (Universität Köln) und Ernst Deuerlein † (Universität München) danke ich herzlich für ihre kritischen Hinweise und ihre Anteilnahme am Fortgang der Untersuchung. Mein Dank gilt schließlich dem Institut für Zeitgeschichte, München, für die Aufnahme der Arbeit in diese Schriftenreihe, sowie einem Nichthistoriker, Herrn Professor Helmut Schuster (Technische Universität Berlin), der sich die Mühe gemacht hat zu prüfen, ob das Manuskript Verstöße gegen die Erkenntnisse der Wirtschaftswissenschaften enthält.
Die Arbeit wurde im Juni 1972 von der Philosophischen Fakultät der Universität Köln als Habilitationsschrift angenommen.
Infolge der Umfangbeschränkung der Publikationen der Schriftenreihe der Vierteljahrshefte für Zeitgeschichte wurde der ursprüngliche Text in den einleitenden und abschließenden Kapiteln stark gekürzt.

Bonn, im Juli 1972 *Peter Krüger*

EINLEITUNG

Reparation ist die seit dem Ende des Ersten Weltkriegs eingeführte Bezeichnung für Kriegsentschädigung. Der erste internationale Vertrag, in dem der neue Begriff auftauchte, war die Waffenstillstandsvereinbarung, die Deutschland am 11. November 1918 mit den alliierten und assoziierten Mächten abschloß. Artikel XIX enthielt die Forderung nach Wiedergutmachung, und dabei wurde die Formulierung „réparation des dommages" benützt, „Wiedergutmachung der Schäden", ein Terminus des französischen Zivilrechts. Daß diese Bezeichnung gewählt wurde, brachte die Absicht zum Ausdruck, der Kriegsentschädigung im Geiste einer neuen Idee einen neuen Inhalt zu geben. Hatte bislang nach einem Krieg der Sieger finanzielle Forderungen gestellt, die allein von seinen politischen Intentionen abhingen, also hoch oder bescheiden, erdrückend oder schonend sein konnten, so umschrieb Reparation die Vorstellung, ein Staat müsse jene Schäden bezahlen, die er einem anderen Staat durch eine Rechtsverletzung zugefügt habe. Nachdem Lenin in der Nacht vom 8. zum 9. November 1917 einen Frieden im Sinne der bolschewistischen Formel „ohne Annexionen und Kontributionen" proklamiert und der amerikanische Präsident Wilson am 8. Januar 1918 seine 14 Punkte verkündet hatte, entwickelte sich die Vorstellung von einer Begrenzung und rechtlichen Bindung der Kriegsentschädigung. Daß dieser Wandel von Dauer war, zeigt die folgende Definition aus dem Jahre 1967: „Reparation: Einem Staat auferlegte Leistungspflichten zur Wiedergutmachung der von ihm unrechtmäßig angerichteten Schäden auf fremdem Hoheitsgebiet[1]."

Als die Alliierten 1919 den Friedensvertrag mit dem geschlagenen Deutschland formulierten, vermochte sich das neue Verständnis von Kriegsentschädigung freilich nur unvollkommen durchzusetzen. Während des Krieges hatten die Alliierten noch durchaus die Absicht gehabt, eine möglichst hohe Kriegsentschädigung herkömmlicher Art zu verlangen, ohne sich besonders um eine rechtliche oder moralische Begründung in einem modernen Sinne zu kümmern. Wilson zwang sie dann zwar zur prinzipiellen Anerkennung seiner Reparationsvorstellung, aber das hielt Frankreich nicht davon ab, auf der Friedenskonferenz unter dem Deckmantel der Wiedergutmachung einen weitgehenden Ersatz seiner Kriegskosten anzustreben, um damit gleichzeitig Deutschland auf lange Zeit wirtschaftlich und politisch zu schwächen, und die britische Regierung bemühte sich, die Schadenskategorien zu erweitern, da ihr das Konzept Wilsons, das nur eine Wiedergutmachung für die Schäden der Zivilbevölkerung vorsah, einen zu geringen Anteil an den erwarteten deutschen Leistungen verschafft hätte. Schließlich umgingen die Alliierten Wilsons Wider-

[1] Gablers Wirtschaftslexikon, Bd. 2, S. 898.

stand gegen ihre Forderungen, indem sie ihn dazu brachten, Pensionen für Hinterbliebene und Invaliden zu den wiedergutmachungsfähigen Schäden zu rechnen, was ihnen erlaubte, deutsche Leistungen in fast beliebiger Höhe und von unabsehbarer Dauer zu verlangen. Jedenfalls ist der neue Reparationsbegriff von den Siegermächten allmählich ausgehöhlt worden und hat am Ende nur noch als fadenscheinige Bemäntelung einer altmodischen Kriegsentschädigung gedient, die überdies ohne Rücksicht auf die deutsche Leistungsfähigkeit und ohne Rücksicht auf die Problematik des internationalen Transfers wirtschaftlich unmotivierter Zahlungen viel zu hoch bemessen wurde.

Deutschland hätte sich als Sieger mit Sicherheit nicht wesentlich anders verhalten. Während des Krieges tauchten in der deutschen Kriegszieldiskussion alle Motive für eine hohe Kriegsentschädigung auf, die auch auf alliierter Seite eine Rolle spielten. Im sogenannten Septemberprogramm aus dem Jahre 1914 des Reichskanzlers Bethmann Hollweg heißt es, die Kriegsentschädigung müsse so hoch sein, daß Frankreich für achtzehn bis zwanzig Jahre nach dem Friedensschluß von großen Rüstungen abgehalten werde, und Karl Helfferich, Direktor der Deutschen Bank und späterer Vizekanzler, erklärte am 20. Mai 1915 im Reichstag: „Das Bleigewicht der Milliarden haben die Anstifter des Krieges verdient, sie mögen es durch Jahrzehnte schleppen – nicht wir.“ Die Konservativen verlangten am 28. April 1917 eine Kriegsentschädigung, mit der „die Wunde des Krieges zu heilen“ sei, und der Aufruf der Verbände vom 3. Mai 1917 klang ganz ähnlich. In Helfferichs Äußerung wie auch in einer Denkschrift des Vorsitzenden des Alldeutschen Verbands, Heinrich Claß, vom 28. August 1914 ist außerdem noch das Motiv der Bestrafung des Gegners festzustellen[2].

Auch Summen wurden genannt. In einer weit verbreiteten Broschüre verlangten die Alldeutschen im Frühjahr 1917 unter der Parole „Die Lasten trägt der Feind“, daß Deutschland 200 Milliarden Mark erhalten müsse. Graf Roon, Mitglied des preußischen Herrenhauses, kam im Juni 1918 auf einen Betrag von 180 Milliarden – zur „Erstattung der gesamten durch den Krieg für uns entstandenen Kriegskosten“. Walther Rathenau hatte schon Ende August 1914 gefordert, allein von Frankreich 40 Milliarden Francs zu erheben[3].

Als weiteres Motiv spielte in Deutschland seit dem Frühjahr 1917 auch die Sicherung des gesellschaftlichen Systems und der Regierungsform eine Rolle. Durch materielle Leistungen der Gegner sollte eine mögliche Nachkriegsdepression aufgefangen, sollten Unruhen und Umwälzungen vermieden werden. In diesem Zusammenhang hat der konservative Abgeordnete Graf Westarp in einer Reichstagsresolution vom 21. März 1918 eine hohe Kriegsentschädigung zur reichlichen Versorgung der heimkehrenden Soldaten und zur Deckung aller Rentenansprüche gefordert. Je länger der Krieg dauerte und je schwieriger die Versorgungslage in Deutschland wurde, desto häufiger dachte man auch daran, die Lieferung von Rohstoffen nach dem

---

[2] Fischer, S. 111, 422, 437; Stillich, S. 16, 27.

[3] Stillich, S. 19–20; Fischer, S. 127.

Kriege mit Hilfe der Kriegsentschädigung zu sichern. Ein Programm, das Kaiser Wilhelm selbst entworfen und am 13. Mai 1917 dem Auswärtigen Amt zugeleitet hatte, sah vor, den Vereinigten Staaten und England je 30 Milliarden Dollar abzuverlangen, Frankreich 40 Milliarden Francs und Italien 10 Milliarden Lire. Die Leistungen sollten aber nicht in Form von Geld, sondern in Form von Rohstoffen erfolgen. In diese Richtung spekulierte offenbar auch die „Kriegszieldenkschrift der sechs Wirtschaftsverbände" vom 20. Mai 1915, die von einer Kriegsentschädigung „in zweckmäßiger Form" sprach[4].

In den amtlichen Friedensplänen, die im Frühjahr 1918 erwogen wurden, kam noch ein letztes Motiv zur Geltung, nämlich der Wunsch, die nach dem Kriege zunächst befürchteten Defizite der Zahlungsbilanz mit der Kriegsentschädigung auszugleichen. Zu diesem Zeitpunkt fand erstmals ein Gesichtspunkt Berücksichtigung, von dem sonst auf deutscher wie erst recht dann auf alliierter Seite kaum die Rede ist: die Leistungsfähigkeit der Gegner. Wurde zunächst eine Kriegsentschädigung von 100 Milliarden Mark genannt, merkwürdigerweise die gleiche Summe, die später in Versailles eine besondere Rolle spielte, so kam man davon doch bald ab, da sie in bar nicht zu leisten sei. Auch fürchtete man die Entstehung eines Kaufkraftüberhangs, der zur Inflation führen werde. So wurde der in einer Denkschrift der Reichsbank vom 8. März 1918 gemachte Vorschlag übernommen, 10 bis 20 Milliarden Goldmark zu fordern. Außerdem sollten die Alliierten Rohstoffe liefern und eventuell ihreAnsprüche an Rußland wie gewisse interalliierte Schulden an Deutschland abtreten[5].

Daraus darf allerdings nicht der Schluß gezogen werden, Deutschland hätte sich als Sieger vernünftiger verhalten als die Alliierten. Eine siegreiche Reichsregierung wäre ohne Zweifel ebenfalls unter den Druck einer maßlosen öffentlichen Meinung geraten, und sie hätte dem Druck um so weniger widerstehen können, als der Siegesrausch wohl auch die Regierung selbst wie die politisch und wirtschaftlich führenden Schichten des Reiches erfaßt hätte.

Der Zusammenbruch im Herbst 1918 machte derartigen deutschen Überlegungen ein Ende. Nun sah sich umgekehrt Deutschland mit hohen Reparationsansprüchen der Alliierten konfrontiert, und zwar hier gerade jene Schicht, die das wilhelminische Reich getragen und in der militärischen, politischen und wirtschaftlichen Macht des Reiches die entscheidende Voraussetzung ihrer Existenz gesehen hatte. Es wird nämlich zu zeigen sein, daß die Grundzüge der deutschen Reparationspolitik nicht etwa von den neuen Männern in der Reichsregierung, also von den führenden Repräsentanten der Sozialdemokratie, bestimmt wurden, sondern von der alten Reichsbürokratie, voran das Auswärtige Amt und das Reichsschatzamt, ferner von den Praktikern der Wirtschaft, den Bankiers und Industriellen. Diese Gruppen hatten im Kriege die Macht des Reiches und ihre eigene Macht im Dienste einer

[4] Stillich, S. 17–18; Fischer, S. 194, 449, 457–458.

[5] Gesammeltes Material des preußischen Kriegsministeriums für den Frieden, Aufzeichnungen des Obersten Gießler, Leiter der Import- und Exportabteilung im Kriegsamt, vom 6.4. 1918; Bundesarchiv Koblenz (abgekürzt: BA), R 85/890.

expansiven Politik eingesetzt und aufs Spiel gesetzt; der Machtkampf wurde zum Existenzkampf. Wie reagierten sie jetzt auf die Niederlage? Haben sie die Niederlage akzeptiert und natürlich im Interesse der Nation und ihres Staates erträglicher zu gestalten versucht? Oder wollten sie die Niederlage ignorieren und die Großmachtstellung Deutschlands wie ihre eigene Macht retten, jedenfalls die Voraussetzung zur möglichst raschen Restaurierung beider Positionen wahren?

Die Reaktion der deutschen Führungsschicht auf die Niederlage kann sinnvoll schon an ihrer Haltung in den Monaten zwischen dem Waffenstillstand und der Debatte über Annahme oder Ablehnung des Versailler Vertrags untersucht werden. Die meisten Forderungen der Alliierten waren in ihrem ungefähren Umfang der Reichsregierung frühzeitig bekannt, und gerade in einer der wichtigsten Fragen, eben der Reparationsfrage, sind in jener Zwischenperiode intensive Überlegungen angestellt und grundlegende Entscheidungen getroffen worden. Dabei ergibt sich nun allerdings eindeutig, daß die deutsche Führungsschicht Ausmaß und Konsequenzen der deutschen Niederlage beharrlich verdrängt und den Großmachtstatus Deutschlands nicht eigentlich zu retten versucht, sondern im Grunde als immer noch gegeben betrachtet und als Basis ihrer Politik behandelt hat. Da angesichts der unbestreitbaren und unvermeidlichen militärischen Ohnmacht zunächst allein die deutsche Wirtschaftskraft als Machtpotential dienen konnte, rückte das Reparationsproblem ganz von selbst in den Mittelpunkt der deutschen Vorbereitung auf die Friedenskonferenz; an der Art, wie das Problem angefaßt wurde, ist daher die Reaktion auf die Niederlage exemplarisch abzulesen.

Alle Überlegungen kreisten um die Frage, wie man die deutsche Wirtschaftskraft als Machtfaktor erhalten und zu diesem Zweck höheren Reparationen entgehen könne; auf wirtschaftlichem Felde sollte die Niederlage folgenlos bleiben. Mit der gleichen Argumentation, mit der zuvor eine hohe Kriegsentschädigung der Gegner gefordert worden war, wurde nun begründet, warum Deutschland keine oder nur eine möglichst geringe Kriegsentschädigung zahlen dürfe. Da war die Versorgung der deutschen Industrie mit Rohstoffen, die Devisen kosten und daher höhere Barzahlungen an die Gegner ausschließen würde. Die Zahlungsbilanz mußte ausgeglichen werden, und da für den Ausgleich keine feindliche Kriegsentschädigung zur Verfügung stand, hatten an ihre Stelle hohe und langfristige Kredite des Auslands zu treten; kreditfähig aber, so hieß es, bleibe Deutschland nur dann, wenn die Reparationsverpflichtung begrenzt werde. Schließlich entwickelte sich auch die Kriegsinflation weiter, die man bei größeren Forderungen der Sieger nicht mehr bekämpfen zu können glaubte. Daß darüber hinaus die deutsche Wirtschaft freien Zugang zu den Rohstoffen der Welt haben müsse und eine Diskriminierung des deutschen Handels unzumutbar sei, war ebenfalls klar. So sollte der Rückweg zum machtpolitischen Vorkriegsstatus Deutschlands offen gehalten, der gesellschafts- und wirtschaftspolitische Status quo hingegen gewahrt werden. In dieser doppelten Hinsicht war das Reparationsproblem von Anfang an nicht nur ein wirtschaftliches, sondern auch ein politisches und soziales Problem. Was den letzteren Punkt angeht, so spielte aber nicht allein die Auseinandersetzung zwischen Kapitalismus und Sozialismus im Hintergrund eine bedeutende Rolle, sondern ebenso die Frage, welche Schichten der Bevölkerung die Last der vielleicht doch zu leistenden Zahlungen in erster Linie zu tragen hätten. Bei der Antwort auf diese Frage machte sich der dominierende Einfluß der wilhelminischen Ministerialbeamten und Unternehmer naturgemäß ebenfalls bemerkbar.

Ehe die frühe Entwicklung der deutschen Reparationspolitik im einzelnen dargelegt werden kann, muß aber jener innenpolitische Prozeß skizziert werden, der trotz der Umwälzung vom Herbst 1918 den wilhelminischen Führungsgruppen schon damals einen so überragenden Einfluß verschafft hat.

I. DIE AUSGANGSPOSITION DER DEUTSCHEN REPARATIONS-POLITIK IM OKTOBER UND NOVEMBER 1918

1. Der Eintritt der SPD in die Regierungsverantwortung und seine Auswirkung auf die spätere Regelung der Kompetenzen in der Reparationsfrage

In den entscheidenden Monaten vom Oktober 1918 bis zum Juni 1919 war die SPD die stärkste und einflußreichste Partei in Deutschland, das Rückgrat der verschiedenen Reichsregierungen. Ihre Vorbereitungen auf die Friedensverhandlungen in allen finanziellen und wirtschaftlichen Fragen mußten davon abhängen, wie sie als sozialistische Partei diese Probleme im Zusammenhang mit ihrem innenpolitischen Programm betrachten und lösen wollte. Dafür wurde entscheidend, welche Verfassung nach dem Zusammenbruch der Hohenzollern-Monarchie das Deutsche Reich erhielt, welche gesellschaftlichen Kräfte den Regierungsmechanismus aufbauten und inwieweit die SPD ihre Stellung als dominierende Partei wahrnahm.
Die Behandlung des Reparationsproblems war geradezu ein Testfall dafür, ob die SPD in der Lage war, in einer der für die Nachkriegszeit wichtigsten Fragen eine eigene Konzeption zu entwickeln und durchzusetzen, oder ob sie in das Schlepptau anderer politischer Gruppierungen geriet. Hier mußte sich zeigen, wie die Macht nach der Novemberrevolution tatsächlich verteilt war. Die Drohung ungeheurer Reparationslasten und wirtschaftlicher Not des Kriegsendes verstärkte bei den Bankiers, Industriellen und Kaufleuten, die in der wilhelminischen Ära groß geworden und von ihr geprägt waren, die ohnedies schon vorhandene Überzeugung ihrer wirtschaftlichen – und politischen – Unentbehrlichkeit, die nur eine sehr energische, mit einem klaren politischen Willen begabte SPD wieder auf das rechte Maß beschränken konnte. Die entscheidende Frage war also, für wen und für was sich die SPD entschied. Auch wenn sie die totale Umwälzung ablehnte, blieben mehrere Möglichkeiten offen. Die Dinge waren so, wie sie sich entwickelten, nicht von der Alternative geprägt: „Die soziale Revolution im Bund mit den auf eine proletarische Diktatur hindrängenden Kräften oder die parlamentarische Republik im Bund mit konservativen Elementen wie dem alten Offizierskorps[1]."
Anfang November 1918 war die SPD eine konservative Partei aus innerer Schwäche und einem Mangel an klarer Erkenntnis der geschichtlichen Situation. Dieses Urteil verliert jedoch an Schärfe, wenn man die ungemein schwierigen Voraussetzungen beachtet, unter denen die SPD zum erstenmal Regierungsverantwortung übernahm: ihre eigene Gefährdung und den inneren und äußeren Zusammenbruch. Die Novemberrevolution machten die Matrosen und Soldaten, während die SPD nur darauf reagierte. Sie wollte zunächst verhindern, daß ihre Anhänger sich radikaleren Gruppen oder der USPD anschlossen, und versuchte, als

[1] Quellen, 6/I, S. XV. Matthias zitiert hier aus Erdmann, Geschichte, S. 7, und begründet ihm gegenüber die Möglichkeit eines „dritten Wegs".

dann auch die Arbeiter auf die Straße gingen, die Bewegung in die Hand zu bekommen, um sie in geordnete Bahnen zu lenken.

Die SPD besaß durchaus noch das Vertrauen der Arbeiter und war die gegebene Führung für eine Massenbewegung. Allerdings stand sie nicht mehr allein da, seit es die Unabhängigen Sozialdemokraten gab. Die Situation wurde dadurch kompliziert, daß die SPD seit dem 3. Oktober 1918 unter dem Reichskanzler Max Prinz von Baden Regierungspartei war.

Am Mittag des 9. November, nach der Verkündung der Abdankung Wilhelms II. und des Kronprinzen, forderte Ebert an der Spitze einer SPD-Delegation Max Prinz von Baden unter dem Druck der revolutionären Ereignisse auf, „daß die Regierungsgewalt an Männer übergeht, die das volle Vertrauen des Volkes besitzen"[2]. Der Reichskanzler übergab Ebert die Geschäfte. Danach verkündete Scheidemann die Republik[3], und in weiteren Verhandlungen kam eine Koalitionsvereinbarung mit der USPD zustande, die zur Bildung der paritätisch aus beiden Parteien zusammengesetzten Regierung der sechs Volksbeauftragten unter dem Vorsitz Friedrich Eberts und Hugo Haases, des Vorsitzenden der USPD, führte.

Bedeutete die Übergabe der Geschäfte durch Max von Baden an Ebert einen – von beiden für sehr wichtig gehaltenen – Akt der Kontinuität, dem allerdings verfassungsrechtlich legitimierende Kraft fehlte, so stellte die am folgenden Tage, dem 10. November 1918, eingeholte Bestätigung der neuen Reichsregierung durch den Vollzugsrat der Arbeiter- und Soldatenräte Großberlins einen Akt revolutionärer Legitimierung dar. Entscheidend war, daß Ebert vom ersten Augenblick an soviel Kontinuität und Legalität wie nur möglich für sein Vorgehen gewinnen wollte. Der an sich erstaunliche Eintritt in die Regierung Max' von Baden, in erster Linie bedingt durch die militärische Niederlage Deutschlands und das nationale Verantwortungsgefühl der SPD-Parteiführung, bedeutete eine auch nach außen hin nun deutlich vollzogene Abkehr von der rein negativen und ablehnenden Position gegenüber der kaiserlichen Regierung und zugleich von jeder revolutionären Haltung.

Dabei war die Kluft zu den Arbeiter- und Soldatenräten keineswegs unüberbrückbar, schon deswegen nicht, weil sie in ihrer Mehrzahl treue Anhänger der SPD waren. Die SPD hingegen wollte jede revolutionäre oder unkontrollierte Bewegung unterbinden; deshalb reagierte sie mit zunehmender Gereiztheit auf alle Initiativen der Räte, vor allem der Radikalen, die sich um den von Karl Liebknecht geführten Spartakusbund scharten. Ausschlaggebend für die sozialdemokratische Haltung, soweit sie sich von außen her beeinflußt zeigte, war die Furcht vor einem Ausgreifen des Bolschewismus auf Deutschland nach dem Beispiel der Entwicklung in Rußland[4]. Die SPD und ihre Anhänger hatten 1918 schon wesentlich mehr zu verlieren als ihre Ketten. Sie hatten schon lange vor dem Ersten Weltkrieg den evolutionären Weg eingeschlagen, bestimmt von „Sozialpolitik und Wahlrecht", aber „die großen politischen Fragen der Staats- und Wirtschaftsordnung lagen demgegenüber am

[2] Quellen, 6/I, S. 4.

[3] Jessen-Klingenberg, S. 649–56.

[4] Lösche, 4. Kapitel; Matthias, S. 69–93.

Rande ihres Gesichtskreises". Sie pflegten einen „Kultus der Wahlen und Wahlerfolge"[5]. Dieses Verhalten drückte bereits den Wunsch aus, sich in die Nation zu integrieren. Man wollte sich eine geachtete und starke Stellung in der bestehenden Gesellschaft erkämpfen, nicht auf ihren Trümmern eine total neue errichten. Die SPD war außerdem eine straff organisierte Partei von bemerkenswerter Disziplin. Dies korrespondiert übrigens mit Mustervorstellungen des wilhelminischen Zeitalters. Organisation und Disziplin waren nur möglich, weil ein weitverzweigtes Funktionärskorps das Rückgrat der Partei bildete[6]. Dieses beharrende Element neigte besonders dazu, sich aus den gesicherten, von der Parteihierarchie geschaffenen Positionen heraus, den fest Angestellten oder Beamten ähnlich, an dem Ideal der bürgerlichen Kultur zu orientieren[7]. Diese „sozialen Aufstiegswünsche" kann man aber nicht nur auf kulturellem Gebiet verfolgen, sie hatten auch eine starke politische Komponente: das Streben nach Anerkennung, das Streben, hoffähig zu werden, Einfluß zu gewinnen und die Verunglimpfung als „vaterlandslose Gesellen" zu widerlegen.

So wuchs die SPD, die sowohl von den führenden Gesellschaftsschichten des Kaiserreichs abgelehnt wurde als auch bis weit in den Ersten Weltkrieg hinein aus eigener Entscheidung in jahrelanger frustrierender Opposition geblieben war, allmählich doch in die Rolle einer zur Übernahme von politischer Verantwortung bereiten Partei hinein. Vom Patriotismus der Kriegszeit erfüllt, zeigte sie sich national „zuverlässiger" – und ernsthafter – als alle jene Nationalisten, die ihr nationale Gesinnung absprechen wollten. Max Weber schrieb am 6. November 1918 an Hermann Oncken: „Reichstreu ist nur die Linke, bei den Sozialdemokraten aber mit dem Vorbehalt, daß Wilhelm II. fort müsse[8]." Revolutionäre Experimente kamen für die SPD – gerade in Zeiten der nationalen Not – nicht mehr in Frage.

Der Weg der SPD in die Verantwortung begann im Ersten Weltkrieg, als sie, kurz nachdem sich Anfang April 1917 die USPD von ihr wegen der erneuten Gewährung der Kriegskredite abgespalten hatte, die Zusammenarbeit mit zwei bürgerlichen Parteien, der Fortschrittlichen Volkspartei und dem Zentrum, aufnahm. Alle drei gemeinsam verfügten über die Mehrheit im Reichstag. Das erste Ziel ihrer Zusammenarbeit war die Friedensresolution vom 19. Juli 1917[9]. Von da an blieb die Friedensfrage neben der Forderung nach Parlamentarisierung wichtigster Punkt der gemeinsamen Politik. Daß die Entwicklung dann immer rascher voranging, war vor allem der militärischen Lage Deutschlands zu verdanken. Die Oberste Heeresleitung drängte am 28. September 1918 darauf, einen Waffenstillstand zu schließen und der Reichsregierung angesichts der militärischen Niederlage eilends eine breitere parlamentarische Basis zu schaffen, über die schon verhandelt wurde. Daraufhin

---

[5] Arthur Rosenberg, S. 17–18, 37.

[6] Siehe dazu Neumann, S. 28, 34, 98–100; Oertzen, S. 57–58; Abendroth, S. 54; Stolberg-Wernigerode, S. 164.

[7] Grebing, S. 3 und 5.

[8] Mommsen, S. 284.

[9] Ursachen, II, S. 37–38.

trat der Reichskanzler, Graf von Hertling, am 30. September 1918 zurück. Drei Tage später wurde Max Prinz von Baden zum Reichskanzler ernannt[10]. Er nahm Vertreter der drei Mehrheitsparteien in sein Kabinett auf. Von der SPD traten der Fraktionsvorsitzende im Reichstag, Philipp Scheidemann, und der zweite Vorsitzende der Generalkommission der Freien Gewerkschaften, der Reichstagsabgeordnete Gustav Bauer, in das Kabinett ein – zwei spätere Reichskanzler[11]. Scheidemann war Staatssekretär ohne Portefeuille, Bauer Staatssekretär des neu geschaffenen Reichsarbeitsamts.

Diese Beteiligung an einem „total bankrotten Unternehmen" kam erst nach heftigen Auseinandersetzungen in den Führungsgremien der Partei zustande[12]. Das Mißtrauen gegen die bürgerlichen Parteien war stark, vor allem kamen Zweifel auf, ob man gemeinsam mit ihnen tatsächlich genügend tiefgreifende innenpolitische Veränderungen, vor allem im Regierungsmechanismus, würde herbeiführen können. Mehrfach fiel das Wort von der bösen Erbschaft, die man antrete. Einerseits übernahm man doch eine gewisse Mitverantwortung für die verfehlte Politik der Reichsregierung während des Krieges, eine Mitverantwortung, der man nur entgehen konnte bei radikaler Ablehnung jeder Zusammenarbeit, sofern sich nicht ein vollständiger innen- und außenpolitischer Wandel nach den Vorstellungen der SPD durchführen ließ. Aber dazu reichte die Macht der Partei nicht aus. Andererseits mußte sie damit rechnen, von den Nationalisten und Konservativen in Deutschland als der Schuldige an den unausweichlichen Lasten eines verlustreichen Friedens hingestellt zu werden.

Schließlich siegte doch der Appell an die nationale Verantwortung; der Parteivorsitzende, Friedrich Ebert, und seine Anhänger sahen den Eintritt in die Reichsregierung als eine Pflicht an und als die einzige Möglichkeit, den sozialdemokratischen Vorstellungen Geltung zu verschaffen und einen chaotischen Zusammenbruch zu verhüten. Ebert ging bewußt den Kompromiß ein, der immer mit einer Koalition verbunden ist: Er beschränkte sich auf diejenigen politischen Forderungen, die, vor allem mit Rücksicht auf das Zentrum, durchsetzbar blieben. Diese Entscheidung war mutig, und sie war ausschlaggebend für die Politik der folgenden neun Monate. Fraglich bleibt, ob sie in dieser Form richtig war.

Wesentliche Verfassungsreformen – der praktische Übergang zur Republik vor allem – wurden noch während der Kanzlerschaft Max' von Baden durchgeführt, an welche die Nationalversammlung in Weimar während des Frühjahrs und Sommers 1919 anknüpfen konnte. Im Oktober 1918 entstand auch schon aus der Zu-

---

[10] Siehe dazu Potthoff, S. 319–32.

[11] Ihr offizieller Titel bei der Regierungsbildung war allerdings noch „Reichsministerpräsident".

[12] Gemeinsame Sitzung von Fraktion und Parteiausschuß der SPD am 23. 9. 1918; Quellen, 3/II, S. 419–60. – Kastnings Interpretation dieser Sitzung ist im Ansatz nicht korrekt, da er zu einseitig Eberts Annahme, eine Reichsregierung mit der SPD habe bessere Aussichten auf einen schnellen Friedensschluß, herausstellt und außerdem Ebert mit Scheidemann verwechselt; vgl. Kastning, S. 8 mit Quellen, 3/II, S. 428.

sammenarbeit der Mehrheitsparteien die Weimarer Koalition aus SPD, Zentrum und aus der Fortschrittspartei, die nach der Neugründung Ende November 1918 Deutsche Demokratische Partei hieß. Diese Koalition blieb sogar während der Regierung des Rats der Volksbeauftragten in ihrem Kern bestehen, denn Vertreter des Zentrums wie der DDP gehörten der Regierung als Staatssekretäre an und tauchten dann auch im Anfang Februar 1919 gebildeten Kabinett Scheidemann wieder auf[13]. Zwei der wichtigsten Persönlichkeiten blieben von Oktober 1918 bis Juni 1919 in führenden Kabinettspositionen: Matthias Erzberger vom Zentrum und Philipp Scheidemann. Die Annäherung zwischen SPD und bürgerlichen Parteien wurde bekräftigt durch eine Vereinbarung vom 15. November 1918 zwischen den Unternehmerverbänden und den Gewerkschaften – beide aus den Vorgegebenheiten der Kriegszeit zu einer Zusammenarbeit findend, die über den taktischen Kalkül hinaus die Sozialpartnerschaft in Deutschland begründete. Beide Partner fürchteten die Unkontrollierbarkeit revolutionärer Entwicklungen unter den Arbeitermassen, und für die Unternehmer bedeutete diese Vereinbarung einen entscheidenden Schritt zur Sicherung ihrer Position. „The industrialists were, in effect, abandoning their long-standing alliance with the Junkers and the authoritarian state for an alliance with organized labor[14]." Dieser „Bündniswechsel" entschied über die innenpolitische Neuordnung nach dem November 1918. Die alten Führungsgruppen profitierten naturgemäß am meisten von der Kontinuität der inneren Entwicklung, die vom ausgehenden Kaiserreich über die Revolution hinweg auch die Grundlage der Republik bildete: „Nicht die Revolution, sondern die der Revolution abgerungene Kontinuität war die Basis der Weimarer Republik[15]."

Nachdem die Führung der SPD entschieden hatte, sich an der Reichsregierung zu beteiligen und bestehende Verhältnisse zu reformieren, anstatt ihre Umwälzung herbeizuführen, hielt sie an dieser Politik auch in der Periode der revolutionären Auseinandersetzung konsequent fest. Ebert wollte möglichst bald die illegale Zwischenperiode überwinden und zu verfassungsmäßigen Zuständen zurückkehren. Als er am Mittag des 9. November 1918 Max von Baden aufsuchte und ihn zur Übergabe der Regierungsgewalt aufforderte, da waren beide sich einig, so schnell wie möglich eine Verfassunggebende Nationalversammlung einzuberufen. Ebert wollte zwar die Dominanz der Sozialdemokraten im Rat der Volksbeauftragten sichern, erklärte aber Max von Baden, „wir haben auch nichts gegen die Aufnahme von Vertretern der bürgerlichen Richtungen", und sah die Reichsregierung, die schließlich nur von SPD und USPD gebildet wurde, als ausgesprochenes Provisorium an, als „eine Übergangslösung mit der begrenzten Aufgabe, die Zeit bis zur Wahl einer konstituierenden Nationalversammlung zu überbrücken"[16].

---

[13] Neumann, S. 27, betont nachdrücklich die Kontinuität der Vorkriegsparteien in der Weimarer Republik.

[14] Feldman, Army, S. 519–33, Zitat: S. 523.

[15] Rürup, S. 5. – Über Zusammensetzung und Wandel deutscher Führungsgruppen siehe: Zapf.

[16] Quellen, 6/I, S. 4, 6, XXIIf.

Ebert setzte große Hoffnungen auf einen überzeugenden Sieg seiner Partei bei den Wahlen zur Nationalversammlung und auf die Nationalversammlung selbst. „Für Ebert begann der neue Staat nicht mit der Revolution, sondern mit dem Zusammentritt der Nationalversammlung, des ‚höchsten und einzigen Souveräns in Deutschland'[17]." Damit aber verzichtete man auf einschneidende Reformen, die die Nationalversammlung in wichtigen Fragen bereits vor vollendete Tatsachen gestellt und ihr eine ganz andere Ausgangsposition gegeben hätten. Vor allem wäre eine stärkere Demokratisierung der Verwaltung und der gesellschaftlichen Struktur mit Hilfe der Mehrheit der Arbeiter- und Soldatenräte, die keineswegs revolutionär war, möglich gewesen. Die SPD hat sich aber anders entschieden und rückte damit immer näher an die überkommenen Gewalten heran.

Zu den verfassungsmäßigen Kontinuitäten der Übergangsperiode gehörte auch das fast unangetastete Fortbestehen wichtiger Machtfaktoren, in erster Linie Verwaltung und Wehrmacht, die infolgedessen eher ein Verhältnis der Gleichberechtigung als eines der strikten Unterordnung zum Rat der Volksbeauftragten und dem Scheidemann-Kabinett entwickelten. Dieser Vorgang setzte schon am 10. November 1918 ein mit der Verständigung zwischen Ebert und dem Generalquartiermeister Wilhelm Groener, die der Obersten Heeresleitung eine ziemlich uneingeschränkte Eigenstellung sicherte und ihr wachsenden Einfluß verschaffte[18]. Von entscheidender Bedeutung für das Überleben traditioneller gesellschaftlicher und politischer Strukturen war aber, daß die Volksbeauftragten bewußt die untere und mittlere Verwaltung und vor allem die Reichsbürokratie bestehen ließen, auf deren Unterstützung und Mitarbeit sie angewiesen waren, wenn sie das Chaos vermeiden wollten.

Jedoch wurde hierbei zweifellos übertrieben. Die mangelnde Vertrautheit der SPD im Umgang mit der Regierungsgewalt trug dazu bei, ihr Vertrauen auf die Fachleute in der Bürokratie – übrigens auch in der Wirtschaft – und die hohe Auffassung von ihren Kenntnissen und ihrer Unentbehrlichkeit wesentlich zu stärken. Die Volksbeauftragten halfen sich bei den führenden Vertretern, den Staatssekretären, mit der Fiktion, sie seien nur „technische Gehilfen", unpolitische Fachminister, und glaubten, sich die eigentlich „politischen" Entscheidungen vorbehalten zu können[19]. Das erwies sich als verhängnisvolle Fehleinschätzung und hatte zur Folge, daß die in der gesamten Verwaltung notwendigen personellen Veränderungen nicht gewagt wurden und auch fast alle jene im Amt blieben, die erklärte Gegner der Republik und der Demokratie waren oder ihr innerlich mit großen Vorbehalten gegenüberstanden. So mußte die SPD nicht nur mit Koalitionspartnern Kompromisse schließen, sondern auch mit dem Heer und der Bürokratie. Im Januar 1919 hat ein Mitglied des Arbeiter- und Soldatenrates von Frankfurt am Main den entscheidenden Vorgang knapp und präzise zum Ausdruck gebracht: „Die Verwaltungsbeamten sind heute die Nutznießer der Revolution geworden[20]."

---

[17] Quellen, 6/I, S. CXXVII. Siehe allgemein den Literaturbericht von Bermbach, S. 445ff.

[18] Ritter-Miller, S. 91–92.

[19] Quellen, 6/I, S. LIV–LX; 30.

[20] Kolb, S. 364.

Vor allem die hohe Reichsbürokratie wurde zu einem gleichwertigen Machtfaktor neben der Regierung, frei von der strengen Bindung, der sie im halbabsolutistischen Kaiserreich unterworfen war, frei auch von demokratischer Kontrolle. Rudolf Hilferding, führendes Mitglied des rechten Flügels der USPD, stellte am 23. November 1918 fest, daß viele Machtpositionen noch in den Händen der alten Mächte seien; sie stellten sich auf den Boden der neuen Verfassung, „um den Boden unter den Füßen zu haben, von dem aus sie die neue Macht bekämpfen können"[21]. Rürup schrieb: „So geschah schließlich das, was auch die SPD hatte verhindern wollen: bevor die Nationalversammlung überhaupt die Möglichkeit bekam, eine Neuordnung der Verwaltung im Geiste der Demokratie vorzunehmen, hatte sich der Obrigkeitsstaat schon regeneriert[22]." Es erscheint allerdings zweifelhaft, ob gerade die Nationalversammlung, die im Januar 1919 gewählt wurde, von jener Möglichkeit überhaupt hätte Gebrauch machen wollen. Es kehrten in ihr viele vertraute Gestalten aus dem alten Reichstag wieder, viele Abgeordnete, ja ganze Parteien, die zur parlamentarischen Demokratie nur ein sehr distanziertes Verhältnis hatten[23].

An dieser nur formal demokratischen Lösung scheiterten die Absichten der SPD. Sie büßte den Vorsprung vom 9. November 1918 sehr schnell wieder ein. Die Gegenkräfte hingegen, dieser Punkt ist von großer Bedeutung, verfügten über erfahrene und leistungsfähige Organisationen, zu denen es die linksstehenden Parteien und Gruppen – ein entscheidender Mangel der Revolution – nicht brachten. Die traditionellen Führungsschichten wußten, wie man effizient handeln konnte. Unter den gegebenen Umständen war die SPD der beste Partner, den sie sich nur wünschen konnten. Sie wurden von ihr nicht in Frage gestellt, sondern sogar noch gegen die linksradikalen Kräfte abgeschirmt, in den Reichsressorts vor allem durch die vom Rat der Volksbeauftragten eingeführten und eigentlich der Kontrolle dienenden Beigeordneten[24]. Da die zentralen Räteinstanzen infolge der Abneigung, welche die SPD ihnen entgegenbrachte, zu einem Schattendasein verurteilt waren, die gesamte Rätebewegung in üblem Ruf stand und unter der die Wirklichkeit verzerrenden Alternative „Nationalversammlung gegen Rätesystem"[25] entscheidend geschwächt worden war, konnten Bürokratie und Unternehmer jeden Versuch der Räte, ihre Vorstellungen geltend zu machen, mit der Bezichtigung spartakistischer oder bolschewistischer Umtriebe unterbinden. Damit war aber der Einfluß der SPD entscheidend geschwächt. Das machte sich schon bei der Sozialisierung, die man zurückstellte, vor allem aber in der Außenpolitik und bei den Friedensvorbereitungen geltend. Die Fachleute dominierten, und insbesondere die Konzeptionen

---

[21] Kolb, S. 160.

[22] Rürup, S. 36.

[23] Ein interessantes Beispiel der Kritik an der Kontinuität der Führung der DDP ohne genügende Berücksichtigung der jüngeren Mitglieder gibt der spätere Botschafter in Washington von Prittwitz und Gaffron in seinen Memoiren, S. 129–32. Allgemein: G. A. Ritter, S. 342–84.

[24] Quellen, 6/I, S. LXI–LXXII.

[25] Quellen, 6/I, S. CXXVIII.

für die finanziellen und wirtschaftlichen Bestimmungen des Friedens wurden auf Grund der geschilderten Entwicklung in erster Linie von den Sachverständigen der Reichsbürokratie und der Unternehmer erarbeitet, nicht aber von der SPD. Die SPD sah sich gerade in der Reparationsfrage, die für die wirtschaftliche Entwicklung Deutschlands entscheidend war, einer geschlossenen Phalanx der Fachkompetenz gegenüber, der sie um so weniger entgegentreten konnte, als sie aus Koalitionsgründen und auf Grund ihrer Abhängigkeit von einer machtvollen Verwaltungsorganisation Rücksichten nehmen mußte. Sie hätte außerdem Mühe gehabt, eine eigene Konzeption zu entwickeln.

2. Das Friedensprogramm der SPD unter dem Einfluß der Regierungskoalition

Da die auswärtige Politik und die Friedensvorbereitungen vom Auswärtigen Amt ziemlich selbständig behandelt wurden und gerade in der Reparationsfrage die hohen Beamten in den zuständigen Reichsämtern und die führenden Vertreter der Wirtschaft weitgehend freie Hand hatten, gab es in bezug auf den Einfluß eines sozialdemokratischen Friedensprogramms nur zwei Möglichkeiten. Entweder das Programm wurde der als unbedingt notwendig erachteten Zusammenarbeit mit den Reichsämtern geopfert oder es bestand über die Regelung der Friedensfragen weitgehende Übereinstimmung zwischen den ungleichen Partnern. In jedem anderen Fall wäre es zu Konflikten gekommen, die den Bestand der Koalition gefährdet hätten.

Als in der zweiten Septemberhälfte 1918 unter dem Eindruck der sich abzeichnenden militärischen Niederlage Deutschlands der Frieden und der Eintritt der SPD in die Reichsregierung die wichtigsten Beratungsthemen unter den Parteien wurden, erklärte der Reichstagsabgeordnete Gustav Hoch in einer gemeinsamen Sitzung von Fraktion und Parteiausschuß der SPD, das Stockholmer Memorandum müsse zum offiziellen deutschen Friedensprogramm gemacht werden[26].

Das Stockholmer Memorandum, am 12. Juni 1917 auf der Sozialistenkonferenz in Stockholm vorgelegt, konnte als Friedensprogramm der SPD gelten. Darin heißt es zunächst allgemein, man habe, ausgehend von der Unentbehrlichkeit der internationalen Verständigung, „dem Vorschlag des Petersburger Arbeiter- und Soldatenrats auf Frieden ohne Annexionen und Kontributionen auf der Grundlage nationaler Selbstbestimmung“ zugestimmt[27].

Über Kriegsentschädigung und Wiederherstellung enthält die Denkschrift folgende Ausführungen: „Die Aufzwingung einer Kriegsentschädigung ist zu verwerfen. Sie wäre auch nur nach vollständiger Niederschlagung einer der kriegführenden Parteien zu erreichen. Jeder Tag weiteren Kampfes aber erhöht die Summe der

[26] Sitzung vom 23. 9. 1918; Quellen, 3/II, S. 431.
[27] Ursachen, II, S. 64.

Opfer an Gut und Blut für beide Teile so gewaltig, daß schon aus diesem Grunde eine Hinauszögerung des Friedens, um Entschädigungen zu erzwingen, nicht zu verantworten wäre. Die ökonomische Versklavung eines Volkes durch das andere würde aber auch einen dauernden Frieden unmöglich machen. – Wiederherstellung: Soweit mit dieser Frage die politische Wiederherstellung, das heißt die Wiederaufrichtung der staatlichen Unabhängigkeit, gemeint ist, beantworten wir sie mit Ja. Ablehnen müssen wir dagegen den Gedanken einer einseitigen Verpflichtung zur Wiederherstellung von Zerstörungen in den vom Kriege betroffenen Gebieten. [...] Eine nachträgliche Feststellung des Ursprungs der einzelnen Zerstörungen und Prüfung auf ihre militärische Berechtigung hin erscheint uns ungemein schwierig. Eine einseitige Schadenersatzpflicht wäre nichts anderes als eine Kriegsentschädigung in verschleierter Form. Für Staaten, die aus eigener Kraft ihr durch den Krieg zerstörtes Wirtschaftsleben nicht wieder aufbauen können, kann internationale finanzielle Hilfe auf Grund gegenseitiger Vereinbarung vorgesehen werden."

In der Sitzung von Reichstagsfraktion und Parteiausschuß der SPD am 23. September 1918 bestand, das zeigte die Debatte, keine einheitliche Auffassung über die Friedensgrundlage. Das Stockholmer Memorandum war immerhin ein Programm, das die SPD zu einer Zeit vorgelegt hatte, als Deutschlands militärische Lage noch gut war. Es war also zweifelhaft, ob diese Vorstellungen noch der veränderten Situation entsprachen. An dieser Frage entzündeten sich die Gegensätze. Grob unterschieden gab es in der SPD-Führung zwei Richtungen: die Desillusionisten, die mit der klaren deutschen Niederlage und einem harten Frieden rechneten, und die hartnäckigen Optimisten, die Deutschland noch für stärker hielten, als es tatsächlich war, von zähem Durchhalten noch etwas erhofften und wie Gustav Noske noch ganz im Machtdenken befangen waren. Als der Reichstagsabgeordnete Max Cohen (Reuß) in der Sitzung vom 23. September 1918 die überwältigende Kriegsmüdigkeit schilderte und von dem Verlangen nach einem „Frieden um jeden Preis" sprach, hatte er ein Schlagwort in die Debatte geworfen, das die Meinungen noch mehr polarisierte. Ebert und der Reichstagsabgeordnete Otto Landsberg, seit dem 9. November 1918 einer der Volksbeauftragten, lehnten einen Frieden um jeden Preis strikt ab, obwohl er von mehreren Teilnehmern für unvermeidlich gehalten wurde[28].

Partei- und Fraktionsführung legten sich allerdings zunächst nicht eindeutig fest. Sie waren sich aber darin einig, daß nur die 14 Punkte Wilsons als für Deutschland günstigste Basis in Frage kamen, wenn sie auch durchaus nicht mit allen Punkten einverstanden waren. Damit setzten sie sich gegenüber jenen durch, die an einen derartigen Verständigungsfrieden nicht mehr glaubten. Daß die Vereinigten Staaten eine Schlüsselstellung einnehmen würden, wurde allerdings durchweg anerkannt. Der Schriftsteller und Reichstagsabgeordnete Albert Südekum faßte diese Ansicht treffend zusammen: „Tatsache ist doch, daß heute Nordamerika die erste Violine spielt und daß, wenn die Dinge sich so weiterentwickeln, Amerika als Sieger aus

---

[28] Ursachen, II, 64–65.

diesem Kriege nicht nur über Deutschland und seine Verbündeten, sondern über England und ganz Europa herausgehen würde[29]."

Eine gewisse Präzisierung der Friedensvorstellungen in der Parteiführung gab Ebert nur in einem für die Frage der Reparationen allerdings wichtigen Punkt: Belgien sollte entschädigt werden[30]. Von der in den 14 Punkten erwähnten Wiederherstellung Nordfrankreichs war nicht die Rede. Diese Auffassung blieb aber nicht unangefochten. Das Mitglied des Parteiausschusses Hermann Beims erklärte: „Die Möglichkeit für Deutschland, aus dem Krieg herauszukommen, ohne die Wilsonschen Bedingungen zu akzeptieren, gibt es überhaupt nicht mehr. [...] Ich glaube [...], die feindlichen Regierungen werden noch weitere Punkte als die Wilsonschen verlangen." Cohen ging noch weiter: „England und Amerika fordern heute Unterwerfung. Da können auch wir keinen Verständigungsfrieden schaffen. Die Lage ist ziemlich hoffnungslos." Er wurde von dem Mitglied des Parteivorstandes Otto Braun unterstützt: „England und Amerika werden darauf bestehen, nur einen Frieden zu machen, den sie diktieren, einen anderen bekommen wir nicht[31]."

Noske schätzte die Situation ähnlich ein, rechnete auch mit einem Friedensdiktat, war aber gerade deswegen nicht der Ansicht, daß man jeden Frieden schließen müsse. Etwas ideologisch verbrämt, stand er in der außenpolitischen Taktik noch im Banne der Machtpolitik jener, die bis dahin das Reich geführt hatten. Man glaubt fast die Oberste Heeresleitung zu hören, wenn er sagt, daß zum Pessimismus kein Anlaß bestehe und es töricht sei, die von Deutschen besetzten Gebiete zu räumen. Sie seien ein Faustpfand für die Friedensverhandlungen mit den Imperialisten. Er wußte zwar nicht, wie man den Frieden herbeiführen könnte, forderte aber Mut zur Regierungsverantwortung[32]. Aus dem gleichen Grund, nämlich wegen der Schwierigkeiten, einen erträglichen Frieden herbeizuführen, waren Landsberg und Scheidemann gegen den Eintritt der SPD in die Reichsregierung[33]. Eine starke Minderheit war nämlich der Ansicht, daß die Partei nicht mit der kompromittierten Reichsleitung zusammengehen dürfe. Sie sah eine Friedenschance nur, wenn eine „Friedensregierung" durch einen überzeugenden und tiefgreifenden inneren Umschwung glaubhaft werde, teilte also nicht den Pessimismus Cohens, Brauns und anderer. Weiterhin erkannte sie das Mißtrauen der gegnerischen Mächte gegen die „Militaristen und Junker" als berechtigt an und forderte deren Ablösung, um überhaupt zum Frieden zu kommen und die Voraussetzung für den Beitritt Deutschlands zum Völkerbund zu schaffen. Auch Landsberg erklärte, erst müsse die Autokratie weg, sonst gebe es keinen Verständigungsfrieden. Die Hoffnungen gingen teilweise noch weiter, der Sturz der „Kriegstreiber" und die radikale Umgestaltung der politischen Einrichtungen in Deutschland sollten den verständigungsbereiten Kräf-

---

[29] Quellen, 3/II, S. 442–43.
[30] Quellen, 3/II, S. 441.
[31] Quellen, 3/II, S. 432, 435, 452–53.
[32] Quellen, 3/II, S. 434.
[33] Quellen, 3/II, S. 444; siehe auch die Aufzeichnung Scheidemanns über die SPD-Fraktionssitzung vom 2. 10. 1918 in: Ursachen, II, S. 351–52.

ten, vor allem den Sozialisten, in den Entente-Ländern Auftrieb geben. Es war die Illusion einer Verbrüderung des „besseren" Deutschland mit der „besseren" Entente als Schlüssel zu einer grundlegenden, auf Verständigung beruhenden Befriedung Europas[34].

Unter den gegebenen Voraussetzungen sozialdemokratischer Politik wurden nahezu alle möglichen Auffassungen zur Friedensfrage geäußert. Die Uneinheitlichkeit brachte es mit sich, daß Übereinstimmung jeweils nur in einigen Punkten erzielt werden konnte, im übrigen aber die Fronten kreuz und quer verliefen. Diese Verhältnisse ermöglichten es Ebert, nachdrücklich unterstützt vom Reichstagsabgeordneten Eduard David, sein Konzept durchzusetzen. Er vertrat die Ansicht, daß die SPD in der schlimmsten Krise des Reiches nicht abseits stehen dürfe, sondern sich gemeinsam mit den fortschrittlicheren Kräften des Bürgertums an der Regierung beteiligen und um einen annehmbaren Verständigungsfrieden bemühen solle. „Daran dürfen wir keinen Zweifel lassen, [...] daß wir alles, auch das Letzte daransetzen müssen, um die gebotenen Lebensinteressen des Landes und Volkes zu vertreten[35]." Das war für Ebert auch eine Frage der nationalen Verantwortung und des Beweises nationaler Zuverlässigkeit seiner Partei. Um die innere Einheit Deutschlands zu wahren und die Koalition mit den bürgerlichen Parteien Wirklichkeit werden zu lassen, gab er Abstriche am Friedensprogramm der SPD zu. „Wenn Sie alles das berücksichtigen, werden Sie sich sagen müssen, wir dürfen den Bogen nicht überspannen und keine Forderungen aufstellen, die undurchführbar sind und die Verhandlungen [um den Eintritt in die Reichsregierung] zum Scheitern bringen[36]."

Ganz klar kommen diese Intentionen in den Worten Davids zum Ausdruck, die SPD müsse dazu beitragen, die innenpolitischen Friedenshindernisse abzubauen; „gelingt es, so haben wir das historische Verdienst, [...] daß wir es sind, die das Land aus der schweren Situation geführt und die der Welt den Frieden auf Grund der Verständigung gegeben haben"[37]. Darin drückt sich die Hoffnung aus, nicht nur regierungsfähig zu werden, sondern im gleichen Zug zum Retter der Nation und zur unbestrittenen Führungs- und Reformpartei zu werden – Krönung der Evolution, auf die die SPD seit langem gesetzt hatte.

Im Anschluß an die gemeinsame Sitzung der Reichstagsfraktion und des Parteiausschusses am 23. September 1918 wurde eine Entschließung über die Bedingungen für den Eintritt in die Reichsregierung angenommen, worin das Friedensprogramm über das Stockholmer Memorandum nur insofern hinausging, als eine Verständigung über die Entschädigung Belgiens vorgesehen war, und worin im übrigen auf die Friedensresolution des Reichstags vom 19. Juli 1917 verwiesen wurde. Auf dieser Grundlage formulierte Erzberger am 30. September 1918 das

---

[34] Quellen, 3/II, S. 435, 444–46, 450–51.
[35] Quellen, 3/II, S. 439.
[36] Quellen, 3/II, S. 441.
[37] Quellen, 3/II, S. 458.

Programm der Mehrheitsparteien[38]. Die Friedenskoalition war geschlossen. Schon beim Entstehen erwies sich ihr Programm außenpolitisch als überholt, weil die Oberste Heeresleitung am 28. September 1918 bereits von der Reichsregierung die Einleitung der Waffenstillstandsverhandlungen gefordert hatte. Jetzt, nach dem offiziellen Eingeständnis der Niederlage, blieben als günstigste Basis für Deutschland nur noch die 14 Punkte Wilsons übrig. Sie verlangten zwar mehr von Deutschland als das Programm der Mehrheitsparteien, aber immer noch weit weniger, als bei nüchterner Betrachtung an gegnerischen Forderungen zu erwarten war. Darauf hatten ja führende Sozialdemokraten schon am 23. September 1918 hingewiesen. Diese Skepsis teilte die Reichsregierung allerdings nicht. Sie hielt hartnäckig an der Hoffnung fest, in einigen der Wilsonschen Punkte sogar noch etwas günstiger wegzukommen.

Die SPD-Führung befand sich mitten in einem Prozeß, der im Laufe des Oktobers 1918 zum Abschluß kam und für die spätere Handhabung der Friedensfragen, insbesondere des Reparationsproblems, von entscheidender Bedeutung war. Sie verzichtete in der Regierungskoalition auf die Entwicklung eines eigenen, den neuen Voraussetzungen des verlorenen Krieges angepaßten Friedensprogramms und schloß sich den Vorstellungen an, die von denjenigen, die bis dahin für die deutsche Politik während des Krieges verantwortlich gewesen waren und Einfluß auf sie ausübten, wie die Wirtschaftsführer, im Verein mit den an der Regierung beteiligten bürgerlichen Parteien entwickelt wurden. Auch die führenden Vertreter der SPD widersetzten sich der bitteren Erkenntnis, daß die Zeit für einen Verständigungsfrieden vorbei war und nur noch ein Unterwerfungsfrieden, wie Noske es ganz richtig nannte, ohne an seine Unausweichlichkeit zu glauben, in Frage kam.

Im Verlauf des deutsch-amerikanischen Notenwechsels über den Waffenstillstand[39], vor allem nach der Note der Regierung der Vereinigten Staaten vom 14. Oktober 1918, in der Deutschlands militärische Ohnmacht als Voraussetzung für die Waffenruhe gefordert wurde, nahmen in der SPD-Reichstagsfraktion die Stimmen derjenigen zu, die eine andere Politik forderten und klar aussprachen, daß Deutschland jede Bedingung werde annehmen müssen. Der Austritt aus der Reichsregierung kam zur Diskussion. In der Sitzung der Reichstagsfraktion vom 17. Oktober 1918 erklärte Hoch, daß Deutschland mit einem Gewaltfrieden rechnen, ihn aber nichtsdestoweniger so schnell wie möglich abschließen müsse, da andernfalls der Feind ins Land komme. „Wir sind fertig und haben keine Rettung, nur noch Rettung dadurch, daß eine andere Politik eingeschlagen wird. Das Programm wird uns diktiert! Dem Besiegten wird die Politik gemacht. [...] Die Frage, ob wir in der Regierung bleiben können oder nicht, das ist die Frage, wie man sich zur Wilson-Note stellt. Da müssen wir feststellen, ob wir die bürgerlichen Parteien dabei noch hinter uns haben[40]."

Cohen und andere äußerten ähnliche Ansichten. Zwei Punkte waren in ihrer Argu-

---

[38] Ursachen, II, S. 344–45, 347–49.

[39] Waffenstillstand, I, S. 11–19.

[40] Quellen, 3/II, S. 484.

mentation bemerkenswert. Cohen warnte davor, mit Wilson darüber rechten zu wollen, was ein Verständigungsfrieden sei, ein psychologisch sehr wichtiger Hinweis, der in den folgenden Monaten zum Nachteil Deutschlands völlig mißachtet wurde. Und Max Quarck wies als erster auf die Bedeutung der Wirtschaftsfragen für die Friedensverhandlungen hin. Die wirtschaftliche Lahmlegung Deutschlands müsse verhindert werden; auch Wilson wolle sie nicht. „Er will nur die Bedrohung der Welt beseitigen. Gut: Wir wollen das Nötige im Innern vornehmen; aber wir wollen dann die wirtschaftliche Zukunft haben. Wir müßten hinweisen auf die wirtschaftliche Lahmlegung, wenn Oberschlesien usw. abgeschnitten würde. Wenn die wirtschaftlichen Fragen an die entscheidende Stelle in den Vordergrund gerückt würden, dann würden wir viel hinter uns haben, was uns jetzt noch fernsteht, auch bei den Sozialisten des Auslandes, die uns in den Machtfragen keine Konzession machen werden.“ Cohen stimmte dem zu; niemand widersprach ihm, als er erklärte: „Wilson wird uns weiter leben lassen, damit wir Kriegsentschädigung zahlen können usw. Das ist für die Feinde das Entscheidende[41].“ Die Auffassung, daß man Deutschland nur militärisch und politisch schwächen, seine Wirtschaftskraft jedoch schon im eigenen Interesse der Sieger erhalten wolle, wurde dann bei den Vorbereitungen auf die Friedensverhandlungen auch von den führenden Vertretern der Wirtschaft zugrunde gelegt. Diese Auffassung deutete die amerikanische Haltung im großen und ganzen richtig, nicht aber die der Entente, und die sollte sich durchsetzen. Deshalb war das eine der folgenschwersten Fehleinschätzungen, denn sie weckte einen falschen Optimismus.

Als die Fraktion am nächsten Tag, dem 18. Oktober 1918, wieder zusammenkam, war die Mehrheit dafür, den Frieden so schnell wie möglich herbeizuführen, auch wenn es ein Frieden der Unterwerfung werden würde. Das hätte den Bruch der Koalition bedeutet. Eine Minderheit um Ebert, Landsberg und David war damit nicht einverstanden und sah die Lage noch nicht als so hoffnungslos an. Für sie stand die Geschlossenheit der Nation auf dem Spiel und sie fühlten sich verpflichtet, die nationale Ehre zu wahren, die es – wie Heinrich Schulz ausrief – auch für einen Sozialdemokraten gab. Südekum betonte ebenfalls den Ehrenpunkt und sprach sich gegen eine Kapitulation aus, denn so könne sich kein Volk behandeln lassen. David und andere hofften auf die sozialistischen Kräfte in der Entente, die es nicht zulassen würden, daß der Friede durch die Schuld der alliierten Imperialisten vereitelt würde[42]. Auch diese Hoffnung blieb wach.

Im Vordergrund der Diskussion ging es zunächst um den Waffenstillstand, dahinter aber stand die Frage, wie man sich zu den Friedensbedingungen stellen sollte, und jeder in der Fraktion sah diese Verknüpfung. Ebert aber behielt die Oberhand. Die SPD hielt an der Koalition fest, infolgedessen auch an der Forderung eines Friedensvertrags, der nicht gegen die nationale Ehre verstoßen und nicht über die 14 Punkte Wilsons – man kann jetzt schon sagen: in deutscher Auslegung – hinausgehen durfte.

---

[41] Quellen, 3/II, S. 485–86.

[42] Quellen, 3/II, S. 492, 496–500.

In den Fraktionsbesprechungen war vielfach gefordert worden, nun mit aller Energie einschneidende innere Reformen und eine durchgreifende Demokratisierung durchzuführen – auch im Hinblick auf die Chance, auf diese Weise vielleicht zu glimpflicheren Friedensbedingungen zu kommen. Diese Hoffnung war zwar vergeblich. Trotzdem aber hätte eine überzeugende, rasche und konsequente innere Umgestaltung sowohl innen- wie außenpolitisch nur Vorteile gebracht. Auch das wurde durch die Koalition erschwert, abgeschwächt und verzögert. Mit einer schnellen und unbezweifelbaren Demokratisierung wäre es u. a. Wilson verwehrt worden, immer wieder das Mißtrauen gegenüber Deutschlands inneren Reformen ins Spiel zu bringen, wenn es ihm in seine von Schwankungen nicht freien Erwägungen paßte[43].

Gegenüber einem von nationalistischen Gefühlen in allen seinen Schichten erfüllten Volk glaubte die SPD in ihrer neuen Rolle als Regierungspartei zu einem außenpolitischen Erfolg verpflichtet zu sein, zur Herbeiführung eines Verständigungsfriedens, für den sie sich schon eingesetzt hatte, als die Reichsregierung noch, von der Mehrheit des Volkes unterstützt, expansionistischen Zielen nachging. Damals war die SPD nicht gehört worden. Trotzdem hatte sie sich schließlich für die Zusammenarbeit mit einer kaiserlichen Regierung entschieden, die unter dem niederschmetternden Eindruck der militärischen Niederlage nun plötzlich selbst für einen Verständigungsfrieden auf der Basis der 14 Punkte eintrat, wenn auch mit Abstrichen. Und in diesem Moment setzte sich in der SPD nicht die Einsicht durch, daß es inzwischen für einen Verständigungsfrieden zu spät war. Unerwartet stand sie in einer Front mit allen führenden Kräften im Reich, sogar mit der Obersten Heeresleitung, die jetzt gemeinsam einen „Wilsonfrieden" ohne Sieger und Besiegte wollten. Selbstverständlich stellte sich auch das Auswärtige Amt auf diese Grundlage. Da man sich mit der SPD prinzipiell einig war, hatten die Diplomaten und deren Berater um so mehr freie Hand bei der Vorbereitung der Friedensverhandlungen, als die SPD sich vor Eingriffen in die Domänen der Fachleute scheute. Die Zusammenarbeit der ungleichen Partner war besonders eng in dem Bemühen, den Erwerb von Lebensmitteln aus den Vereinigten Staaten gegen die Entente durchzusetzen[44], um durch bessere Versorgung auch die innenpolitischen Verhältnisse in Deutschland zu stabilisieren. Und sie blieb eng bei der späteren Erarbeitung der Richtlinien für die deutschen Friedensunterhändler, vor allem auf wirtschaftlichem Gebiete.

Die unumgänglich notwendige Abgrenzung der SPD von den überkommenen Führungsschichten in der Friedensfrage unterblieb, weil sie an der Koalition festhalten wollte. Die Friedenspolitik wurde der Innenpolitik untergeordnet. Indem man diejenigen, die für die Kriegführung und die Niederlage verantwortlich waren, beim Waffenstillstand nicht allein ließ, verzichtete man auf ihre schonungslose Bloßstellung. Nach der Unterzeichnung des Versailler Vertrags trat neben die er-

[43] Darüber eingehend: Schwabe, S. 105–95. Auch Renouvin ist der Ansicht, daß eine überzeugende Veränderung der inneren Verhältnisse vorteilhaft gewesen wäre; Renouvin, S. 116–18.

[44] Schwabe, S. 231–42.

regten Debatten um die Schuld am Krieg die verhängnisvolle und die Republik untergrabende Auseinandersetzung um eine Schuld am Frieden, die der „Weimarer Koalition" zur Last gelegt wurde.

3. Der Waffenstillstand

Unter dem Druck der Obersten Heeresleitung auf Abschluß eines Waffenstillstands akzeptierte die Reichsregierung als einzig verbleibende Grundlage eines die gegnerischen Forderungen in Grenzen haltenden Friedensvertrags die Friedensgrundsätze des Präsidenten der Vereinigten Staaten, Woodrow Wilson. Kernstück dieser Grundsätze waren die am 8. Januar 1918 verkündeten 14 Punkte, die in bezug auf die Wiedergutmachung von Kriegsschäden folgende Forderungen enthielten: „Belgien muß, wie die ganze Welt übereinstimmen wird, geräumt und wiederhergestellt werden" (Punkt 7), „alles französische Gebiet sollte befreit und das besetzte Gebiet wiederhergestellt werden" (Punkt 8), „Rumänien, Serbien und Montenegro sollten geräumt werden; besetzte Gebiete sollten wiederhergestellt werden" (Punkt 11). Diese drei Punkte gehören zu denjenigen unter den im übrigen recht allgemein und vage formulierten Verlautbarungen Wilsons, die verhältnismäßig konkret gefaßt waren und die deutsche Wiedergutmachungspflicht klar umgrenzten. Die Begrenzung wurde in Form einer allgemeinen Richtlinie, die Wilson in seiner Kongreßrede vom 11. Februar 1918 als Grundlage seines Friedensprogramms verkündete, bekräftigt. Er sagte, es solle in einem künftigen Frieden weder Annexionen noch Kriegsentschädigungen oder strafweisen Schadensersatz geben[45].
In der ersten Sitzung des Kabinetts unter dem neuen Reichskanzler Max von Baden am 3. Oktober 1918 wurde die endgültige Formulierung des deutschen Waffenstillstandsgesuchs besprochen[46]. Es sollte noch am selben Abend abgeschickt werden. Einig waren sich die Kabinettsmitglieder unter dem maßgebenden Einfluß des Auswärtigen Amts[47] darin, daß Wilsons Friedensprogramm die einzige Alternative zur Kapitulation auf Gnade und Ungnade bot. Infolgedessen entschied man sich, auch hierin den Vorschlägen des Auswärtigen Amts folgend, dafür, die Note an Wilson und nicht an alle Kriegsgegner zu richten. Zu Auseinandersetzungen kam es allerdings über die Frage, ob man das Wilsonprogramm als „Ausgangspunkt" oder „Grundlage" der Friedensverhandlungen bezeichnen sollte. Am Ende entschloß man sich für die letztere Formulierung, die Auseinandersetzung machte aber deutlich, daß schon von vornherein einige der 14 Punkte auf deutscher Seite nicht in vollem Umfang akzeptiert wurden. Vor allem Erzberger, Scheidemann und der Staatssekretär des Auswärtigen Amts, Admiral Paul von Hintze, der am 4. Oktober

---

[45] Waffenstillstand, Bd. I, S. 4–5; Rede vom 11. 2. 1918 in: Wilson, S. 229. – Schon Keynes fiel auf, daß bei Wilson keine Rede von Entschädigungen für Italien war; Keynes, Folgen, S. 92.

[46] Quellen, 2, S. 65–68.

[47] Ritter, S. 417–22; Schwabe, S. 95–105.

1918 durch den Staatssekretär des Reichskolonialamts, Wilhelm Solf[48], abgelöst wurde, forderten die Vermeidung jeder Zweideutigkeit in der deutschen Note[49]. Damit war die Formulierung klar, die Vorbehalte blieben aber bestehen und kamen später in der Suche nach der für Deutschland günstigsten Interpretation der 14 Punkte immer wieder zum Ausdruck. Selbst im Auswärtigen Amt, das sich nachdrücklich für die Verpflichtung der Reichsregierung auf die 14 Punkte als Friedensgrundlage eingesetzt hatte, dauerte es einige Zeit, bis sich die Wilsonschen Friedensvorstellungen in den Anweisungen für die Friedensvorbereitung niederschlugen. Am 13. Oktober 1918 noch erklärte Solf das außenpolitisch seit 10 Tagen überholte Programm der Mehrheitsparteien zur Arbeitsrichtlinie seiner Behörde[50]. Erst in einer Zirkularverfügung „an die Herren Unterstaatssekretäre und Direktoren" im Auswärtigen Amt vom 8. November 1918 entschied Solf, daß die bis dahin getroffenen Vorbereitungen für die Friedensverhandlungen unter den neuen Umständen unnütz seien, da man sich früher auf einen „siegreichen oder Status-quo-ante-Frieden eingestellt" habe. Das Material solle nun auf der Grundlage der Wilson-Punkte neu erarbeitet werden[51].

Im Oktober 1918 zögerten die Regierungsmitglieder mit der vorbehaltlosen Anerkennung der 14 Punkte, vor allem wegen der Abtretung deutscher Gebiete an Polen und Elsaß-Lothringens an Frankreich. Wann immer jedoch in den Kabinettssitzungen über Einschränkungen der 14 Punkte gesprochen und sogar spitzfindige Unterscheidungen zwischen Grundlage des Friedensvertrags und Grundlage nur der Friedensverhandlungen versucht wurden, war niemals von Kriegsentschädigung die Rede[52]. Außerhalb der Reichsregierung aber wies Walther Rathenau, Präsident der AEG und einer der einflußreichsten Industriellen in den Führungsschichten der Wilhelminischen Ära, vernehmlich auf die Gefahren hin, die aus den Wiedergutmachungsverpflichtungen erwachsen könnten. Er hielt das Waffenstillstandsgesuch für verfrüht und schrieb am 6. November 1918 in der „Vossischen Zeitung", Wilson hätte zunächst gefragt werden sollen, was er unter der Wiederherstellung Belgiens und Nordfrankreichs verstehe. Sie könne „auf eine verhüllte Kriegsentschädigung in der Größenordnung von fünfzig Milliarden hinauslaufen"[53].

---

[48] Über Solf siehe Vietsch, Wilhelm Solf. Die beiden Kapitel über Solfs Tätigkeit als Staatssekretär des Auswärtigen Amts (S. 194–222) bringen über die deutschen Friedensvorbereitungen nichts Wesentliches, ebensowenig über die eigentliche Führung der Geschäfte durch Solf.

[49] Quellen, 2, S. 49–50, 67.

[50] Politisches Archiv des Auswärtigen Amts in Bonn (abgekürzt: PA), Abt. I A, Deutschland 137 geheim, Bd. 8.

[51] PA, Weltkrieg (abgekürzt: WK) 30, Bd. 1 (4069/D 917 037). Soweit die Akten verfilmt sind, gebe ich zusätzlich zum Fundort die Filmserien-Nummer und die Nummer des verfilmten Aktenblatts (z.B. 4069/D 917 037) an. Siehe dazu: A catalogue of files and microfilms of the German Foreign Ministry Archives, 1867–1920; und: A catalog of files and microfilms of the German Foreign Ministry Archives, 1920–1945.

[52] So am 11. und 12. 10. 1918; Quellen, 2, S. 66–67, 137–47.

[53] Ursachen, II, S. 381–82. – Zur Ideenwelt und Persönlichkeit Rathenaus allgemein siehe: Berglar.

Die Beunruhigung über die Wiedergutmachung nahm jedoch erst nach der Note Wilsons vom 14. Oktober 1918 zu, in der praktisch die militärische Ohnmacht Deutschlands zur Vorbedingung für den Abschluß eines Waffenstillstands gemacht wurde. Solf sagte über die Note, so spreche ein Mann, der keinen Rechtsfrieden, sondern Deutschlands Vernichtung wolle. Sachlich sei der wichtigste Punkt, daß es nur von der Willkür feindlicher Befehlshaber abhänge, ob und wann es zur Waffenruhe komme[54]. Damit sagte der Staatssekretär des Auswärtigen Amts eigentlich genug über das Ausmaß der deutschen Niederlage und die wirtschaftlichen und territorialen Opfer, auf die man sich gefaßt machen mußte. Vor der Einsicht in alle Folgen dieser Niederlage schreckte man jedoch zurück. Es brach eine Stunde der Wahrheit an und sie zeigte ziemlich genau, wie weit die führenden deutschen Politiker bereit waren, das Wilson-Programm voll anzuerkennen und für die Folgen einzustehen. Führende Sozialdemokraten waren einer verzweifelten Stimmung nahe, sahen für Deutschland kaum noch Hoffnung und äußerten unverblümt ihre Enttäuschung und Abneigung gegenüber Wilson – er sei ein „Agent des amerikanischen Großkapitals", ein „elender Demagoge und grundverlogener Heuchler" und ein Imperialist. Landsberg sah am schärfsten, daß einer Volksregierung ebenso schwere Bedingungen auferlegt würden wie einer halbabsolutistischen kaiserlichen Regierung[55]. Die Enttäuschung bei der SPD ging um so tiefer, als Wilson ihr die Hoffnung auf eine neue schöne Welt der Völkerverständigung auf der Grundlage eines Friedens ohne Sieger und Besiegte nahm. Es lag etwas von empörter Unschuld in der Haltung der SPD. Sie zog aber trotzdem den Schluß, daß man sich dem Spruch Wilsons unterwerfen müsse, um noch Schlimmeres zu verhüten, da Deutschland völlig am Ende sei.

Die Mitglieder der Reichsregierung reagierten durchaus nicht alle so. Der Vizekanzler Friedrich von Payer von der Fortschrittlichen Volkspartei neigte nun wieder dem militärischen Durchhalten zu und erklärte im Kabinett, daß „wir als Nation, vor allem auch wirtschaftlich, zugrunde gerichtet werden sollen". Dem Volke solle man sagen, mit Durchhalten bessere man die Situation, sonst müsse es damit rechnen, „daß Deutschland [...] halb und halb aus dem Kreise der Nationen ausgestrichen wird. Ihr müßt mit einer Belastung durch Entschädigung rechnen, die uns erdrücken wird". Dann könne man das Volk noch einmal hoch bekommen[56]. Hiermit wurde plötzlich die Entschädigungsfrage in den Mittelpunkt gerückt. Der beabsichtigte propagandistische Effekt war aber ganz offensichtlich. Denn die Entschädigungsfrage und die damit zusammenhängende wirtschaftliche Problematik wurden im Kabinett überhaupt nicht weiter diskutiert. Payer hatte den für den Durchschnittsbürger kritischsten Punkt erkannt, die in Form von erhöhten Steuern für jeden fühlbare Belastung der Kriegsentschädigung. Es ging nur um den pro-

---

[54] Quellen, 2, S. 212.
[55] Quellen, 2, S. 267; Quellen, 3/II, S. 486–87, 498–501.
[56] Quellen, 2, S. 370, 373.

pagandistischen Ertrag. Eine klare Information der Bevölkerung über die deutsche Ohnmacht und die Problematik der Kriegsentschädigung unterblieb[57].
Die Äußerungen Payers unterschieden sich im Grunde nicht von denen der Konservativen Partei, deren Vorstand feststellte, „das ganze deutsche Volk und mit ihm alle konservativen Kreise" seien „durchdrungen von dem sehnlichsten Wunsche" nach Frieden; nach der Note Wilsons vom 14. Oktober 1918 jedoch gebe es keine Wahl: „Der Entscheidungskampf der Waffen muß bis zum Ende weitergeführt werden." Wilson fordere Kapitulation, um Deutschland „dann den Frieden der vollen Unterwerfung mit Abtretung von Elsaß-Lothringen und von Teilen der Ostmark und Übernahme vernichtender Kriegsentschädigungen auf[zu]erlegen. [...] Auf Menschenalter hinaus wird jeder deutsche Bürger und Bauer, wird jeder Besitzer und Unternehmer, wird vor allen Dingen aber jeder Angestellte und Arbeiter in Stadt und Land zum Lohnsklaven unserer Feinde werden"[58]. Die Formulierung vom deutschen Lohnsklaven gehörte bald zum ständigen Repertoire nationalistischer Bemühungen, das Volk mit den komplizierten finanziellen und wirtschaftlichen Problemen der Reparation vertraut zu machen. In einer Eingabe der Reichstagsfraktion der Konservativen vom 29. Oktober 1918 an Max von Baden wurde dann auch das andere, häufig gebrauchte Reparationsschlagwort der wirtschaftlichen und finanziellen Erdrosselung Deutschlands verwendet[59]. Die Erregung griff aber auch auf die liberale „Frankfurter Zeitung" über, die am 17. Oktober 1918 die Entente davor warnte, Deutschland „für Generationen in eine Schuldknechtschaft" zu stürzen, „die uns zu Arbeitssklaven der anderen Welt machen würde"[60].
Mit größerem Wirklichkeitssinn und der für ihn charakteristischen Phantasie, sich den möglichen weiteren Verlauf der Dinge vorstellen zu können, behandelte Stresemann die Kriegsentschädigung. Er schrieb am 26. Oktober 1918, man müsse vor allem Gewißheit über die gegnerischen Friedensziele haben und das Maximum kennen, über das man unter keinen Umständen hinausgehen dürfe. „Schon jetzt bieten meiner Meinung nach Wilsons 14 Punkte die Möglichkeit des Verlustes von Elsaß-Lothringen, Oberschlesien, Posen und Teilen von Westpreußen, dazu eine nach oben gar nicht limitierte Summe von Entschädigungen, die man sehr leicht in eine Kriegsentschädigung umwandeln kann, auch wenn sie anders frisiert ist. Mit dem Verlust der Eisenwerke in Elsaß-Lothringen und der Kohlengruben in Oberschlesien sind die Herzadern unserer Wirtschaft getroffen. Kommt zu diesem

---

[57] Das geschah offensichtlich ganz bewußt. Am 20. 10. 1918 protestierte der württembergische Ministerpräsident Freiherr von Weizsäcker dagegen im Bundesratsausschuß für die auswärtigen Angelegenheiten: „Eine Rücksichtnahme auf die Stimmung in Deutschland halte ich für verfehlt, daß die Bevölkerung die Situation immer noch nicht ganz versteht, ist erklärlich, weil der schwer zu verantwortende Fehler gemacht worden ist, die Öffentlichkeit nicht rechtzeitig aufzuklären. Man darf sich auf keinen Fall dem Vorwurf aussetzen, den letzten Moment, zum Frieden zu kommen, versäumt zu haben." Siehe Deuerlein, S. 321.

[58] Ursachen, II, S. 398–99.

[59] Ursachen, II, S. 447.

[60] Der große Krieg, S. 9816.

noch eine Kriegsentschädigung von einem vielleicht zehnfachen von Milliarden hinzu, so sind wir auf das nächste Jahrhundert gelähmt[61]." Stresemann verlangte also eine klare deutsche Konzeption für die Friedensverhandlungen, die zur Voraussetzung hatte, daß man sich über die Möglichkeit weitgehender Interpretation der 14 Punkte durch die Entente, wodurch vor allem bezüglich der Reparationen die Wilsonschen Punkte in ihr Gegenteil verkehrt werden konnten, im klaren sein mußte. Die Forderungen konnten sich bei den Friedensverhandlungen sogar noch erhöhen. Deshalb verlangte er als erstes, daß die Reichsregierung zugleich mit der Annahme der Waffenstillstandsbedingungen wenigstens die Anerkennung der 14 Punkte auch durch die Verbündeten der Vereinigten Staaten erhalten müsse. Dies war tatsächlich von entscheidender Bedeutung und der einzige diplomatische Erfolg, den die Reichsregierung erringen konnte und auch errang – allerdings mit der schwerwiegenden Einschränkung, daß gerade hinsichtlich der Wiedergutmachung eine Ausweitung der Verpflichtung aus den 14 Punkten erfolgte.

Die Reichsregierung war aber von einer solchen umfassenden Behandlung der Entschädigungsfrage noch weit entfernt. Man war sich nicht einmal darüber einig, ob man mit Wilsons Hilfe noch einen „guten Waffenstillstand und guten Frieden" – so Solf[62] – erhoffen konnte oder nicht. Erörterungen über die Höhe der Wiedergutmachung und ihre Bezahlung fanden nicht statt. Nur ein spezieller Punkt wurde diskutiert, der allerdings im Hinblick auf die spätere Verknüpfung von Reparationen und Kriegsschuldfrage bedeutsam ist. Schon in der Kabinettssitzung vom 16. Oktober 1918 hatte Scheidemann auf den verhängnisvollen Eindruck hingewiesen, den die planmäßigen Zerstörungen beim Rückzug im Westen machten. „Es werde beim Rückzug grundsätzlich verwüstet. Die deutschen Truppen hausen jetzt in Frankreich wie früher die Russen in Ostpreußen. [...] Nach Angaben des Abgeordneten Meerfeld werden die Erzgruben in Longwy und Briey systematisch vernichtet[63]." Andere stimmten Scheidemann zu; später beschwerte sich auch Erzberger darüber[64]. Angesichts dieser Tatsachen kamen dem Kabinett Bedenken, eine neutrale Kommission zur Untersuchung angeblicher Greuel beim deutschen Rückzug im Westen zu beantragen, wie man ursprünglich beabsichtigt hatte. Vor allem Solf war dagegen. Er berief sich „auf Geheimrat Kriege von der Rechtsabteilung des Auswärtigen Amtes, der erklärt hatte: Wenn wir diese Untersuchung fordern, dann bekommen wir die ganzen Kriegsschäden aufgebrummt[65]". Trotz dieser Einsicht wurde in die deutsche Note vom 20. Oktober 1918 der Vorschlag aufgenommen, eine neutrale Kommission einzusetzen, die das angeblich völkerrechtswidrige Verhalten der deut-

---

[61] Quellen, 2, S. 383.

[62] Quellen, 2, S. 334. Erzberger glaubte, nach einem schlechten Waffenstillstand könne noch ein guter Frieden kommen, während Staatssekretär Haußmann ganz im Gegenteil der Ansicht war, daß ein schlechter Waffenstillstand auch einen schlechten Frieden zur Folge haben werde (Quellen, 2, S. 372, 376).

[63] Quellen, 2, S. 207.

[64] Quellen, 2, S. 208, 415–16.

[65] Quellen, 2, S. 273, Anm. 6.

schen Streitkräfte insgesamt untersuchen sollte. Dem Zusammenhang zwischen völkerrechtswidrigem Verhalten und Wiedergutmachungsverpflichtung ging das Kabinett nicht weiter nach, aber der Gedanke blieb lebendig und spielte später eine entscheidende Rolle in der deutschen Einstellung zum Reparationsproblem.

In der Endphase des Notenaustauschs zwischen der deutschen und der amerikanischen Regierung, als Ende Oktober allen Beteiligten ziemlich klar geworden war, daß der Waffenstillstand einer Kapitulation sehr nahe kam, meldete sich in dem Streit um Annahme oder Ablehnung der Bedingungen eine einflußreiche Gruppe vernehmlich zu Wort, deren Existenz von den bevorstehenden innen- und außenpolitischen Entscheidungen abhängen konnte: die Unternehmer.

Innenpolitisch waren sie bedroht, falls es zu einer sozialistischen Revolution kommen sollte, eine Möglichkeit, die nicht mehr auszuschließen war. Von außen drohte den Unternehmern die Verwüstung der Industriegebiete im Westen, falls der Krieg sich noch länger hinzog, und die Belastung der Wirtschaft mit wachsenden Forderungen nach Kriegsentschädigung, je schwächer die Position Deutschlands wurde.

In dieser prekären Situation unternahmen die Industriellen drei Schritte und griffen damit nachhaltig in die deutsche Entwicklung der kommenden Monate ein. Erstens nahmen sie Verhandlungen mit den Gewerkschaften auf, die eine revolutionärer Entwicklung vorbauende Auseinandersetzung zwischen Arbeitern und Betriebsleitung ermöglichen sollten und schließlich zu dem bereits erwähnten Abkommen über die Zentralarbeitsgemeinschaft vom 15. November 1918 führten[66]. Zweitens machten die Unternehmer mehrere nachhaltige Vorstöße zur unverzüglichen Beendigung des Krieges, bevor der Gegner die deutschen Grenzen überschreite. Obwohl viele von ihnen den expansionistischen Nationalisten und den Konservativen nahestanden, die für einen Endkampf bis zum äußersten eintraten[67], trennten sich hier die Wege. Wenn es zur letzten Probe kam, gab eben doch die wirtschaftliche Überlegung den Ausschlag, und man begann, sich mit den neuen politischen Kräften der Sozialdemokratie und der Gewerkschaften zu arrangieren in der zutreffenden Erkenntnis, daß in ihrer gegen jeden Umsturz gerichteten Haltung die beste Gewähr für die kapitalistische Wirtschaftsstruktur gefunden war. Noske berichtete am 25. Oktober 1918 der Reichstagsfraktion der SPD über eine vertrauliche Konferenz mit Vertretern der „Hochfinanz und der Schwerindustrie“, die erklärt hätten, sie seien der feindlichen Industrie nicht mehr gewachsen und würden durch die „nationale Verteidigung“ in katastrophaler Weise geschwächt. Es bestünde dann keine Aussicht, die Arbeiter bald wieder zu beschäftigen und halbwegs zu ernähren. Diese Argumente wirkten bei der Furcht vor Chaos und bolschewistischem Umsturz mit zwingender Überzeugung auf die SPD, und Noske betonte, auf dieser Konferenz sei beschlossen worden, alles daranzusetzen, daß eine gründliche Demokratisierung

---

[66] Siehe Seite 18. Über die Einzelheiten siehe: Richter, S. 237–43; Feldman, Army, S. 519–33.

[67] Ursachen, II, S. 391–92, 398–99, 425–26, 446–49.

stattfinde[68]. Damit war man nicht nur den Befürchtungen, sondern auch den innenpolitischen Zielen der SPD entgegengekommen.
Kurz darauf offenbarte sich ein weiterer Punkt der Übereinstimmung zwischen der SPD und den führenden Vertretern der Wirtschaft. Beide verlangten die Abdankung des Kaisers, da er ein Hindernis für einen schnellen Frieden sei. Arnold Drews, der preußische Innenminister, hielt Wilhelm II. am 1. November 1918 darüber Vortrag und berichtete, „gerade in den letzten Tagen sei die Bewegung, welche die Abdankung als ein von der freien Entschließung des Kaisers dem Wohle des Vaterlandes gebrachtes Opfer erwarte, tief in die Kreise der Schwerindustrie, des Großhandels und der Hochfinanz eingedrungen". Dazu fand der Staatssekretär des Kriegsernährungsamts, Wilhelm von Waldow, in der Kabinettssitzung vom 2. November 1918 die richtigen Worte, als er erklärte, dies sei die „größte Treu- und Schamlosigkeit", denn die Schwerindustrie hätte den Kaiser früher zu einem Gewaltfrieden gedrängt[69].
Drittens schließlich suchten die Unternehmer sich gegen die kommenden Gefahren zu wappnen, indem sie eigene Pläne für das größte binnenwirtschaftliche Problem überhaupt, die Demobilmachung, vorlegten und mit beträchtlichem Druck auf die Reichsregierung durchsetzten. Sie verlangten ein eigenes Demobilmachungsamt, das Rathenau sogar als „Trägerin des gesamtdeutschen Schicksals"[70] apostrophierte, und sie traten dabei, Hugo Stinnes und Walther Rathenau an ihrer Spitze, schon gemeinsam mit den Gewerkschaftsführern Legien und Stegerwald auf. Die neue Behörde sollte unabhängig vom Reichswirtschaftsamt bestehen, ihr Leiter ein „Ludendorff" mit absoluter Gewalt sein. Sie sollte die uneingeschränkte Verfügung über die Umstellung auf die Friedensproduktion, die Wiedereingliederung der heimkehrenden Soldaten und Kriegsgefangenen in den Wirtschaftsprozeß und die Verteilung von Aufträgen und Rohstoffen in der Hand haben. Arbeitgeber- und Arbeitnehmerverbände schlugen Oberstleutnant Joseph Koeth, den Leiter der Kriegsrohstoffabteilung im preußischen Kriegsministerium, für diesen Posten vor. Er hatte schon während des Krieges eng mit ihnen zusammengearbeitet, und einige Unternehmer taten in seiner Abteilung Dienst. Im Kriegskabinett wurde am 8. November 1918 nach einigem Widerspruch die Ernennung Koeths beschlossen, der Rat der Volksbeauftragten vollzog sie dann am 10. November – ein erneutes kleines Beispiel der Kontinuität[71]. Für die Unternehmer war dieser Erfolg von unschätzbarem Wert, ein wesentlicher Beitrag zur Erhaltung der kapitalistischen Wirtschaftsstruktur, denn ohne das Demobilmachungsamt wären chaotische Zustände bei der Umstellung von der Kriegs- auf die Friedenswirtschaft und bei der Wiedereinglie-

---

[68] Quellen, 3/II, S. 506–07.
[69] Quellen, 2, S. 439, 461, 470, 499.
[70] Richter, S. 226.
[71] Quellen, 2, S. 569, 586–88; Quellen, 6/I, S. 27; Richter, S. 223–36, der vor allem die Bedeutung der wirtschaftlichen Demobilmachung für das Fortbestehen des Kapitalismus hervorhebt; Feldman, Army, S. 521–31; Feldman, Business, S. 312–41. Siehe auch: Koeth, S. 163–68.

derung der Massen des Feldheeres unvermeidlich gewesen. Sie hätten durchaus eine revolutionäre Situation schaffen können.

Inzwischen erwartete die Reichsregierung in wachsender Unruhe die endgültige Entscheidung der gegnerischen Koalition darüber, ob es zu Waffenstillstandsverhandlungen kommen sollte oder nicht. Sie war schon bereit, die Kapitulation anzubieten, als die erlösende letzte amerikanische Note vom 5. November 1918, die sogenannte Lansing-Note, in Berlin eintraf[72]. Foch erwartete die deutsche Delegation, um ihr die Waffenstillstandsbedingungen vorzulegen. Das Wichtigste aber war, daß Wilson sich durchgesetzt hatte und seine Verbündeten das von ihm entwickelte Friedensprogramm anerkannten, allerdings mit zwei bedeutungsvollen Einschränkungen. Die eine bezog sich auf die Freiheit der Meere, die andere auf die Reparationen. Die Lansing-Note enthielt ein Memorandum der Alliierten, in dem bezüglich der Reparationen festgestellt wurde: „Ferner hat der Präsident in den in seiner Ansprache an den Kongreß vom 8. Januar 1918 niedergelegten Friedensbedingungen erklärt, daß die besetzten Gebiete nicht nur geräumt, sondern auch wiederhergestellt werden müßten. Die alliierten Regierungen sind der Ansicht, daß über den Sinn dieser Bedingungen kein Zweifel bestehen darf. Sie verstehen dadurch, daß Deutschland für alle durch seine Angriffe zu Wasser und zu Lande und in der Luft der Zivilbevölkerung der Alliierten und ihrem Eigentum zugefügten Schäden Ersatz leisten soll." Lansing fügte dem hinzu: „Der Präsident hat mich mit der Mitteilung beauftragt, daß er mit der im letzten Teil des Memorandums enthaltenen Auslegung einverstanden ist[73]."

Das war eine klare Ausweitung der deutschen Wiedergutmachungspflicht über das in den 14 Punkten Gesagte hinaus. Aus diesem Grunde schon zeigt die erwähnte Zirkularverfügung Solfs vom 8. November 1918 bei der Abgrenzung des Rahmens, innerhalb dessen Vorbereitungen für die Friedensverhandlungen erfolgen sollten, einen wenig realistischen und zu einseitig auf die Haltung der Vereinigten Staaten ausgerichteten Charakter. Zumindest für die Reparationen konnten die 14 Punkte nicht mehr als Grundlage des Friedensvertrags gelten. Nach der Verfügung vom 13. Oktober 1918, der noch das Programm der Mehrheitsparteien zugrunde lag, war dies das zweite Mal, daß die Entscheidungen des Auswärtigen Amts von der Entwicklung überholt wurden[74]. Das blieb in den folgenden Monaten, gerade für die Reparationsfrage, kennzeichnend. Aber auch Erzberger gab den Feststellungen in der Lansing-Note, wie spätere Äußerungen beweisen, eine sehr enge Auslegung und betonte, daß die Wiedergutmachungspflicht auf die besetzten Gebiete beschränkt sei und Entschädigungen für Verluste infolge des deutschen Unterseebootkriegs abgelehnt werden müßten[75]. Daran hielt er in den kommenden Monaten fest, obwohl gerade die Einbeziehung dieser Schäden maßgebend für die Formulierungen der Alliierten gewesen war.

[72] Quellen, 2, S. 551–58.
[73] Waffenstillstand, Bd. I, S. 18–19.
[74] Siehe S. 29.
[75] Siehe u. a. seine Stellungnahme in einer Sitzung im Reichsschatzamt am 4. 1. 1919; PA, WK 30, Bd. 14 (4069/D 920 321–23).

Die Entscheidung Solfs, sich nun ganz auf die Vereinigten Staaten zu konzentrieren – Anfang Oktober 1918 war das noch anders gewesen[76] –, entsprach der letzten Hoffnung, daß nur Wilson noch imstande sei, Deutschland vor vernichtenden Friedensbedingungen zu retten, und sie war sehr unterstützt worden durch ein abgefangenes amerikanisches Telegramm[77]. Es wurde in zwei Teilen am 31. Oktober und 2. November 1918 vom Großen Hauptquartier dem Auswärtigen Amt übermittelt und enthielt den Text jenes Kommentars der Wilsonschen 14 Punkte, den der Sonderbeauftragte des Präsidenten der Vereinigten Staaten, Oberst House, der sich zu Besprechungen über eine gemeinsame Haltung der Alliierten angesichts des deutschen Waffenstillstandsgesuchs in Paris aufhielt, hatte ausarbeiten und am 29. Oktober 1918 nach Washington telegraphieren lassen. Wilson billigte den Kommentar, wenn er sich auch die Anwendung der Grundsätze im einzelnen vorbehielt und seine Zustimmung den Deutschen nicht bekannt wurde. Mit der Kenntnis der Interpretation der 14 Punkte erhielt die Reichsregierung aber die ersten präzisen Anhaltspunkte für eine Schätzung der Summen, die sie an Reparationen würde zahlen müssen, und dies festigte ihre Ansicht, daß ein Friede auf der Grundlage der 14 Punkte mit allen Kräften und mit Aussicht auf Erfolg anzustreben sei. Der siebente der 14 Punkte wurde in dem Kommentar folgendermaßen erläutert: „Das einzige Problem in diesem Zusammenhang ist das Wort ‚wiederhergestellt‘. Ob diese Wiederherstellung durch Sachlieferungen erfolgt oder wie die Entschädigungssumme festgesetzt wird, ist eine Detail- keine Grundsatzfrage. Der Grundsatz, den es hier aufzustellen gilt, besagt, daß es im Falle Belgiens keinen Unterschied zwischen ‚rechtmäßigen‘ und ‚unrechtmäßigen‘ Zerstörungen gibt. Die Anfangshandlung der Invasion war unrechtmäßig, daher auch alle Folgen dieser Handlung. Unter die Folgen kann auch die Kriegsschuld Belgiens [i. e. die während des Krieges aufgenommenen Anleihen] eingereiht werden [...].“ Zu Punkt 8 (Frankreich) wurde gesagt: „Was die Rückgabe des französischen Gebietes betrifft, so könnte man sicher einwenden, daß die Invasion Nordfrankreichs, als Ergebnis der unrechtmäßigen Handlungen gegenüber Belgien, selbst unrechtmäßig war. Doch ist diese Argumentation nicht völlig stichhaltig. In der Welt des Jahres 1914 war ein Krieg zwischen Frankreich und Deutschland an sich keine Verletzung des Völkerrechts, und der Fall Belgien sollte unbedingt getrennt und symbolisch behandelt werden. So könnte Belgien (wie bereits oben angedeutet) Entschädigungen nicht nur für die Zerstörungen, sondern auch für die Kriegskosten verlangen. Frankreich scheint nur Zahlungen für jene Schäden verlangen zu können, die dem Land in seinen Departements im Nordosten entstande nsind.“ Von Wiedergutmachung an Rumänien, Serbien und Montenegro (Punkt 11) war im Kommentar keine Rede.

---

[76] Quellen, 2, S. 66.

[77] PA, WK 30, Bd. 1 (4069/D 916 999–7019); Seymour, S. 157 und 198–209; Czernin, S. 24–34, eine nützliche Quellenkompilation über Versailles, aber in der Zitierweise z. T. ungenau und mit oberflächlichen Urteilen. Über die Bedeutung des Telegramms, das die deutschen Friedensvorbereitungen beeinflußte, siehe: Schwabe, S. 177, 220–21, 528 Anm. 36.

Für die Reichsregierung und vor allem das Auswärtige Amt blieb diese Interpretation der 14 Punkte in den ersten Monaten nach dem Waffenstillstand weit mehr maßgebend als die Reparationsformel der Lansing-Note. Insbesondere wurde die in der Interpretation des Punktes 7 benutzte Unterscheidung zwischen rechtmäßigen und unrechtmäßigen Zerstörungen für den Aufbau der deutschen Position wichtig.
Wie leicht man in einem neuen Optimismus über die bedenkliche Ausweitung der Reparationsverpflichtung zunächst hinwegging, beschrieb Hugo Graf Lerchenfeld, der bayerische Gesandte in Berlin: „Im Auswärtigen Amt ist man durch den Inhalt der Antwort sehr befriedigt und erleichtert. Dr. Rhomberg führte aus, daß das wesentliche der Antwort sei, daß die Entente sich danach auf den Boden der 14 Punkte Wilsons stellt, bis auf zwei Vorbehalte wegen der Freiheit der Meere und wegen der Frage der Entschädigung. Man habe Wilson gegenüber mißtrauisch sein können, ob es ihm mit seinem Programme auch wirklich ernst sei. Seine Antwort bestätige dies aber und zeige, daß er in Versailles seinen Standpunkt mit Entschiedenheit vertreten habe. [...] Darüber, auf welchen Betrag sich die Entschädigungssumme belaufen wird, die wir nach der Wilsonschen Note an die Gegner bezahlen sollen, konnte Dr. Rhomberg auch eine ungefähre Angabe nicht machen. Doch meinte er, daß daran der Frieden nicht werde scheitern können. Man werde sehen müssen, bei den Verhandlungen möglichst billig durchzukommen[78]."
Es ist für diese Einstellung sehr bezeichnend, daß der Reichskanzler Max von Baden die Ausdehnung der Reparationsverpflichtung als Voraussetzung der Waffenstillstands- und Friedensverhandlungen in dem Aufruf an das deutsche Volk vom 6. November 1918 nicht erwähnte: „Präsident Wilson hat heute auf die deutsche Note geantwortet und mitgeteilt, daß seine Verbündeten den 14 Punkten, in denen er seine Friedensbedingungen im Januar d. J. zusammengefaßt hatte, mit Ausnahme der Freiheit der Meere, zugestimmt haben[79]." Die Lansing-Note erzielte also in erster Linie die Wirkung, daß bei der Reichsregierung der unbedingte Wille, sich auf die 14 Punkte als feststehende Grundlage der deutschen Friedensvorbereitungen zu verlassen, nun erst richtig einsetzte, und erweckte nicht etwa neue Befürchtungen und Bedenken.
In der Öffentlichkeit wurde dagegen sehr ausdrücklich zu den Reparationsgrundsätzen, die in der Lansing-Note mitgeteilt worden waren, Stellung genommen und auch klar erkannt, mit welchen großen Belastungen Deutschland zu rechnen hatte. In einem Kommentar meinte die „Frankfurter Zeitung", nichts spreche deutlicher für die Gewaltpolitik der Entente, als das Verlangen nach Entschädigung. Die von den Alliierten bei den Vereinigten Staaten durchgesetzte Erweiterung der Forderungen werde zwar im Zusammenhang mit der Wiederherstellung der besetzten Gebiete vorgebracht, „aber wer möchte bestreiten, daß hinter dieser wohl absichtlichen Unklarheit die schrankenlosesten Forderungen der Westmächte zum mindesten verborgen stehen können und daß diese bereit sind, auch den Schaden, den

---

[78] Quellen, 2, S. 567.
[79] Ursachen, II, 468.

der Tauchbootkrieg an Menschen, Schiffen und Frachten angerichtet hat, zum Ersatz anzumelden? Dann könnten unsere Feinde zu den wahnsinnigsten Forderungen kommen, [...] Das bedeutete den vollkommensten Gewaltfrieden; mit unauslöschlicher Erbitterung würde das deutsche Volk dieses Schicksal nur dann auf sich nehmen, wenn ihm physisch nichts anderes als dieses Elend übrig bliebe. [...] Den Verlierenden für all diese Schäden haftbar zu machen, wäre unmenschlich[80]." Gleichzeitig war, noch vor dem Abschluß des deutsch-amerikanischen Notenwechsels, die öffentliche Auseinandersetzung um den Unterschied zwischen einem Frieden des Rechts und der Gewalt voll entbrannt. Die „Frankfurter Zeitung" faßte die vorherrschende Meinung in einem Kommentar vom 23. Oktober 1918 bündig zusammen: „Das deutsche Volk weiß, daß es manche schwere Verschuldung des alten politischen Regimes zu büßen und wieder gutzumachen hat: gegenüber Belgien, gegenüber Elsaß-Lothringen, gegenüber den Polen. Belgien soll einen gerechten Schadenersatz erhalten; und den Elsaß-Lothringern, deren Autonomie jetzt endlich rasch verwirklicht wird, sowie den deutschen Polen, von denen bisher leider noch nicht die Rede war, soll in der deutschen Demokratie sicher ihr Recht werden. Aber das deutsche Volk darf fordern, daß dieses Recht mit seinem Recht in Übereinstimmung gehalten werde, daß nicht seine gerechten Lebensnotwendigkeiten dem vermeintlichen Rechte anderer zum Opfer gebracht werden. Wer deutsches Land und deutsches Volk in West und Ost verstümmeln oder uns unerträgliche Schuldenlasten aufbürden will, der will einen Gewaltfrieden, keinen Rechtsfrieden mit uns schließen[81]." Das entsprach, gerade auch hinsichtlich der Entschädigungen, nicht einmal den 14 Punkten. Man muß aber hinzufügen, es war der Standpunkt einer Zeitung, die unter dem Eindruck eines „im Felde unbesiegten" Heeres noch an die Möglichkeit einer Ablehnung zu weitgehender Bedingungen und an einen „letzten Endkampf" dachte. Und das geschah ohne Leichtfertigkeit, denn in demselben Kommentar wurde von der Reichsregierung ein ehrliches Bekenntnis zur Lage gefordert, besonders darüber, ob ein Frieden, wie ihn die fortschrittlichen Kräfte in Deutschland sich dachten, überhaupt noch möglich sei: „Mit aller Entschlossenheit werden wir uns dagegen wehren, daß man Gewalt, die wir dulden sollen, uns als Recht präsentiere, – daß womöglich gar die Demokratie mit ihren Rechtsgrundsätzen und ihren Rechtsformen jetzt für gut genug befunden werde, über Unrecht, das wir dulden müßten, den schützend verhüllenden Mantel zu breiten und damit vor der deutschen Zukunft die lastende Verantwortung dafür zu tragen. Wir wissen nicht, wo für die Regierung das Erträgliche aufhört und das Unerträgliche beginnt. Kommt sie aber dazu, Opfer gegen unser Recht den Opfern des Endkampfes vorziehen zu wollen, dann soll sie die Wahrheit sagen – die Wahrheit nämlich, daß wir Unrecht dulden müssen durch die furchtbare Schuld derer, die uns in die jetzige Lage gebracht haben, daß wir Gewalt erdulden nicht wegen der Prinzipien der Demokratie, sondern wegen des Frevelmutes einer jammervollen

---

[80] Der große Krieg, S. 9921–22.
[81] Der große Krieg, S. 9848.

Politik, die uns ins Unglück gestürzt hatte. Das deutsche Volk muß mit rückhaltloser Ehrlichkeit erfahren, was es tragen soll und warum – und wer die Schuldigen sind, die es dafür schonunglos zur Verantwortung zu ziehen hat[82]." Keine Regierung, weder die Max' von Baden noch seiner Nachfolger, hat hiernach gehandelt und eine klare Antwort mit der bitteren Wahrheit gegeben, daß Deutschland ohnmächtig sei und die Entscheidungen der Sieger werde hinnehmen müssen.

Die Reichsregierung jedoch vermied jede öffentliche Stellungnahme; selbst im Kabinett wurde die Frage während der folgenden Wochen nicht erörtert. Offensichtlich wollten die beteiligten Ressorts einen gravierenden Unterschied zwischen den 14 Punkten und der Lansing-Note in der Reparationsfrage nicht zugeben. Erst am 21. März 1919 fand im Kabinett eine gründliche Aussprache über die Auslegung der Lansing-Note statt, als es um die Formulierung der Richtlinien für die Friedensunterhändler ging[83].

Staatssekretär Erzberger wurde am 6. November 1918 als Vertreter der Reichsregierung in die deutsche Waffenstillstandskommission delegiert[84]. Am Nachmittag desselben Tages trat die Kommission ihre Reise zum alliierten Oberkommandierenden, Marschall Foch, an, um die Waffenstillstandsbedingungen entgegenzunehmen, und am 7. November 1918 übernahm Erzberger die Leitung der deutschen Waffenstillstandskommission. Während der Verhandlungen im Wald von Compiègne erreichte die Revolution Berlin, der Kaiser begab sich nach Holland ins Exil, die Republik wurde ausgerufen und die Regierung des Rats der Volksbeauftragten gebildet. Erzberger blieb im Amt, das man ihm und – seltsam genug – nicht Solf übertragen hatte, sei es, weil er als unabkömmlich galt, sei es, weil Erzberger selbst Solf für ungeeignet hielt[85]. Da die Reichsregierung keinen Abbruch der Waffenstillstandsverhandlungen riskieren und sie deswegen nicht den Militärs überlassen wollte, da außerdem wohl Klarheit darüber bestand, daß die Waffenstillstandskommission zunächst die einzig offizielle Kontaktstelle zu den Siegermächten war, hätte zweifellos das Auswärtige Amt federführend sein müssen. Dies um so mehr, als die Absicht bestand, die Waffenstillstandsverhandlungen möglichst rasch in Verhandlungen über einen Präliminarfrieden überzuleiten[86]. Erzberger hatte also einen der wichtigsten Posten der Reichsregierung inne. Daß die Volksbeauftragten keinen Wechsel vornahmen, veranschaulicht das Ausmaß der Kontinuität in der Regierungskoalition und die politische Bedeutung der „Fachminister"; daß dem Auswärtigen Amt hier die Führung entglitt, begründete die späteren Spannungen zwischen beiden Behörden.

Der am 11. November 1918 abgeschlossene Waffenstillstandsvertrag kam bei der Härte seiner Bedingungen einer Unterwerfung gleich[87]. Er enthielt auch, über das

---

[82] Der große Krieg, S. 9849.

[83] Siehe S. 144.

[84] Siehe dazu Quellen, 2, S. LVII–LXIII.

[85] Quellen, 2, S. 465, 468 Anm. 9 und 10.

[86] Ursachen, II, S. 481–82; Quellen, 6/I, S. 153, 163; Kessler, S. 32.

[87] Siehe dazu den Forschungsbericht von Halperin, S. 107–12.

rein Militärische hinausgehend, in Artikel XIX erste Reparationsbestimmungen, zunächst zur Sicherstellung in Deutschland vorhandener Werte, die für die Deckung der Kriegsschäden in Frage kamen. Auch die unter Artikel VII verlangte Ablieferung von 5000 Lokomotiven, 150000 Eisenbahnwagen und 5000 Lastkraftwagen gehört bereits in den Bereich der Reparationen, denn diese und andere Ablieferungen von nicht-militärischem Material im Rahmen des Waffenstillstands wurden im Friedensvertrag auf Reparationskonto gutgeschrieben. Dies geschah aber mit der ausdrücklichen Erklärung der Sieger, daß sie sich bezüglich der „réparation des dommages" jeden nachträglichen Verzicht und jede nachträgliche Forderung vorbehielten[88]. Diese Feststellung konnte zu der Befürchtung Anlaß geben, daß Deutschland u. U. noch über die im vorangegangenen Notenwechsel getroffene Abgrenzung der Verpflichtungen hinaus gezwungen werden sollte, unabsehbare und unbegrenzte Wiedergutmachungsforderungen zu befriedigen. Und genau mit diesem Hintergedanken hatte der französische Finanzminister Klotz die Formulierung in den Vertrag hineingebracht, wenn auch die extensive Interpretation, die er ihr im Sinne unbegrenzter Forderungen geben wollte, willkürlich war und juristisch keine Veränderung der im Notenwechsel zwischen der amerikanischen und der deutschen Regierung getroffenen Vereinbarungen bewirken konnte[89].

Die deutsche Waffenstillstandskommission sprach hinsichtlich der französischen Haltung nicht einmal einen Verdacht aus. Als Erzberger in der Kabinettssitzung vom 16. November 1918 die Waffenstillstandsbedingungen erläuterte, erwähnte er den fraglichen Satz nicht einmal. Die Reparationsbestimmungen des Waffenstillstandsvertrags wurden ebensowenig im Kabinett erörtert wie diejenigen der Lansing-Note. Nachdem während der Waffenstillstandsverhandlungen beide Delegationen sich einig geworden waren, daß die endgültigen finanziellen Abmachungen im Friedensvertrag zu treffen seien, fanden die Erörterungen über die ersten beiden Absätze des Artikels XIX in folgender Erklärung der Unterkommission für Finanzfragen vom 26. November 1918 in Spa ihr Ende: „Die Unterkommission stellt fest, daß die Auslegung dieser zwei Texte zu keiner Diskussion Anlaß gibt[90]."

Die Waffenstillstandsbedingungen wurden in Deutschland als niederschmetternd empfunden. Ebert gab den allgemeinen Eindruck wieder, als er am 25. November 1918 vor der Reichskonferenz erklärte: „Werden wir nicht vor Abschluß der allgemeinen Friedensverhandlungen von den Waffenstillstandsbedingungen befreit, dann muß unser Volk in tiefes Elend und wirtschaftliche Anarchie versinken. Rettung kann nur ein baldiger Präliminarfriede bringen, auf ihn müssen wir mit allen Mitteln hinarbeiten. Erst dann bekommen wir die Möglichkeit, die Volksernährung sicherzustellen und unser Wirtschaftsleben weiterzuführen[91]." Diese Äußerung enthielt eine Ansicht, die sich weithin durchsetzte und während der Verhandlungen in Versailles noch eine Rolle spielte, als von deutscher Seite den

[88] Waffenstillstand, Bd. 1, S. 43.
[89] Weill-Raynal, S. 25–28; Burnett, S. 7–8 und 399–401.
[90] Quellen, 6/I, S. 54; Waffenstillstand, Bd. I, S. 42 und 273.
[91] Quellen, 6/I, S. 153.

Reparationsforderungen u. a. mit dem Argument begegnet wurde, auf Grund der langen, ruinösen Waffenstillstandszeit könne Deutschland praktisch gar nichts mehr zahlen.

4. Rechtsfrieden, Kriegsschuld und Reparationen

Seit dem Abschluß des Waffenstillstands war Deutschland vollkommen ohnmächtig. Um so lauter wurde das Verlangen nach einem Rechtsfrieden und die Betonung des Anspruchs, den Deutschland darauf habe.

Die Absicht Wilsons, den größten und schrecklichsten Krieg, den die Welt bis dahin erlebt hatte, mit einem Frieden nach Recht und Billigkeit zu beenden, eröffnete der Menschheit unerwartet die Hoffnung, daß es zum ersten Mal gelingen könnte, eine neue völkerrechtliche Ordnung zur Sicherung des Friedens und zur Einschränkung der Machtpolitik aufzurichten. Die Grundsätze des Rechtsfriedens hatte Wilson noch einmal in seiner Rede vom 27. September 1918 bekräftigt[92], wenige Tage bevor die Reichsregierung ihr Waffenstillstandsgesuch an ihn richtete, sein Friedensprogramm anerkannte und neben den 14 Punkten diese Rede besonders hervorhob. Im gesamten, sich daran anschließenden Notenwechsel ging es für Deutschland in erster Linie darum, ob es auch als besiegtes Land tatsächlich in den Genuß der Friedensgrundsätze des amerikanischen Präsidenten kommen würde. Die Lansing-Note schaffte darüber Klarheit und faßte die Verpflichtungen für alle Beteiligten zusammen: Deutschland sollte einen Waffenstillstandsvertrag akzeptieren, der es wehrlos machte; die Vereinigten Staaten und ihre Verbündeten dagegen erklärten ihre Bereitschaft, mit Deutschland einen Friedensvertrag auf der Grundlage des Wilsonprogramms abzuschließen – mit den bekannten beiden Einschränkungen[93].

Schon bald darauf wurde von deutscher Seite die These verfochten, vor allem auch in Versailles, daß es sich bei dem deutsch-amerikanischen Notenwechsel um einen Vorvertrag, ein „pactum de contrahendo" handle. Vor allem in den zwanziger Jahren von den deutschen Völkerrechtlern aufgenommen, stieß diese These im Ausland auf Widerspruch[94]. Ohne auf diese terminologischen Schwierigkeiten näher einzugehen, kann man doch feststellen, daß unzweifelhaft eine bindende völkerrechtliche Vereinbarung vorlag, die von den Siegermächten in Versailles auch an-

---

[92] Waffenstillstand, Bd. 1, S. 9–10.

[93] „[Wilson] a imposé, en fait, son arbitrage"; Renouvin, S. 137.

[94] Lassa Francis Oppenheim, S. 551 Anm. 1 und S. 607, benutzt den Begriff „pactum de contrahendo" nur bei Darlegung der deutschen Vorstellungen und spricht selbst von einem „pre-armistice agreement upon the basis of peace". Die Bezeichnung „pactum de contrahendo" wurde in der neueren deutschen Literatur u. a. wieder aufgenommen bei: Erdmann, Weltkriege, S. 77; Wüest, S. 39, 83; Dickmann, S. 52–53, 80; Schwabe, S. 226. Vgl. auch Verdross, S. 575 und Renouvin, S. 254; beide sprechen von bindenden Vereinbarungen. Da auch die Alliierten sie in Versailles anerkannten, ging es nur um die Frage, ob sie erfüllt waren oder nicht.

erkannt wurde. Also konnte die Reichsregierung den rechtlichen Anspruch auf einen Rechtsfrieden nach dem Programm Wilsons geltend machen.

Eine andere Frage blieb allerdings, was man in Deutschland unter einem Rechtsfrieden verstand. Dabei konnte es zu Konflikten kommen, wenn die Auslegung der 14 Punkte und der Reparationsbestimmung in der Lansing-Note zwischen den Kriegsgegnern strittig war. In Deutschland klammerten sich die Verantwortlichen von vornherein an die 14 Punkte – und gerieten damit in die Versuchung, dieses sehr allgemein formulierte Programm als ein oberstes Gesetz zu betrachten, dem alle Friedensbedingungen unterworfen seien und aus dem man präzise Rechtsverbindlichkeiten deduzieren könne. Das lief darauf hinaus, den ungeheuerlichsten Krieg, den die Menschheit bis dahin erlitten hatte, unter Berufung auf formale Rechtsstandpunkte beenden zu wollen.

Die Reaktion war andererseits verständlich: Gerade in gut informierten Kreisen Deutschlands wuchs die Besorgnis, daß äußerst harte Bedingungen bevorstanden. Gegenüber den maßlosen Forderungen, die aus Frankreich und England zu hören waren, bildeten die Vereinigten Staaten sozusagen das einzige Bollwerk – die Festlegung aller Beteiligten auf die 14 Punkte schien allein Aussicht auf einen erträglichen Frieden zu bieten. Der Vorsitzende des Rats der Volksbeauftragten Ebert sagte am 10. November 1918 allerdings skeptisch: „Er müsse aber schon heute betonen, daß von einem Frieden des Rechts und der Gerechtigkeit bei solchen Bedingungen keine Rede mehr sein könne. Die uns auferlegten Opfer seien so unerhört, daß sie zu einer Vernichtung unseres Volkes führen müßten[95]." Mit diesen Worten näherte sich Ebert aber in gefährlicher Weise denjenigen, die während der folgenden Monate in der öffentlichen Meinung und in der Regierung immer mehr an Einfluß gewannen und erklärten, das deutsche Volk sei betrogen worden[96]. Man habe es mit falschen Versprechungen über einen Wilsonfrieden des Rechts zur Niederlegung der Waffen bewogen, und nun sei es seinen Gegnern und deren Forderungen hilflos ausgeliefert. Neben der militärischen Dolchstoßlegende[97], aber in

[95] Beratung über die Waffenstillstandsbedingungen am 10. 11. 1918; Quellen, 6/I, S. 25.

[96] Siehe dazu den eindringlichen und unentbehrlichen Aufsatz von Fraenkel, S. 66–120, besonders S. 82–83.

[97] Siehe dazu Hiller von Gaertringen, S. 122–60. Darin wird das wichtigste Material zur Dolchstoßlegende differenziert verarbeitet, jedoch unter einem gedanklich falschen Ansatzpunkt: Die wesentliche Frage ist nämlich weder, ob militärtechnisch gesehen der Krieg 1918 wegen der Revolution beendet werden mußte oder nicht, noch, ob die Erklärung für die plötzlich offenbar werdende Niederlage im völligen Versagen oder etwa im Verrat der Heimat gesucht wurde. Den entscheidenden Zusammenhang bildete vielmehr die innenpolitische Haltung der betont konservativen Kräfte im Reich, die jede demokratische oder gar sozialistische Bewegung bekämpften und in ihnen den geeigneten Sündenbock für das eigene Versagen und das Scheitern der Politik im Kriege fanden. Das kann man nicht als „Augenblickseindruck der Revolutionswochen" bezeichnen, aus dem dann erst die politische Agitation entstanden sei (S. 141), und schon gar nicht als Ausdruck der „Einsicht in die Niederlage" (S. 158). Das war zum großen Teil schon von vornherein politische Agitation, und es kennzeichnete gerade das Nichtanerkennen der Niederlage. Dafür bieten außerdem die Vorbereitung und Behandlung der Friedens-

einem gewissen Zusammenhang mit ihr, wurde auf diese Weise eine politische Dolchstoßlegende aufgebaut. War im ersten Fall der Stoß der Heimat in den Rücken des Heeres gemeint, so hier der heimtückische Stoß Wilsons gegen das deutsche Volk.

Abgesehen davon, daß die Reichsregierung – was hier außer Betracht bleibt – auch in den Grenzfragen und anderen Problemen die ihr günstigste Auslegung der 14 Punkte zugrunde legte, war die deutsche Haltung zu den neuen Gedanken, die Wilson aufgeworfen hatte, insgesamt bemerkenswert. Die Reichsregierung stellte sich mit ihren immer wiederholten Forderungen nach einem Rechtsfrieden auf den Boden der neuen völkerrechtlichen Ordnung, die Wilson einführen wollte. Sie vollzog zugleich damit – das hatten die Diskussionen zwischen dem 3. Oktober und dem 9. November 1918 gezeigt, das war danach vom Rat der Volksbeauftragten feierlich verkündet worden – die Abkehr von dem alten Regime, wobei der Trennungsstrich ganz dick gezogen werden sollte. Denn, wie Fritz Dickmann über das Verhalten der Reichsregierung von 1914 urteilte: „Keine Macht zeigte so wenig Verständnis für den Gedanken einer Rechtsordnung unter den Völkern wie gerade Deutschland[98]." Das sollte nun überstürzt anders werden. Damit glaubte man, auch nach dem sehr harten und ernüchternden Waffenstillstand, wenigstens Wilson beeindrucken und ein Anrecht auf einen glimpflichen Frieden erwerben zu können – eine große Selbsttäuschung.

Darin offenbarte sich auch eine gewisse Zweigleisigkeit. Man hatte einerseits den rechtlichen Anspruch auf einen Frieden der 14 Punkte, andererseits wollte man aber im Grunde auch einen moralischen Anspruch zur Geltung bringen. Zwei Dinge paßten dabei nicht zueinander. Das neue Deutschland wollte nicht mit dem Verschulden des alten belastet werden, leugnete aber gleichzeitig bis zu einem gewissen Grade ein Verschulden überhaupt: Deutschland durfte nicht mit der Schuld am Weltkrieg, zumindest nicht mit der Alleinschuld, belastet werden. Es schien klar, daß andernfalls die Reichsregierung nicht als gleichberechtigter und anerkannter Partner bei dem ersten Versuch, nach den Vorstellungen Wilsons eine neue, moralisch fundierte Friedensordnung in der Welt zu begründen, zugelassen werden würde. Den völkerrechtlichen Prinzipien Wilsons wurde folglich eine bedeutende reale und praktische Wirksamkeit zugemessen, zumindest insoweit, als ihre moralische Kraft bei einer Verurteilung Deutschlands, sofern sie wohlbegründet war, ausreichen konnte, die Verbindlichkeiten der Alliierten aus der Lansing-Note hinwegzufegen und die deutschen Überlegungen, daß eine moralische Verpflichtung zu einem Frieden der Mäßigung bestehe, zunichte werden zu lassen.

Es fragte sich für die Reichsregierung nur, welche Taktik sie im Hinblick auf den Zeitpunkt, zu dem sie auf der Friedenskonferenz erscheinen durfte, einschlagen sollte. Sie konnte sich und dem Volk illusionslos klarmachen, welche schweren und

---

regelungen weitere Beispiele. Verloren hatte ja der innenpolitische Gegner den Krieg, und zumindest die politische Rechte glaubte selbst nach dem Waffenstillstand noch, daß man mit fester „nationaler" Haltung die Lage einigermaßen würde retten können.

[98] Dickmann, S. 13.

vor allem unvermeidbaren Bedingungen als Folge des verlorenen Krieges zu erwarten waren, sie konnte die völlig veränderte Lage Deutschlands anerkennen und davon ausgehend eine neue Außenpolitik vorbereiten, eine überzeugende Alternative zur bis dahin vorherrschenden Machtpolitik. Das wäre eigentlich für eine aus der Revolution hervorgegangene Reichsregierung leichter gewesen als für jede andere, wenn sie nur die schweren Friedensbedingungen jenen hätte zur Last legen können, die vorher die Macht besaßen und für ihren Gebrauch mit allen seinen Folgen verantwortlich waren. Sie war aber mit Teilen der alten Führungsschicht verbündet.

War die Reichsregierung nicht so illusionslos von der Unausweichlichkeit der Folgen nach der Niederlage überzeugt, dann konnte sie überlegen, ob ihr nicht doch noch, auch ohne militärische Kraft, irgendwelche Druckmittel blieben, und seien sie auch zweischneidiger und sehr riskanter Art, wie z. B. die Ablehnung des Friedensvertrags mit all ihren Gefahren oder die Drohung mit dem Bolschewismus. Einer solchen Haltung entsprach die Zuversicht, eine für Deutschland günstige Interpretation der 14 Punkte erreichen zu können, d. h. den Begriff „Rechtsfrieden"[99] mit bestimmten „Lebensrechten" des deutschen Volkes in wirtschaftlicher und territorialer Hinsicht aufzufüllen. Und genau dieses Ziel erstrebte die Reichsregierung für die Friedensverhandlungen. Das zeigte sich am deutlichsten, als bei den Vorüberlegungen für die Friedensverhandlungen die Reparationsfrage in den Mittelpunkt rückte. Sie wurde aus zwei Gründen so wichtig, einmal wegen der horrenden Entschädigungssummen, die in der Öffentlichkeit der Ententeländer genannt wurden, zum anderen wegen der wachsenden Bedeutung der Kriegsschuldfrage[100]. Die Kriegsschuldfrage mußte sich in erster Linie und ganz direkt auf die Entschädigungsfrage auswirken; denn war die Schuld festgestellt, so war der nächste Schritt, Entschädigung für alle infolge des Krieges eingetretenen Kosten und Verluste zu fordern, nur folgerichtig.

Ein Vertrauensmann der Gesandtschaft Den Haag „in geheimer amerikanischer Position" berichtete am 21. November 1918[101] über die Haltung der Alliierten und zeichnete Leitlinien einer in Anbetracht der kritischen Lage empfehlenswerten deutschen Innenpolitik. Er wies zunächst auf Unterschiede in der Äußerung des Antibolschewismus bei den Alliierten hin; die Vereinigten Staaten seien besorgt, die Entente dagegen würde bei Gefahr in Deutschland einmarschieren. Das war eine Mahnung, auf die Ausnutzung der Furcht der Alliierten vor dem drohenden Bolschewismus in Deutschland keine allzu großen Hoffnungen für die deutsche Außenpolitik zu setzen[102]. Außerdem warnte der Verfasser des Berichts nachdrück-

---

[99] D. h. also ein sowohl auf einer völkerrechtlichen Vereinbarung wie auf bestimmten neuen Rechtsprinzipien gegründeter Friedensvertrag.

[100] Siehe dazu u. a. Mayer, S. 152–58; Simon, S. 38–41.

[101] PA, WK 30, Bd. 5 (4069/D 918 085–87).

[102] Über die außenpolitischen Aspekte der Bolschewismus-Furcht vor allem der SPD siehe Lösche, 6. Kapitel; unter dem Aspekt der deutsch-amerikanischen Beziehungen: Schwabe, S. 227 ff. Die deutsch-sowjetischen Beziehungen sind sorgfältig dargestellt bei: Linke,

lich vor den vielen privaten Initiativen, Briefen, Verbindungen und dergleichen, die einem günstigeren Frieden dienen sollten; und diese Warnung geschah sicher nicht zu Unrecht. Dagegen hob er die ruhige und klare Haltung Solfs und seine Bekräftigung der Friedensgrundsätze Wilsons ausdrücklich positiv hervor. Das einzig richtige im Innern sei die Demokratisierung aller Schichten und eine starke Regierung, ein Gedanke, den auch Solf, Bernstorff und einige ihrer Mitarbeiter vertraten und der die loyale Zusammenarbeit der damaligen leitenden Männer des Auswärtigen Amts, von dem besonderen Fall Solf[103] abgesehen, mit der Sozialdemokratie förderte.

Nun kann man diesem Rat entgegenhalten, daß die Alliierten ihre Bedingungen nicht von der Regierungsform abhängig gemacht hätten. Entscheidend war die deutsche Niederlage; die Entente hätte sich durch keine noch so demokratische deutsche Regierung um die Früchte ihres Sieges bringen lassen, und Wilson selbst brauchte die Entmachtung der führenden Schichten und die Abdankung der Hohenzollern, das Ende des deutschen Militarismus und der deutschen Autokratie zur Einlösung seiner Kriegsziel-Versprechungen. Nichtsdestoweniger konnten sich diese Ratschläge wie auch die Mahnungen, eine würdevolle Haltung einzunehmen und nicht in weinerliche Bettelei zu verfallen, für die Zukunft auszahlen, wenn in der besonneneren Atmosphäre späterer Nachkriegsjahre die Frage einer Neugestaltung der Beziehungen Deutschlands zu den Großmächten in den Vordergrund treten würde. Dann konnte es der deutschen Politik die Ordnung ihrer auswärtigen Angelegenheiten in der Tat erleichtern, wenn innere Verhältnisse herrschten, die einen Wandel gegenüber der Zeit vor 1918 ausdrückten und somit Vertrauen weckten. Das ließ sich bloß erreichen, wenn das gesamte Staatswesen modernisiert und demokratisiert wurde. Nur in einer so vorbereiteten Atmosphäre neuen Vertrauens war eine sachliche Erörterung des größten Problems zu denken, das der Friedensvertrag den Großmächten hinterlassen sollte: der Reparationsfrage.

Aber schon die ersten Wochen und Monate nach dem Abschluß des Waffenstillstands enthüllten die ungeheuren Schwierigkeiten des Versuchs, mit der Niederlage und ihren Folgen in Deutschland fertig zu werden[104]. Was die Mehrheit der konservativen und der fortschrittlichen Kreise an politischer Gemeinsamkeit entwickelte,

---

S. 21–57, auch im Hinblick auf die Alternative eines deutschen Zusammengehens mit den Westmächten oder mit Rußland.

[103] Quellen, 6/I, S. LVIII und LXXXIV. Vgl. die Äußerung des amerikanischen Industriellen Comstock im Anschluß an Gespräche mit Haase, Barth und Scheidemann, daß der Rücktritt Solfs hoffentlich nur ein Gerücht sei, da er im Ausland einen außerordentlichen Ruf habe; Aufzeichnung des Legationsrats Fuehr vom 13. 12. 1918; PA, WK 30, Bd. 9 (4069/D 919 119–20). Siehe auch Elben, S. 101–18; für die Probleme der konservativen Gruppen allgemein außerdem Stolberg-Wernigerode (zur Stellung der hohen Beamten besonders S. 262–68); Klemperer; Lebovics.

[104] Bereits am 11. 11. 1918 sah sich die „Frankfurter Zeitung" veranlaßt, gegen Konservative und Alldeutsche Stellung zu beziehen und deren Verleumdung, das deutsche Volk „sei entehrt und mit Schimpf überhäuft", zurückzuweisen; siehe: Der große Krieg, S. 9946.

erschöpfte sich nahezu in der Beschwörung der äußeren Einheit des Reiches. An die Stelle gemeinsamer Anstrengungen zur allmählichen Bewältigung der Folgen des verlorenen Krieges trat von Anfang an die Ausnutzung gerade dieser Folgen für den innenpolitischen Kampf, insbesondere durch die konservativen Kräfte. Das gilt vor allem in der Frage der Reparationen. Die vorurteils- und illusionslose Anerkennung der Tatsache, daß Deutschland eine vollständige Niederlage erlitten hatte und nun zur Zahlung von hohen Reparationen gezwungen war, hätte die notwendige Konsolidierung der gewandelten inneren Verhältnisse Deutschlands sehr gefördert: Infolge einer derartigen Anerkennung wäre man zwangsläufig dazu verpflichtet gewesen, sich über die wirtschaftliche Leistungsfähigkeit und die wirtschaftlichen Aufgaben Klarheit zu verschaffen, die innere Entwicklung fortlaufend zu modernisieren und die außenpolitischen Zielsetzungen sehr viel mehr den Gegebenheiten und den tatsächlich vorhandenen Möglichkeiten anzupassen. In der Weimarer Republik ist das aber über Ansätze hinaus nie Tatsache geworden.

Dieser Mangel wurde noch verschärft durch die Kriegsschuldfrage, die einerseits zum Fehlschlag der erwähnten inneren Konsolidierung in erheblichem Maße beitrug, andererseits ganz direkt und verhängnisvoll mit der deutschen Reparationsverpflichtung verknüpft war. In Artikel 231 des Versailler Vertrags wurde festgelegt: „Die alliierten und assoziierten Regierungen erklären und Deutschland erkennt an, daß Deutschland und seine Verbündeten als Urheber für alle Verluste und Schäden verantwortlich sind, die die alliierten und assoziierten Regierungen und ihre Staatsangehörigen infolge des Krieges, der ihnen durch den Angriff Deutschlands und seiner Verbündeten aufgezwungen wurde, erlitten haben."

Die folgenreiche Verquickung von Kriegsschuld und Reparationen, die der fast hysterischen Erörterung der Kriegsschuldfrage in der Weimarer Republik den entscheidenden Anstoß gab, war aber nicht erst ein Ergebnis der Ausarbeitung und Verkündung des Artikels 231, wie bisher in der Forschung angenommen wurde. Unglücklicherweise – und es war wirklich ein Unglück – wurde das Auswärtige Amt schon im November 1918 davon unterrichtet, daß wahrscheinlich bei den Alliierten die Absicht bestand, die deutsche Kriegsschuld zur Begründung der Reparationsforderungen zu benutzen.

In einem geheimen Bericht vom 21. November 1918 übermittelte der deutsche Gesandte in Den Haag, Rosen, von „Melchiors Freund" – wie Gerhard Ritter zu Recht vermutete und Klaus Schwabe bestätigte[105], das Mitglied der amerikanischen Gesandtschaft in Den Haag, Noeggerath – die Nachricht, daß die Kriegsentschädigung, welche die Alliierten zu fordern beabsichtigten, von der deutschen Kriegsschuld abhängen werde. Und der Vertrauensmann schlug sogleich vor, Deutschland solle eine Kommission zur Untersuchung dieser Frage fordern, einen Rat, den Rosen in seinem Bericht vom 22. November 1918 auf Grund einer weiteren Äußerung von „Melchiors Freund" präzisierte: Nur eine internationale Enquête über die Schuld aller Beteiligten am Krieg, an den vorgefallenen Greueln und an der Blockade

---

[105] Ritter, S. 557 Anm. 11; Schwabe, S. 245 Anm. 87.

werde auf die Friedensverhandlungen eine günstige Wirkung haben. Der mit der Vorbereitung der Friedensverhandlungen betraute Botschafter Graf Bernstorff versah das Telegramm vom 21. November 1918 im Auswärtigen Amt mit dem Vermerk: „Alles veranlaßt". Schon am 28. November 1918 ersuchte die Reichsregierung die Alliierten durch Vermittlung der Schweiz, eine neutrale Kommission zur Erforschung der Kriegsschuldfrage einzuberufen. Bernstorff hatte die Note verfaßt. Die englische und die französische Regierung unterrichteten die Schweiz von ihrer Auffassung, daß eine Antwort unnötig sei, „as the responsibility of Germany for the war has been long ago incontestably proved". Die amerikanische Regierung schloß sich diesem Vorgehen an[106]. Trotzdem blieb die Reichsregierung dabei, daß man nun erst recht zunächst die Kriegsschuld Deutschlands widerlegen müsse, um die Last der Reparationen zu erleichtern. Diese Überlegung verschleierte den Kern der Sache, nämlich daß die Alliierten in jedem Falle – wobei die Begründung ziemlich einerlei war – ungeheure Zahlungen von Deutschland verlangen würden und daß die Vorbereitung der Friedensverhandlungen im Hinblick auf die Reparationen allein darin bestehen konnte, sich Gedanken über die Stärkung und moderne Organisierung der wirtschaftlichen Leistungsfähigkeit zu machen und die deutsche Zahlungsfähigkeit abzuschätzen. Dabei mußte die Tatsache berücksichtigt werden, daß es zunächst einmal erforderlich war, die wirtschaftlichen Folgen des deutschen Zusammenbruchs zu überwinden. Aber zu einer solchen illusionslosen Betrachtung und Selbstbescheidung waren die Führungsschichten einer Nation, die sich noch kurz zuvor als eine der führenden Mächte der Welt gefühlt hatte, anscheinend kaum fähig. Die verzweifelte Hoffnung, um die Zahlung wenigstens eines Teils der Zeche für den verlorenen Krieg herumzukommen, spielte eine zu große Rolle.

Im übrigen war „Melchiors Freund" entsetzt über Enthüllungen der revolutionären bayerischen Regierung aus Berichten des bayerischen Gesandten in Berlin, Graf Lerchenfeld, über den Verlauf der Julikrise 1914, die eine sehr viel weiter gehende Verantwortung Deutschlands für den Kriegsausbruch nahelegten, als bis dahin angenommen wurde[107]. Auch das Auswärtige Amt war mit derartigen Enthüllungen natürlich nicht einverstanden. Es gab am 25. November 1918 folgende aufschlußreiche öffentliche Erklärung ab: „Vom Auswärtigen Amt ist gegen die Münchener Veröffentlichung über die Vorgeschichte des Krieges protestiert worden. Sie muß

---

[106] PA, WK 30, Bd. 5 (4069/D 918 032 und D 918 105); PA, WK adh. 4, Bd. 12 (8860/E 617 683); Papers, Paris Peace Conference, Bd. II, Washington 1942, S. 71–74; Die Kriegsschuldfrage Jg. VI (1928), S. 2.

[107] Telegramm Rosens vom 25. 11. 1918; PA, WK 30, Bd. 5 (4069/D 918 129–30). Die „Enthüllungen" des bayerischen Gesandten in Berlin, Graf Lerchenfeld, siehe: Bayerische Dokumente, S. 3–16. Die Gefahr für die deutsche Position und die Notwendigkeit für die Reichsregierung, in der Kriegsschuldfrage die Initiative zu übernehmen, wurde im Telegramm Nr. 2156 des Gesandten Freiherr von Romberg (Bern) vom 27. 11. 1918 noch deutlicher: Nach Berichten von „verschiedenen zuverlässigen Seiten" herrsche „in Ententekreisen heller Jubel über die Veröffentlichung der Berichte des Grafen Lerchenfeld. Man ist der Überzeugung, daß man uns jetzt ganz in der Hand habe und mit uns machen könne, was man wolle". (PA, WK adh. 4, Bd. 12).

gerade jetzt, wo von unseren Gegnern uns auf dem Wege zum Frieden die größten Schwierigkeiten bereitet werden, als ein schwerer Schlag für unsere politische Arbeit wirken. Unseren Feinden und Verhandlungsgegnern gibt sie eine Waffe in die Hand, die sie zu benutzen wissen werden. Die Veröffentlichung steht in Zusammenhang damit, daß der jetzige Vertreter Bayerns in Bern, Prof. Fr. W. Foerster, seiner Regierung auf Veranlassung eines Mittelsmannes Clemenceaus geraten hat, Mitteilungen über die Vorgeschichte des Krieges zu veröffentlichen, weil ein Bekenntnis Deutschlands zur Schuld am Kriege dazu dienen würde, den Frieden schneller herbeizuführen. Nach unserer Auffassung unterliegt es keinem Zweifel, daß es Herrn Clemenceau nur darauf angekommen ist, uns ins Unrecht zu setzen. Dem schweren Irrtum, daß Clemenceau ein Mann wäre, der sich zur Milde stimmen ließe, wenn wir die Schuld des Krieges auf uns genommen hätten, können nur Leute verfallen, die sich von dem Charakter des französischen Ministerpräsidenten ein falsches Bild machen. Auf Veranlassung des Staatssekretärs des Auswärtigen Amtes sind die Akten des Auswärtigen Amtes dem Unterstaatssekretär Dr. David übergeben worden, damit dieser unbeeinflußt die Vorgeschichte des Krieges und die darüber vorliegenden diplomatischen Akten prüfen kann[108].“

Es ist also durchaus gerechtfertigt, festzustellen, daß zur gleichen Zeit, als man im Auswärtigen Amt die Frage nach der Schuld am Kriege mit der Frage nach der Berechtigung überhöhter Reparationsforderungen verknüpfte, die Gefahr auftauchte, daß eine gründliche Untersuchung der Ursachen des Krieges für Deutschland auch unangenehme Wahrheiten an den Tag bringen konnte, die gerade jene Positionen, die das Auswärtige Amt sich aufbauen wollte, um die Unrechtmäßigkeit der gegnerischen Forderungen nachzuweisen, zu unterhöhlen imstande waren. Zumindest von diesem Zeitpunkt an muß dem Auswärtigen Amt klar gewesen sein, daß es zweischneidig war, die Kriegsschuldfrage als taktisches Mittel in der Auseinandersetzung um die Friedensregelung zu benutzen, und daß man in die Zwangslage geraten konnte, nun um jeden Preis die These beweisen zu müssen, daß Deutschland nicht in erster Linie und schon gar nicht allein am Ausbruch des Ersten Weltkriegs schuld war. Daraus sollte später ein Ritt auf dem Tiger werden.

Wenn auch der Gedanke, die Erörterung der Kriegsschuld voranzustellen, eine Fehlkalkulation war, so hatte er doch eine gewisse Logik für sich: auf keinem anderen Gebiet der Friedensregelungen, auch nicht bei den zu erwartenden Landabtretungen, die ja auf Grund des Selbstbestimmungsrechts vorgenommen werden sollten, konnte die Erörterung der Kriegsschuldfrage so günstig und mit der Hoffnung auf unmittelbaren Gewinn ins Feld geführt werden wie bei der Frage der Wiedergutmachungspflicht, und zwar durch beide Parteien. Im übrigen war man in Deutschland konsterniert und empört über die scharfe moralische Verurteilung, die das Reich im Verlauf der leidenschaftlichen Erörterung der Kriegsschuldfrage in der englischen und französischen Öffentlichkeit erfuhr. Auch dies beeinflußte den Entschluß der Reichsregierung, sich bei den Vorbereitungen für die Friedens-

---

[108] Der große Krieg, S. 10003–04.

verhandlungen mit der Kriegsschuldfrage zu befassen. Die wenigen Warnungen, wie die eines Gewährsmannes von Erzberger, daß die Absicht, die Kriegsschuldfrage zu jenem Zeitpunkt erörtern und lösen zu wollen, sehr schädlich wirke, blieben ohne jeden Einfluß. Diese Warnung stützte sich auf Äußerungen in diplomatischen Kreisen Den Haags und schloß mit dem Satz: „Ich meine, daß alle Deutschen gegenwärtig nur das Ziel verfolgen sollten, dahin zu arbeiten, daß die schlechte Kriegssuppe, die uns Leute, die wir hoffentlich später schon zur Verantwortung zu ziehen wissen werden, [eingebrockt haben,] so schmerzlos wie nur möglich von uns ausgelöffelt werden kann[109]."

Dickmann schrieb, daß im Mai 1919 in Versailles „die verfrühte Erörterung des Kriegsschuldproblems der deutschen Seite sehr gegen ihren Willen aufgedrängt worden war, daß man deutscherseits alles versucht hatte, sie zu vertagen und dem Urteil der Geschichte Raum zu geben"[110]. Natürlich war der deutsche Vorschlag, das Kriegsschuldproblem durch eine neutrale Kommission erforschen zu lassen, Teil des Bemühens, die Schuldanklage aus den Friedensverhandlungen weitgehend auszuschalten. Aber es war gerade auch den Deutschen völlig klar, daß man nicht mit einem formalen Trick die Diskussion über die Kriegsschuld und noch weniger ihre Benutzung durch die Siegermächte bei der Festsetzung der Friedensbedingungen auf eine wissenschaftliche Ebene abschieben konnte. Da in der Öffentlichkeit und bei den Regierungen, nicht nur der Gegner Deutschlands, sondern teilweise auch der Neutralen, die Auffassung von der deutschen Schuld unumstritten war[111], hätte die Reichsregierung nur durch stillschweigendes Übergehen dieses Problems eine Chance gehabt, die Diskussion darüber zu vermeiden. Was aber bisher allen, die sich damit befaßten, entging, ist die Tatsache, daß die Deutschen schon im November 1918 von der Verknüpfung der Kriegsschuldfrage mit den Reparationen ausgingen und deshalb keineswegs „alles versucht hatten", die Erörterung zu vertagen, sondern mit der Note vom 28. November 1918 die Diskussion auch materiell eröffneten. Denn die Entscheidung darüber, ob sich mit der Kriegsschuldfrage eine neutrale Kommission befassen solle, war von einer solchen politischen Tragweite, daß damit nicht nur die formale Frage über die Form ihrer weiteren Behandlung, sondern die Auseinandersetzung über die Sache selbst aufgeworfen worden war. Ein starker Drang zur Rechtfertigung, in dem sich Deutschlands neue und alte Führung weithin einig waren, stellte sogar einen eigenen und weniger von außen her beeinflußten Impuls zum Aufgreifen der Kriegsschuldfrage dar. Von einigen mißglückten Anläufen abgesehen[112], konnte sich die Reichsregierung nicht dazu durchringen, kritisch zu überprüfen, ob die prinzipielle deutsche Behauptung, daß zumindest keine Alleinschuld am Kriegsausbruch bestehe, überhaupt richtig war. Jahrelang war dem Volk die deutsche Unschuld und die Notwendigkeit des von außen

---

[109] Übermittelt im Brief Erzbergers vom 2. 12. 1918 an den Dirigenten im Auswärtigen Amt von Bergen; PA, WK 30, Bd. 7 (4069/D 918 594–98).

[110] Dickmann, S. 88.

[111] Dickmann, S. 8–9.

[112] Dickmann, S. 61–74.

aufgezwungenen Verteidigungskriegs gepredigt worden. Die dauernde Verdrängung eines möglichen Schuldbewußtseins äußerte sich in steigender Beweissucht der Unschuld. Sozialpsychologisch gesehen war das der Wunsch, sich als Nation ein makelloses „Wir-Bild" zu bewahren[113]. Die Nation als eines der höchsten Güter durfte einfach nicht im Unrecht sein. Insofern stand der deutsche Kampf in der Kriegsschuldfrage in einem unmittelbaren Zusammenhang mit dem Nationalismus des kaiserlichen Deutschland.

Vor allem wollte die Reichsregierung aber eine Verlagerung der Ausgangsposition der Friedensverhandlungen von den 14 Punkten und der Lansing-Note weg auf die deutsche Kriegsschuld um jeden Preis vermeiden. Diese Sorgen und Bemühungen hatten jedoch, soweit sie von der deutschen Delegation in Versailles vertreten wurden, höchstens eine negative Wirkung. Der Friedensvertrag basierte dank dem amerikanischen Einfluß nicht auf der deutschen Kriegsschuld, mit der einzigen und schwerwiegenden Ausnahme der Reparationsbestimmungen. Ohne die Selbstbeschränkung der Siegermächte im Artikel 232 hätte der Artikel 231 die juristisch unanfechtbare Grundlage für eine alles umfassende Kriegsentschädigung geboten[114]. Die Reparationsbestimmungen waren ihrer Grundlage nach ein klarer Verstoß gegen die von den Siegermächten durch die 14 Punkte und die Lansing-Note eingegangenen Bindungen[115].

Die Reichsregierung versuchte aber mit dem grundsätzlich berechtigten Anspruch auf einen Rechtsfrieden, gemäß dem Notenwechsel vor dem Waffenstillstand, zwischen den bestehenden Gefahren hindurchzusteuern. Da nur dieser Anspruch überhaupt einen Rückhalt bot, ist es ganz erklärlich, daß er während der kommenden Monate derart in den Vordergrund gestellt und durch Überlegungen zur Abwehr der

---

113 Hofstätter, S. 442ff.

114 Dazu auch: Laun, S. 633. – Die beiden ersten Absätze des Artikels 232 lauten: „Die alliierten und assoziierten Regierungen erkennen an, daß die Hilfsmittel Deutschlands unter Berücksichtigung ihrer dauernden, sich aus den übrigen Bestimmungen des gegenwärtigen Vertrags ergebenden Verminderung nicht ausreichen, um die volle Wiedergutmachung aller dieser Verluste und Schäden sicherzustellen. Immerhin verlangen die alliierten und assoziierten Regierungen und Deutschland verpflichtet sich dazu, daß alle Schäden wieder gutgemacht werden, die der Zivilbevölkerung jeder der alliierten und assoziierten Mächte und ihrem Gut während der Zeit, in der sich die beteiligte Macht mit Deutschland im Kriegszustand befand, durch diesen Angriff zu Lande, zur See und in der Luft zugefügt worden sind, sowie überhaupt alle Schäden, die in der Anlage I näher bezeichnet sind". (Reichsgesetzblatt 1919, S. 985–87).

115 Dickmann, S. 92, kam zu dem entgegengesetzten Schluß: „Die Siegermächte wollten ihn [den Artikel 231] so verstanden wissen, daß er lediglich eine moralische Verpflichtung Deutschlands zu vollständiger Wiedergutmachung konstatiere, während die Rechtsgrundlage der von ihnen geforderten Reparationen in der Lansing-Note zu suchen sei und ihre wirkliche Forderung, wie sie im Teil VIII (Reparationen) des Vertragsentwurfes enthalten war, faktisch nicht über das hinausgehe, was sie auf Grund der Lansing-Note zu fordern berechtigt seien." Dickmann verkennt dabei, daß die Alliierten mit den Artikeln 231 und 232 eine ganz neue Rechtsgrundlage für die Reparationen schufen, die von der Lansing-Note völlig unabhängig war. – Die ältere Forschung über die Interpretation des Artikels 231 ist verarbeitet bei: Holborn, Kriegsschuld.

Kriegsschuld abgestützt wurde. Ein schwerer Fehler war nur die viel zu positive Auslegung der Lansing-Note zu Deutschlands Gunsten. Realistisch wäre die Bestimmung der Voraussetzungen eines Rechtsfriedens auf der Grundlage der deutschen Niederlage gewesen. Das hätte vor allem die Erkenntnis vorausgesetzt, daß die Vereinbarung über die Grundlagen der Friedensverhandlungen zwar begrenzend wirken, in jedem Falle aber zugunsten der Siegermächte ausgelegt werden würden. Die entscheidende Frage ist dann, ob Deutschland mit dem Versailler Vertrag überhaupt ein Rechtsfrieden verweigert und die im Notenwechsel eingegangene Verpflichtung tatsächlich gebrochen worden ist. Im großen und ganzen erscheint das gar nicht so sicher, wichtig ist aber hier nur, ob die Begrenzung der Reparationen eingehalten wurde.

5. Die Annäherung an die Vereinigten Staaten als außenpolitische Richtlinie

Noch vor Abschluß des Waffenstillstands erhielt man in Berlin Nachrichten darüber, daß die Alliierten sehr detaillierte, ungeheure Reparationsforderungen stellten und nur die Vereinigten Staaten Einwände dagegen erhöben[116]. Diese Meldung festigte bei der Reichsregierung den Eindruck, daß Wilson im Kreis der gegnerischen Mächte der einzige war, von dem man Zurückhaltung in den Forderungen und eine maßvolle Einstellung bei den Friedensverhandlungen erwarten konnte. Hatte schon der Einfluß des Präsidenten bei der allzu raschen Wandlung Deutschlands von der Monarchie zur Republik eine erhebliche Rolle gespielt, so schienen die ersten Nachrichten über die Haltung der Alliierten die Fortsetzung einer nach den Vereinigten Staaten orientierten Politik zu ermutigen, obwohl es sich schon einige Wochen später herausstellte, daß der vor allem von Solf unternommene Versuch, enge und besondere Verbindungen zur Regierung Wilsons herzustellen, auf einer Verkennung der amerikanischen Haltung beruhte und ein Fehlschlag war.

Inzwischen konnte die Reichsregierung weitere Nachrichten über die mutmaßliche Höhe der Reparationen verwerten. Auch sie ließen eine Waffe gegen Reparationsforderungen, die über die 14 Punkte hinausgingen, dringend notwendig erscheinen. Am 24. November 1918 teilte der Gesandte in Kristiania, von Mutius, der Reichsregierung vertraulich mit, daß er von dem norwegischen Außenminister Ihlen erfahren habe, man werde Deutschland 100 bis 120 Mrd. Goldmark Kriegsentschädigung auferlegen. Neben den führenden Beamten des Auswärtigen Amts las auch

---

[116] Am 8. 11. 1918; PA, WK 30, Bd. 1 (4069/D 917 234–37). – Für die komplizierten Einzelheiten und inoffiziellen Kontakte in den deutsch-amerikanischen Beziehungen 1918/19 unentbehrlich: Schwabe, 3. Kapitel. Schwabe arbeitete vor allem die auf deutscher Seite bestehenden Illusionen über engere Beziehungen zu den Vereinigten Staaten heraus, erörterte aber nicht den Charakter der Revolution in Deutschland und die Frage, ob oder welche Auswirkungen sie auf die deutschen Friedensvorbereitungen hatte. Insofern stimmt der Titel seines Buches „Deutsche Revolution und Wilson-Frieden" nicht ganz.

Ebert diese Mitteilungen. Vier Tage später berichtete Mutius über eine Unterredung mit dem finnischen Geschäftsträger in Kristiania, Professor Serlachius, der die Reparationssumme auf 100 bis 200 Mrd. Goldmark schätzte und ein sehr trübes Bild von den kommenden Friedensverhandlungen und der daraus folgenden Lage in Europa entwarf. Der Friede werde für Deutschland praktisch unausführbar sein; die Reparationen würden teilweise in Sachlieferungen und teilweise in der Form einer Art deutscher Sklavenarbeit eingefordert werden. Das Ergebnis des Friedens aber werde sein, daß die Vereinigten Staaten und Japan als die eigentlichen Gewinner aus dem Weltkrieg hervorgingen[117].

Diese letzte Feststellung über die Vereinigten Staaten traf sich mit ähnlichen Gedankengängen im Auswärtigen Amt, und hier zeigen sich die ersten Keime einer Politik, die unauffällig, aber mit bemerkenswerter Konsequenz und beträchtlichen Auswirkungen während der Weimarer Republik verfolgt wurde: ein gutes Verhältnis zu den Vereinigten Staaten zu pflegen.

Programmatisch legte diese Linie der deutschen Außenpolitik der letzte Botschafter der kaiserlichen Regierung in Washington, Johann Heinrich Graf von Bernstorff, der mit den Friedensvorbereitungen betraut war und als eine der wichtigsten Persönlichkeiten im Auswärtigen Amt hervortrat, am 24. November 1918 in einer kurzen Aufzeichnung für Solf dar:

„Dadurch, daß die Entscheidung des Krieges von den Vereinigten Staaten herbeigeführt wurde, ist deren Stellung und insbesondere diejenige des Präsidenten Wilson für die Zukunft ausschlaggebend geworden. Die ganze Welt wird in wirtschaftliche und finanzielle Abhängigkeit von den Vereinigten Staaten geraten. Deshalb haben wir uns an Herrn Wilson gewandt als wir genötigt waren, diesen Krieg zu beendigen. Deshalb werden wir uns auch bei den Friedensverhandlungen politisch an die Vereinigten Staaten anschließen und den späteren Wiederaufbau Deutschlands mit ihrer Hilfe durchführen müssen. Dieser notwendige Entschluß wird uns dadurch erleichtert, daß Herr Wilson der einzige Staatsmann unter den Führern unserer Feinde ist, welcher ein ehrliches pazifistisches Programm aufgestellt hat und dieses auch durchführen will. Alle anderen sind offene oder verkappte Imperialisten. Deutschland kann sich von den tiefen Wunden, welche dieser Krieg geschlagen hat, nur dann erholen, wenn es auf absehbare Zeit eine durchaus pazifistische Politik treibt. Es liegt daher auf der Hand, daß wir alle Herrn Wilsons Wünsche, die sich auf Völkerbund, Abrüstung, Schiedsgericht, Freiheit der Meere usw. erstrecken, eifrigst unterstützen und somit möglichst überbieten müssen. Nur auf diesem Wege können wir hoffen, den Imperialismus unserer übrigen Gegner einzudämmen und die gegenwärtige Schwäche Deutschlands einigermaßen auszugleichen[118]."

---

[117] PA, WK 30, Bde. 6 und 7 (4069/D 918 335 und D 918 652–53). – Es ist öfters unklar, wann Goldmark oder Papiermark gemeint sind. Beide Bezeichnungen gebrauche ich, sofern kein Zweifel besteht. Man kann aber davon ausgehen, daß in bezug auf die Reparationen Mark überwiegend Goldmark bedeutet.

[118] PA, WK 30, Bd. 5 (4069/D 917 997–98). Schwabe, S. 235 Anm. 46, nennt als Verfasser versehentlich den Unterstaatssekretär Freiherr von dem Bussche-Haddenhausen, da er

In seinem Referat vor der Reichskonferenz am 25. November 1918 stützte sich Solf auf diese Aufzeichnung, als er das Verhältnis Deutschlands zu den Vereinigten Staaten erläuterte[119]. Solf selbst hatte, als der Kaiser Ende Oktober 1918 anregte, mit England eine direkte Verbindung und damit einen günstigeren Frieden zu suchen, geantwortet, daß Sondierungen in Bern und Den Haag die Unzugänglichkeit Englands für eine direkte Anknüpfung von Gesprächen erwiesen hätten. Nach übereinstimmenden Nachrichten könne nur Wilson als mäßigender Faktor angesehen werden. Die Vereinigten Staaten hätten wegen ihres Exports ein Interesse an der Erhaltung eines aufnahme- und konsumfähigen europäischen Marktes, während England in seiner Siegespsychose zunächst Frankreich folgen werde. Mit um so größerem Mißtrauen beobachteten sie deshalb bolschewistische Tendenzen und äußerten deutlich den Wunsch nach einer stabilen demokratischen Regierung in Deutschland[120].

Berichte, die vornehmlich aus den Niederlanden eingingen, bestärkten das Auswärtige Amt in der Auffassung, daß zwischen den Reparationszielen Englands und Frankreichs auf der einen und denen der Vereinigten Staaten auf der anderen Seite ein scharfer Gegensatz bestand. So wurde mitgeteilt, z. T. sogar nach Hinweisen aus der englischen und der amerikanischen Gesandtschaft in Den Haag, daß England und Frankreich eine immense Wiedergutmachungssumme fordern würden, um Deutschlands Niedergang durch dauernde wirtschaftliche Knebelung vollkommen zu machen, und daß die Vereinigten Staaten, nicht nur die Demokratische Partei, sondern auch die Republikaner, im Hinblick auf die Erhaltung der Konsumfähigkeit Deutschlands derartige Ziele ablehnten. Um dem zu begegnen, so stand in einem Bericht vom 5. Dezember 1918, habe die Londoner Konferenz zwischen Lloyd George, Clemenceau und Orlando vom 2./3. Dezember 1918 eine Festlegung der Kriegsziele, vor allem die höchsten nur möglichen Wiedergutmachungssummen, unter Ausschluß Wilsons bezweckt. Zur Sicherung der Entschädigung sei vornehmlich eine Exportsteuer und eine Besetzung deutscher Gebiete bis zur Erfüllung der Friedensbedingungen in Aussicht genommen. Rosen bestätigte derartige Berichte noch unter einem anderen Aspekt. Er hatte mit dem niederländischen Außenminister Karnebeek die Möglichkeit erörtert, durch einen Schritt der niederländischen Regierung oder Königin Wilhelminas bei Wilson direkte Lebensmittelliefe-

---

den Text nach einer Abschrift zitierte. Hier wird das hschr. Original Bernstorffs, der auch im Journal als Verfasser genannt wird, wiedergegeben.

[119] Quellen, 6/I, S. 155–56. Zu den deutsch-amerikanischen Beziehungen in der Weimarer Republik: Link. Über die weitgehend wirtschaftlich bestimmte politische Zielsetzung der Vereinigten Staaten und ihre Rivalität mit Großbritannien siehe: Parrini.

[120] PA, WK 23 geheim, Bd. 29 (4064/D 913 819–20). – Der Gesandte in Kopenhagen, Graf Brockdorff-Rantzau, telegraphierte am 23. 11. 1918, der amerikanische Geschäftsträger, Grant-Smith, habe erklärt, die Vereinigten Staaten schlössen mit einer Reichregierung, die mit dem Bolschewismus zusammengehe, keinen Frieden. Dringe der Bolschewismus weiter vor, so seien die Entente-Mächte zum Einmarsch in Deutschland entschlossen; PA, WK 30, Bd. 4 (4069/D 917 952). Solf vermerkte auf dem Telegramm: „Sofort Herrn Ebert vorzulegen". Ebert zeichnete es am 25. 11. 1918 ab. Vgl. Quellen, 6/I, S. 158.

rungen für Deutschland zu erwirken. Karnebeek hielt das für aussichtslos. Er hatte bei Unterredungen mit Gesandten der Entente immer wieder festgestellt, daß die Entente den deutschen Zusammenbruch u.a. durch die Blockade herbeiführen wollte. Den Bericht versah Bernstorff bei der Erwähnung der Absichten der Entente mit dem Vermerk: „D.h. *nicht* Amerika; und darauf kommt es an." Das bewies erneut, wie sehr man sich geradezu an die Hoffnung auf die Vereinigten Staaten klammerte[121].

Interessante Meldungen, die im Auswärtigen Amt teilweise alarmierend wirkten, steuerte der Gesandte Romberg aus Bern bei. Französische Großindustrielle, und dafür habe er viele Bestätigungen, wiesen darauf hin, daß der bayerische Finanzminister Jaffé öffentlich verkündet habe, Deutschland könne 200 Mrd. Mark an Reparationen tragen, woraus man in England schließe, dann könnten es auch 500 Mrd. sein. Im übrigen hätten die deutschen Hilferufe nur Verachtung geweckt. Und in einem weiteren Bericht übermittelte er u. a. die Ansicht einer „zuverlässigen Persönlichkeit", offenbar eines Attachés an der amerikanischen Gesandtschaft in Bern, daß die Vereinigten Staaten sich bemühen würden, die Wiedergutmachungssumme auf 200 Mrd. Mark herunterzudrücken. Auf den Einwand, daß diese Summe zu zahlen völlig ausgeschlossen sei, habe jener Attaché darauf hingewiesen, daß der ehemalige Vizekanzler Helfferich schon im ersten Kriegsjahr dem amerikanischen Botschafter in Berlin, Gerard, oder einem seiner Attachés erklärt habe, Deutschland werde 70 Mrd. Reparationen von Frankreich fordern. Das sei allgemein bekannt, und bei der langen Dauer des Krieges seien folglich 200 Mrd. durchaus angemessen[122].

Damit war – soweit ich sehe, zum ersten Mal seit dem Waffenstillstand – das Auswärtige Amt vom Ausland her mit der Tatsache konfrontiert worden, daß die Reichsregierung im Falle eines „Siegfriedens" auch nicht gerade zurückhaltend in ihren Forderungen gewesen wäre. Romberg wies auf die anhaltenden großen Schwierigkeiten hin, die aus der Verbreitung dieser Äußerung Helfferichs erwachsen konnten. Im Auswärtigen Amt war man sich auch sofort über den – zumindest propagandistischen – Nachteil dieser Äußerung im klaren, und Bernstorff fragte im Auftrage Solfs bei Helfferich an, was es mit seiner Äußerung auf sich habe. Helfferich stritt auch nach präzisen Angaben aus Bern über Ort, Datum und Beteiligte kategorisch ab, je eine Äußerung über die Höhe einer an Deutschland zu zahlenden Kriegsentschädigung gemacht zu haben, zuletzt in Form eines Interviews, das am 2. Februar 1919 in der „Deutschen Allgemeinen Zeitung" erschien[123]. Diese ganze

[121] Bericht aus Den Haag vom 8. 11. 1918; PA, WK 30, Bd. 1 (4069/D 917 234–37); Telegramm der Nachrichtenstelle Osnabrück vom 27. 11. 1918, Bd. 5 (4069/D 918 160–62), 3. und 5. 12. 1918, Bd. 7 (4069/D 918 568 und D 918 677–78), und das Telegramm Rosens vom 23. 11. 1918 über seine Unterredung mit Karnebeek, Bd. 5 (4069/D 918 090–91).

[122] Berichte vom 10. und 13. 12. 1918; PA, WK 30, Bd. 10 (4069/D 919 376–77) und Bd. 11 (4069/D 919 719).

[123] PA, WK 30, Bd. 12 (4069/D 919 963), Bd. 14 (4069/D 920 431), Bd. 16 (4080/D 921 038), Bd. 18 (4080/D 921 559–71).

Angelegenheit hatte keinerlei Einfluß auf die Verhandlungen der Alliierten über die an Deutschland zu stellenden Reparationsforderungen, es ist jedoch aufschlußreich zu sehen, wie bemüht die führenden Persönlichkeiten des Auswärtigen Amts, vor allem Solf und Bernstorff, sich zeigten, Deutschland in der Frage der Reparationen sozusagen makellos zu halten.

Diese Haltung wirkte sich schon bald auch praktisch dahin aus, daß vom Auswärtigen Amt Reisen einflußreicher Amerikaner nach Deutschland ausdrücklich gefördert wurden. Es begannen die Bemühungen, „zuverlässige" und möglichst angesehene Persönlichkeiten auch der anderen Siegermächte einzuladen, damit sie bei ihrer Rückkehr ein Bild von den tatsächlichen Zuständen in Deutschland entwürfen und in der Welt der Sieger, von der die Deutschen ausgeschlossen waren, Verständnis und, so scheint es, manchmal auch Mitgefühl weckten[124]. Zu dem Bemühen, aus jeder nur möglichen Quelle Informationen über die künftige Haltung der Alliierten und ihre Absichten zu gewinnen, trat der oft krampfhafte, hastig betriebene Versuch, dem feindlichen Ausland, aber auch den Neutralen den Wandel in Deutschland, vor allem die friedlichen Ziele seiner neuen Führung glaubhaft darzustellen und zugleich auf die Gefahren des Bolschewismus zu verweisen, die bei zu großer Schwächung Deutschlands verheerende Folgen für Europa haben könnten.

Mit diesen Bestrebungen der Reichsregierung gelangte eine gewandelte Auffassung zum Durchbruch: von dem übertriebenen Glauben an die nationale Selbstherrlichkeit, die auf eine überzeugende Darstellung Deutschlands und die Pflege seines Ansehens im Ausland weithin verzichten zu können glaubte, zu einem eifrigen Erforschen der Ansichten, die außerhalb der eigenen Grenzen über Deutschland bestanden. Es begann gerade in der Außenpolitik jenes Horchen auf die öffentliche Meinung im Ausland, das alle wichtigen außenpolitischen Schritte der Weimarer Republik begleiten sollte. Freilich blieb diese Haltung auf eine kleine Schicht der Bevölkerung und auf einige Diplomaten beschränkt, während weite Kreise auch künftig deutsches Wesen für das Maß aller Dinge hielten und nicht aus der Unfruchtbarkeit und Isoliertheit nationalistischer Tagträume heraus wollten.

Im Herbst 1918 war für kurze Zeit ein Punkt erreicht, wo die meisten leitenden Männer in der Reichsregierung und in der Wirtschaft sich fieberhaft nach außen orientierten und in der Welt nach Zeichen für eine Wendung zum Besseren suchten. Dabei trachteten viele danach, noch einen Rest alter Macht zu bewahren; nur wenige brachten den Mut auf, einen neuen Anfang zu machen. Vertretern beider Richtungen aber wurde eines klar: entscheidend war wirtschaftliche Macht. Zwar schmerzten die Abtretungen an Land, die vorauszusehen waren; höher aber wurden im allgemeinen die wirtschaftlichen Fragen der kommenden Friedensverhandlungen eingeschätzt. Auf diesem Gebiet kam man auch verhältnismäßig rasch zu organisatorischen Lösungen in Form von Sachverständigen-Gremien zur Vorbereitung der deutschen Verhandlungsposition. Die Reichsregierung hoffte, besonders durch inter-

---

[124] Siehe vor allem die Bemühungen um den amerikanischen Industriellen Comstock; PA, WK 30, Bd. 7–9 (4069/D 918 518–19, D 918 921, D 919 119–20).

national anerkannte, über besondere Kenntnisse und gute Verbindungen in der Welt verfügende Wirtschafts- und Finanzleute, aber auch andere international angesehene Persönlichkeiten, einen besseren Zugang zu den entsprechenden Kreisen im Ausland zu bekommen, ja vielleicht so etwas wie eine Geschäfts- und Industriesolidarität wecken und damit eine erste Brücke zu den Alliierten und vor allem zu den Vereinigten Staaten schlagen zu können.

Von allen Ansätzen, die Alliierten zu beeinflussen, muß wohl dieser als der erfolgversprechendste angesehen werden, denn er kam einer Strömung entgegen, die im Ausland nicht nur bei den Neutralen verbreitet war: die durch den Krieg zerstörten Wirtschaftsbeziehungen so bald wie möglich wiederherzustellen. In allen am Handel interessierten Kreisen konnte Deutschland am ehesten auf Verständnis für seine wirtschaftlichen Belange hoffen. Noch während des Notenwechsels über den Waffenstillstand erschien im „Svenska Dagbladet" vom 18. Oktober 1918 ein Artikel des Nationalökonomen Gustav Cassel über die notwendige Handelsfreiheit in der Welt und die wirtschaftlichen Belange der Neutralen, die vornehmlich durch die Blockade und die Deutschland drohenden Wirtschaftsbeschränkungen gefährdet würden. Noch am selben Tage schickte der deutsche Gesandte in Stockholm, Freiherr Lucius von Stoedten, die wichtigsten Teile dieses Artikels dem Auswärtigen Amt ein. In Berlin hielt man diesen Bericht für so wichtig, daß man ihn nicht nur an die Gesandtschaften in Bern, Den Haag und Kopenhagen weiterleitete, sondern auch dem Material für die bevorstehenden Friedensverhandlungen hinzufügte[125].

Die Besorgnisse Cassels wurden auch in den anderen Ländern Skandinaviens und in den Niederlanden geteilt, nicht zuletzt aber in den Vereinigten Staaten[126]. Daß Vermittlungsversuche neutraler Länder jedoch zunächst einmal keine Aussicht auf Erfolg hatten, zeigte der Bericht eines Vertrauensmannes aus der englischen Gesandtschaft in Den Haag. Er teilte mit, daß die englische und die französische Regierung verärgert seien über Bemühungen der Niederlande, eine Milderung der Waffenstillstandsbedingungen zu erreichen. Aus diesem Grunde hätten die beiden Ententemächte eine Pressekampagne inszeniert gegen den Aufenthalt Kaiser Wilhelms II. und gegen die deutschen Truppenteilen zugestandene Erlaubnis, bei ihrem Rückmarsch nach Deutschland im Anschluß an den Waffenstillstand Limburg zu durchqueren. Diese Gereiztheit der Entente steigerte die Unruhe der niederländischen Regierung und führte zu einer wachsenden Anteilnahme an der sich entwickelnden deutschen Haltung gegenüber der befürchteten Härte der Friedensbedingungen auf wirtschaftlichem Gebiet. Man befürwortete, daß die deutsche Stellungnahme fest und eindeutig sein sollte, vor allem also gegen übertriebene Reparationsforderungen gerichtet, empfahl jedoch eine elastische Methode beim taktischen Vorgehen. Dieses müsse darauf ausgehen, Verhandlungen mit dem Ziel einer Revision untragbarer Regelungen zu erzwingen[127].

---

[125] PA, WK 15, Bd. 29. [126] Parrini, S. 1–14.

[127] Telegramm der Nachrichtenstelle Osnabrück vom 3. 12. 1918; PA, WK 30, Bd. 7 (4069/D 918 566). Brief Erzbergers an Bergen vom 4. 1. 1919, Übermittlung eines „soeben eingetroffenen Berichts aus Rotterdam"; PA, WK 2, Bd. 89 (4254/D 955 204–11).

Den Interessen der neutralen Staaten und auch der Amerikaner an einem möglichst raschen wirtschaftlichen Wiederaufstieg Deutschlands schien das entgegengesetzte Interesse Englands und Frankreichs gegenüberzustehen. Auch hierüber liefen Nachrichten aus verschiedenen Quellen ein, die im großen und ganzen übereinstimmten. Die Lage stellte sich danach für das Auswärtige Amt folgendermaßen dar: England wolle durch eine Verzögerung der Friedensverhandlungen den im Krieg erlangten Vorsprung seines Handels und seiner Industrie auf dem Weltmarkt weiter ausdehnen und finde damit in Frankreich durchaus einen Partner, der seinerseits ähnliche Ziele in verstärktem Maße verfolge. Neben der Verzögerung der Friedensverhandlungen und den Versuchen, dem störenden Einfluß Wilsons auszuweichen, würden Maßnahmen erwogen, durch Abtretungen und Verpfändungen die deutsche Wirtschaftskraft zu verringern[128].

Mögen Einzelheiten auch als unwahrscheinlich gegolten haben, die Tendenz dieses Vorgehens erregte starke Besorgnis bei der Reichsregierung. Betrachtet man die Nachrichten über jene für Deutschland gefährlichen Absichten in Zusammenhang mit den erwähnten Nachrichten über die Absicht der Vereinigten Staaten, nur mit einer soliden demokratischen, nicht aber vom Bolschewismus bedrohten oder gar mit ihr sympathisierenden Reichsregierung Frieden zu schließen, dann wird klar, daß von der Außenpolitik her ein starker Druck in Richtung auf eine rasche Ordnung der inneren Verhältnisse und eine beschleunigte Einberufung der Nationalversammlung bestand. Gerade die Vereinigten Staaten waren daran nachhaltig interessiert. Das merkwürdige Verhältnis innerer und äußerer Einflüsse auf die deutsche Politik war charakteristisch für den gesamten Zeitraum vom Oktober 1918 bis zur Unterzeichnung des Versailler Vertrags. Dem Druck der auswärtigen Konstellation auf die innere Lage in Deutschland entsprach eine gewisse Lähmung, die von den unentschiedenen inneren Verhältnissen auf die Konzipierung einer neuen deutschen Außenpolitik übergriff. Es gab keine neuen Leitgedanken und Initiativen des Rats der Volksbeauftragten, die der Außenpolitik die Ziele gesetzt hätten, und so halfen sich die „Fachleute" im Auswärtigen Amt mit eigenen Vorstellungen von Tag zu Tag weiter. Die Volksbeauftragten ließen das zu und fügten sich dem Expertentum.

6. Die wirtschaftliche Lage in Deutschland

Um das Bild der Voraussetzungen zu vervollständigen, unter denen die deutschen Vorbereitungen auf die zu erwartenden Reparationsforderungen bei den Friedens-

---

[128] Telegramme der Nachrichtenstelle Osnabrück vom 5. und 14. 12. 1918; PA, WK 30, Bd. 7 und Bd. 9 (4069/D 918 677–78 und D 919 244); Telegramm der Gesandtschaft Kristiania vom 14. 12. 1918; PA, WK 30, Bd. 9 (4069/D 919 289). – Der Botschafter in Wien, Graf Wedel, berichtete am 3. 12. 1918, England schwanke zwischen gemeinsamer Politik mit Frankreich, um eine zu große Abhängigkeit von den Vereinigten Staaten zu vermeiden, und dem Wunsch nach Erhaltung Deutschlands aus wirtschaftlichem Interesse; PA, WK 30, Bd. 7 (4069/D 918 550).

verhandlungen einsetzten, ist vor allem eine skizzenhafte Darstellung der Situation nötig, in der sich die deutsche Wirtschaft nach der Einstellung der Feindseligkeiten befand.

Das Volkseinkommen sank im Jahre 1918 auf nur noch schätzungsweise 50 bis 60% gegenüber 1913 ab[129]. Fast alle Produktionszweige waren auf Kriegswirtschaft umgestellt und die Produktionsanlagen ebenso wie die Verkehrseinrichtungen veraltet und während des Krieges unter der dauernden Anspannung heruntergewirtschaftet. Auf dem Gebiet des Bergbaus und der Salinen war 1918 die Produktionsleistung auf 83,9% verglichen mit 1913 abgesunken und sank im Verlauf des Jahres 1919 weiter auf 66,9%. Für die Metallproduktion betrugen die Werte 77,1% und 43,1%. Die Steinkohlenförderung betrug 1913 190 Mio., 1918 nur noch 162 Mio. Tonnen[130]. Nach Gerhard Bry soll die gesamte deutsche Industrieproduktion 1919 nur 42% derjenigen von 1913 betragen haben[131].

Die Arbeitsleistung war zumeist infolge Überbeanspruchung und schlechter Ernährung zurückgegangen; im Bergbau um fast 20%. Im Hinblick auf die drohende Kostensteigerung wurde die Einführung des Achtstundentages von den Unternehmern vielfach mit Argwohn betrachtet[132]. Hinzu kamen sprunghaft ansteigende Lohnforderungen. Obwohl aber die Reallöhne der Arbeiter im Jahre 1919 gegenüber der Kriegszeit beträchtlich zunahmen, blieben sie noch um 20% unter dem Niveau von 1913[133]. Die Demobilisierung der Streitkräfte brachte die Gefahr großer Arbeitslosigkeit. Diese Gefahr mußte sich noch vergrößern, wenn die vorerst von den siegreichen Mächten noch zurückgehaltenen deutschen Kriegsgefangenen entlassen wurden. Außerdem fielen die Kriegsaufträge des Staates für die Industrie weg.

Zur möglichst raschen Wiederaufnahme der Friedensproduktion waren aber nach der rücksichtslosen Ausschöpfung des Wirtschaftspotentials während des Krieges umfangreiche Investitionen notwendig. Sie zu ermöglichen, gab es nur zwei Wege: Konsumverzicht und Auslandsanleihen; beide wurden erwogen. Die Reichsregierung, in erster Linie das Reichswirtschaftsministerium[134], neigte im Rahmen geplanter dirigistischer Maßnahmen mehr der ersten Möglichkeit zu, einige einflußreiche Bankiers, an ihrer Spitze Max Warburg, der zweiten. Neben den Mitteln für Investitionen, Rohstoffe und Lebensmittel – die Ernteerträge waren 1918 um 20% gegenüber 1913 zurückgegangen[135] – mußten aber in den folgenden Jahren be-

---

[129] Roesler, S. 122. Allgemein: Hoffmann u.a., Volkseinkommen.

[130] Hoffmann, Wachstum, S. 342, 354; Lange, S. 26, eine heute noch wertvolle Studie.

[131] Bry, S. 20.

[132] Roesler, S. 122. Quellen, 6/I, S. 105 Anm. 3.

[133] Bry, S. 74, 432.

[134] Bis zum 13. 2. 1919, dem Tag der Bildung des ersten Reichsministeriums unter Scheidemann, blieb aus dem Kaiserreich die Bezeichnung Reichswirtschaftsamt erhalten. Das gilt auch für die übrigen Ressorts. Nur das Auswärtige Amt behielt bis heute seinen traditionellen Namen.

[135] Schieck, S. 8, dazu aber S. 49 Anm. 19. Die Dissertation Schiecks wäre es wert, auf den neuesten Stand gebracht und gedruckt zu werden.

trächtliche Gelder für Zinsen und Tilgung der inneren Kriegsschulden aufgewendet werden. Ungefähr die Hälfte der deutschen „Kriegsausgaben im engeren Sinn", die insgesamt ca. 80 Mrd. Mark betrugen, war auf die Zeit nach dem Krieg abgewälzt worden – hauptsächlich in Form von Kriegsanleihen. Die schwebende Schuld des Reiches war von 0,3 Mrd. Mark im Juli 1914 auf 55,2 Mrd. Mark im Dezember 1918 gestiegen. Zu diesem Zeitpunkt betrug die fundierte Schuld fast 89 Mrd. Mark[136]. Die Reichsbank verfügte am 31. Dezember 1918 über Gold im Werte von 2262 Mio. und Devisen in Höhe von schätzungsweise 200 Mio. Mark[137]. Diese Summen wurden vor allem als Währungsreserve benötigt und kamen für die Reparationszahlungen kaum in Betracht; sie waren auch viel zu gering. Trotzdem bestimmten die Alliierten im Trierer Finanzabkommen vom 13. Dezember 1918 mit Rücksicht auf künftige Reparationen, daß der Metallbestand der Reichsbank, Devisen und alle Auslandswerte zu ihrer Verfügung blieben[138]. Das war eine Maßnahme, welche die deutsche Wirtschaft weiter lähmte. Bei der fortschreitenden Markentwertung mußte Deutschland damit rechnen, daß die Reparationen in Devisen eingefordert würden. Devisen waren aber immer schwerer aufzubringen. Im Dezember 1918 betrug der Dollarkurs schon 8,28 Mark (August 1914: 4,19 Mark). Er stieg im Juli 1919 auf 14 Mark und im Januar 1920 auf 64,80 Mark im Monatsdurchschnitt. Der gesamte Bargeldumlauf einschließlich der Darlehenskassenscheine und der Reichskassenscheine war von 6969 Mio. Mark im Juli 1914 auf 33 106 Mio. Mark im Dezember 1918 angewachsen[139]. Trotzdem blieben die Zinssätze niedrig; der Diskontsatz stand während des Krieges und im Jahre 1919 gleichbleibend bei 5%. Der Privatdiskont an der Berliner Börse schwankte, erreichte 1917 und 1918 den Höchststand mit durchschnittlich 4,63 Mark und fiel 1919 im Jahresdurchschnitt wieder auf 3,19 Mark[140]. Das Geld blieb billig. Es wurden keine Schritte zur Bekämpfung der Inflation unternommen. Schon zu diesem Zeitpunkt und erst recht in den folgenden Jahren konnte an Reparationszahlungen in großem Stil nur nach erfolgreicher Stabilisierung der deutschen Währung gedacht werden. Das war auch für die Aufbringung der Reparationen in Form von Steuern entscheidend: bei fortgesetztem, u.U. rapidem Markverfall war eine ertragreiche Steuererhebung ganz besonders erschwert. Jede Stabilisierung aber mußte vergeblich bleiben, wenn nicht zugleich für einige Jahre Reparationsleistungen in bar zurückgestellt und die Einfuhrüberschüsse durch Anleihen gedeckt werden konnten. Nur mit Hilfe darüber hinaus-

---

[136] Roesler, S. 154–57, 204–05. Schreiben des Reichsfinanzministers Schiffer vom 8. 3. 1919 an Bernstorff; PA, WK 30, Bd. 30 (4080/D 923 921–24).

[137] Statistisches Jahrbuch für das Deutsche Reich 1919, S. 165; Bergmann-Denkschrift, siehe unten S. 83.

[138] Waffenstillstand, Bd. I, S. 329–31. Dort siehe auch die weiteren Verhandlungen und Abmachungen über finanzielle und wirtschaftliche Fragen des Waffenstillstands. Die verlangten Ablieferungen und Rückgaben gehören schon in den Rahmen der Reparationsleistung.

[139] Roesler, S. 217–18, 229; Stolper, S. 98.

[140] Statistisches Jahrbuch für das Deutsche Reich 1919, S. 169, und 1920, S. 116–17.

gehender Anleihen waren Reparationszahlungen möglich. Die Höhe der Ende 1918 bereits bestehenden deutschen Auslandsverpflichtungen läßt sich nicht genau angeben. Deutsche Sachverständige rechneten mit 3 bis 5 Mrd. Mark.

Angesichts dieser Lage empfahl der aus Wien stammende und später in der Schweiz tätige Bankier Felix Somary, der zuweilen von der deutschen und der österreichischen Regierung als Berater herangezogen worden war, der Reichsregierung – wie auch der österreichischen – als ersten Schritt zur finanziellen und wirtschaftlichen Sanierung dringend, nach dem Waffenstillstand den Staatsbankrott zu erklären. Er wies darauf hin, daß die Verluste, die vielen dadurch zugefügt würden, wesentlich geringer seien, als eine allmähliche und schließlich katastrophale Zerrüttung aller finanziellen und wirtschaftlichen Verhältnisse in Deutschland. Die weitaus größten Ansprüche an den Staat resultierten aus den Kriegsanleihen. Um sie nicht abschreiben zu müssen und um Deutschlands Kreditwürdigkeit im Hinblick auf das wirtschaftliche Wiedererstarken und die Reparationsverpflichtungen zu erhalten, sprachen sich führende deutsche Bankiers scharf gegen den Vorschlag aus. Er wurde von der Reichsregierung, obwohl er wahrscheinlich vernünftig war, abgelehnt[141].

Weiterhin erschien angesichts der bedrohlichen finanziellen und wirtschaftlichen Lage eine Politik der niedrigen Preise und Löhne angezeigt, vor allem auch zur Belebung des Exports. Andererseits konnte das Kapital, das im Hinblick auf die bevorstehenden ungeheuren Belastungen notwendig war, nicht bereitgestellt werden, wenn die Menschen nicht genügend Einkommen hatten, um Ersparnisse zu bilden oder hohe Steuern zu zahlen. Nachdem der Waffenstillstand geschlossen worden war, hielten sich die Käufer während einer kurzen Phase wirtschaftlicher Depression in der Erwartung, daß die im Kriege stark überhöhten Preise sinken würden, allgemein zurück. Die Preise sanken aber nicht, sie stiegen. Die Selbstkosten der Unternehmer wuchsen in die Kriegspreise hinein, vor allem auf Grund der Lohnsteigerungen und der schwierigen Umstellung auf die Friedensproduktion. Die Warennachfrage setzte dann trotz der hohen Preise ein, ja trieb sie weiter in die Höhe, da die Produktion nicht Schritt halten konnte[142]. Die Unternehmer verlangten außerdem preistreibende höhere Gewinne zum Zweck der Kapitalbildung[143]. Im übrigen war die psychologische Situation derart, daß die Bevölkerung nach den schweren Jahren der Entbehrung für Konsumverzicht nicht viel übrig hatte.

Darüber hinaus mußte man sich mit dem Gedanken vertraut machen, daß als Folge des verlorenen Krieges weitere Schwierigkeiten für die deutsche Wirtschaft in Rechnung zu stellen waren. So konnte der Verlust der Auslandsanlagen und der Kolonien als wahrscheinlich gelten. Rohstoffe, die bisher im eigenen Lande zur Verfügung standen – wie die Erze Lothringens, die Kohle im Saargebiet und in

---

[141] Somary, S. 184–86.

[142] Trendelenburg, S. 48–49, 56–61, 70.

[143] Richard Merton (Metallgesellschaft) verurteilte auf der anderen Seite am 13. 12. 1918 scharf das „unmoralische Wirtschaftsleben" und die rücksichtslosen profitgierigen Revolutionsgewinnler, die die Kriegsgewinnler abgelöst hätten; Merton, S. 35–36. Vgl. Feldman, Army, S. 391–402.

Oberschlesien und das Kali im Elsaß – würden der Industrie verloren gehen. Die Besetzung des Rheinlandes durch amerikanische, belgische, englische und französische Truppen brachte zwei weitere Nachteile mit sich, einmal drohte die Abschnürung der linksrheinischen Gebiete vom Reich, zum andern entstand ein „Zolloch" im Westen, das die Reichsregierung nicht durch eine Zollgrenze am Rhein stopfen konnte, da sie sonst die Abschnürung noch gefördert hätte. Schließlich drohte insbesondere die Gefahr einer Art von Wirtschaftskrieg nach Friedensschluß auf Grund einengender und den deutschen Handel beeinträchtigender Friedensbedingungen. Am bedrohlichsten wirkte sich für die deutsche Industrie der Rohstoffmangel infolge der Blockade aus. Die Sicherung der Rohstoffzufuhr wurde deshalb eines der wichtigsten deutschen Friedensziele[144].

Abgesehen von allen genannten Schwierigkeiten war eine Umstrukturierung der deutschen Wirtschaft schon aus dem Grunde nötig, weil nur mit einer aktiven Handelsbilanz die Abtragung der Kriegsfolgelasten, in erster Linie der Reparationen, ermöglicht werden konnte. Tatsächlich jedoch war die Handelsbilanz sogar im letzten Friedensjahr 1913 noch mit 673 Mio. Mark passiv gewesen[145]. Nur die Einnahmen aus den deutschen Auslandsanlagen, der Schiffahrt u.ä. hatten die Zahlungsbilanz ausgeglichen. Die Ausgleichsposten fielen nun weg, und die Reparationen mußten letzten Endes in jedem Falle durch Waren oder – sicher in weit geringerem Maße – in Form von Dienstleistungen gezahlt werden.

Was für alle Industrienationen, vor allem aber für das unterlegene Deutschland, Schwierigkeiten brachte, war die Entwicklung der Weltwirtschaft während des Ersten Weltkriegs. Die Welthandelsströme waren unterbrochen. Manche Länder in Übersee versuchten, die benötigten, während des Krieges aber von den europäischen Ländern nicht gelieferten Importwaren selber herzustellen, oder sie kauften sie in den Vereinigten Staaten[146]. Die starken Bestrebungen der alliierten Staaten, besonders Englands und Frankreichs, ihren Macht- und Einflußbereich nach außen wirtschaftlich abzuschließen, was von den Vereinigten Staaten mit Nachdruck bekämpft wurde, drohten den Welthandel noch mehr einzuengen[147]. Für Deutschland bedeutete dies eine zusätzliche Erschwerung des Zugangs nicht nur zu den überseeischen, sondern auch zu den europäischen Märkten. Auch der russische Markt war infolge der bolschewistischen Revolution zunächst einmal verloren. Außerdem mußte man allgemein mit weiteren Handelshindernissen durch die Schaffung vieler neuer Grenzen in Europa, insbesondere infolge der Aufteilung Österreich-Ungarns rechnen.

---

[144] Daten zur Abhängigkeit Deutschlands von der Rohstoffzufuhr siehe Schieck, S. 7–8. Er spricht bei der Erörterung der „Produktivität der Hauptwirtschaftszweige" von der Bedrohung der Wirtschaft im Frühjahr 1919 durch ein „politisch-soziales Produktivitätshindernis" (S. 115) und meint damit die Unsicherheit über die innere und äußere Entwicklung sowie den Rohstoff- und Lebensmittelmangel.

[145] Statistisches Jahrbudh für das Deutsche Reich 1914, S. 181.

[146] Harmssen, S. 5–8.

[147] Eingehende Analyse bei Parrini, S. 15–39.

Insgesamt lag 1919, wie Ernst Trendelenburg schrieb, der viele Jahre Staatssekretär im Reichswirtschaftsministerium während der Weimarer Republik war, eine Situation vor wie geschaffen für die Anwendung der Theorien des klassischen Wirtschaftsliberalismus. Europa konnte und mußte mit Hilfe umfangreicher Kreditoperationen wirtschaftlich wieder aufgerichtet werden. Der große Bedarf war vorhanden und es gab diejenigen, die ihn decken konnten. In Übersee, in erster Linie in den Vereinigten Staaten, waren die benötigten Güter, Rohstoffe und Lebensmittel reichlich vorhanden, und vor allem verfügten die Amerikaner über die finanzielle Kraft, sie auf Kredit zu liefern sowie zusätzliche Barkredite zu geben[148]. Damit rechneten auch die führenden deutschen Bankiers und Unternehmer. Daß es nicht dazu kam, lag an den Meinungsverschiedenheiten der Vereinigten Staaten mit Frankreich und England über die Reparationen, die interalliierten Schulden und die künftige Ausgestaltung der Weltwirtschaft[149]. Die Amerikaner wollten bei wirtschaftlich unsicheren Verhältnissen kein Geld in Europa anlegen und verlangten einen weitgehend offenen Markt für ihren Export. Sie hielten vor allem die Reparationsvorstellungen der Entente wirtschaftlich für ruinös. Die Franzosen und Engländer ließen sich davon nicht beeindrucken, und so kam es zwischen den Siegern in Versailles zu keiner umfassenden finanziellen und wirtschaftlichen Einigung, die auch Deutschland eine Chance geboten hätte.

Viel näher als die kommenden außenpolitischen Probleme lagen dem Rat der Volksbeauftragten die innenpolitischen Fragen der wirtschaftlichen Zukunft, die ihn am 14. Dezember 1918 zu einem Aufruf an die deutschen Arbeiter veranlaßten. Deutschland sei jetzt arm, jeder sei verpflichtet zu harter Arbeit. Die Volksbeauftragten wiesen auf die abgenutzten Produktionsanlagen, die fehlenden oder heruntergekommenen Verkehrsmittel, den Mangel an Lebensmitteln und Rohstoffen, die schwierige Lage der Landwirtschaft und die allgemeine Not hin. „Ungeheuerlich sind die Lasten, die der siegreiche Feind uns aufbürdet." Die Arbeiter sollten jetzt dafür Sorge tragen, daß Deutschland der Hunger und der Bürgerkrieg erspart blieben. Sie sollten die zusammengebrochene Wirtschaft wieder aufrichten und den völligen Zusammenbruch abwenden, indem sie der Verpflichtung zur Arbeit für die „Zukunft unserer sozialistischen Republik" folgten[150].

Der Zwang, die Produktion so weit wie möglich zu steigern und mit den Produkten vor allem im Export in jeder Hinsicht konkurrenzfähig zu sein, war unabweisbar. Die wichtigste Ursache für die fortlaufende Geldentwertung waren zwar die staatlichen Anforderungen an die Volkswirtschaft während des Krieges, die z. T. durch exzessive Geldschöpfung beglichen wurden, trotzdem aber war die Entwicklung der Löhne und Preise nach dem Krieg von großer Bedeutung. Den Unternehmern war natürlich weder die Einführung des Achtstundentags noch eine kräftige Steigerung der Löhne recht. Sozialpolitische Verbesserungen waren aber unumgänglich,

---

[148] Trendelenburg, S. 58.
[149] Parrini, S. 40–43, 47–49, 66–71; Keynes, Writings, Bd. 16, Kapitel 5.
[150] Ursachen, III, S. 36–37.

denn nur so konnte der Rat der Volksbeauftragten, voran die SPD, die Unruhe unter den Arbeitern zügeln, die sich zu fragen begannen, für wen sie eigentlich arbeiteten. Damit war die entscheidende Frage nach der Sozialisierung und der künftigen Wirtschafts- und Gesellschaftsform aufgeworfen.

In der Arbeiterschaft wurde die Forderung nach Sozialisierung in zweierlei Form laut, einmal als Vergesellschaftung der Produktionsmittel in Verbindung mit Planwirtschaft, zum andern aber in der Form eines wirtschaftlichen Rätesystems auf syndikalistischer Grundlage, dem diejenigen Elemente der Arbeiterschaft anhingen, die selbst die Verantwortung für die Produktion übernehmen und nicht bloß den Unternehmer gegen den sozialistischen Staat als Arbeitgeber eintauschen wollten[151]. Derartige Ziele waren den Auffassungen der SPD und der Gewerkschaften vollkommen entgegengesetzt. „Der grundlegende Begriff der ‚Vergesellschaftung der Produktionsmittel' wurde [in der deutschen sozialistischen Arbeiterschaft vor 1914] auf seine negativ-kritische Seite beschränkt, in positiver Hinsicht blieb er leer[152]."

Schon am 16. November 1918 warnten die Gewerkschaften vor sozialistischen Experimenten in einer Zeit, da die Bevölkerung Arbeitsplätze und Lebensmittel brauche[153]. Deshalb stießen die Unternehmer mit ihrer fast einmütigen Ablehnung der Sozialisierung in jeder Form, sei es durch Verstaatlichung, Gemeinwirtschaft oder Rätesystem, kaum auf Widerstand bei der Reichsregierung. Der Widerspruch aus den Reihen der Arbeiter, der sich in großen Streiks Luft machte, ließ sich nicht so leicht überwinden, er schuf seit Anfang 1919 vor allem im Ruhrgebiet erneut eine revolutionäre Situation[154]. Das war gerade im Hinblick auf die zu leistenden Reparationen eine sehr wichtige Tatsache: Es gab auf der Seite der Regierung weder eine Konzeption noch eine vorausschauende Planung für die Einrichtung der deutschen Nachkriegswirtschaft, es herrschte andererseits und zum Teil als Folge davon wirtschaftliche Unsicherheit. Man war im Ungewissen über die künftigen innenpolitischen und außenpolitischen Bedingungen für die deutsche Volkswirtschaft[155]. Dabei konnte es nicht ausbleiben, daß die Mehrheit der Industriellen auf die krasse Vertretung nur ihrer eigenen Interessen gelenkt wurde.

Die SPD hätte gleich nach dem 9. November 1918 Gelegenheit gehabt zu stärkeren Eingriffen in die wirtschaftliche und soziale Ordnung Deutschlands, und die Unternehmer hätten sich, um nur zu überleben, noch auf einen ganz anderen „Boden der Tatsachen" gestellt[156]. Fraglich bleibt natürlich, ob eine mehr sozialistisch eingestellte Reichsregierung eine andere Taktik und bessere Mittel zur Behandlung

---

[151] Oertzen, S. 130–31, 233–35.

[152] Oertzen, S. 232.

[153] Lösche, S. 167; Feldman, Army, S. 525. Siehe auch die ablehnende Haltung Cohens und Eberts; Ursachen, III, S. 41–43, 155–56.

[154] Oertzen, S. 236 ff.

[155] Quellen, 6/I, S. 114–15.

[156] Dazu auch Rosenberg, S. 12; Feldman, Army, S. 530. Auf die Offenheit der historischen Situation verweist Klemperer, S. 76, der im übrigen allgemein die Differenzierungen konservativen Verhaltens betont. Schulz hingegen schrieb S. 151: „Soweit sich das histo-

der Reparationsfrage gefunden hätte. In diesem Zusammenhang hat aber Oertzen auf einen für die Wiederankurbelung der Wirtschaft wie für die Leistung von Reparationen gleich wichtigen massenpsychologischen Faktor hingewiesen: „Wenn wir von der Sachproblematik einer sozialisierten Wirtschaft einmal absehen und nur die massenpsychischen Umstände betrachten, dürfen wir sagen, daß eine entschlossene Sozialisierungspolitik der Regierung [...] vermutlich keine schlechteren Ergebnisse bei der Hebung der Produktion gehabt hätte, als die tatsächlich geführte Politik; die politische Radikalisierung jedoch, die im Laufe des Jahres 1919 und 1920 nun wirklich große Arbeitermassen an die Seite des bislang einflußlosen Bolschewismus trieb, wäre unzweifelhaft geringer gewesen[157]."

Jedenfalls erhielten stattdessen die Unternehmer das Übergewicht, denn nun waren sie allein imstande, das gesamte Wirtschaftsleben wieder in Gang zu setzen. Sie sahen auch die schweren Belastungen künftiger Reparationen und lenkten die Aufmerksamkeit der Reichsregierung zunächst im Zusammenhang mit der immer noch drohenden Sozialisierung auf diesen Tatbestand. Schon bald, Ende Dezember 1918 und Anfang Januar 1919, erklärten daraufhin führende Politiker der SPD wie Landsberg oder der Staatssekretär des Reichswirtschaftsamts August Müller, daß auch außenpolitische Gründe gegen die Sozialisierung zu jenem Zeitpunkt sprächen; denn die Entente werde die Hand auf alles staatliche Eigentum legen, um sich Reparationen zu sichern. Karl Kautsky, der marxistische Theoretiker, der seit 1917 Mitglied der USPD und seit Ende November 1918 Vorsitzender der vom Rat der Volksbeauftragten eingesetzten Sozialisierungs-Kommission war, erklärte demgegenüber, die Entente werde auch Privateigentum für die Reparationen heranziehen[158]. Für beide Behauptungen lassen sich ausländische Quellen als Grundlage nicht nachweisen; es ging doch in erster Linie um die innerdeutsche Auseinandersetzung über die wirtschaftliche und soziale Lage und ihre künftige Entwicklung.

Die wirtschaftliche Lage Deutschlands und die komplizierte Problematik, mit der sich die Reichsregierung durch die Verknüpfung von wirtschaftlichen und sozialen Fragen auseinanderzusetzen hatte, wies schon auf die Befürchtungen und die Argumente hin, die während der deutschen Vorbereitungen auf die Friedensverhandlungen in wirtschaftlicher Hinsicht laut wurden – oft aus wahrer Besorgnis um die wirtschaftliche Zukunft Deutschlands, sicher auch zuweilen voller Übertreibung und teilweise mangels eines der außergewöhnlichen Situation nach dem Ersten Weltkrieg adäquaten Niveaus der volkswirtschaftlichen Theorie, ein Problem, das für die wirtschaftlichen Fragen der Weimarer Republik insgesamt von besonderer

---

rische Urteil auf bekannte Tatsachen berufen kann, gab es nach dem Sturz der Monarchie doch wohl gar keine eindeutig ausgeprägten gleichartigen Chancen verschiedener Entwicklungen, wie es vereinfachendem Denken im Nachhinein in ebenso unhistorischer wie unrealistischer Weise erscheinen mag." M.E. liegt eine Vereinfachung eher umgekehrt in der Annahme, daß die Entwicklung nur so hätte verlaufen können, wie sie verlaufen ist. Dazu unten S. 67ff.

157 Oertzen, S. 253.

158 Zentralrat, S. 317–19.

Bedeutung war. So wurde, um nur ein Beispiel zu nennen, der Wert direkter Verfügung über Rohstoffe und auch politisch gesicherter Beherrschung von Absatzmärkten, sei es in Form von Kolonien oder von Interessensphären, weit überschätzt[159].

Keine der beteiligten Regierungen überblickte hinreichend die wirtschaftlichen Folgen des Krieges und die wirtschaftlichen Auswirkungen der Friedensbedingungen. Es war insgesamt gesehen so, daß man gemeinhin versuchte, die ungewöhnlichen, alle bis dahin gebräuchlichen Maßstäbe sprengenden Probleme der Nachkriegszeit einer Lösung zuzuführen, die ganz im Rahmen der Politik von vor 1914 blieb und die dem im Grund unwiederbringlichen Vorkriegszustand möglichst angenähert sein sollte – mit dem Unterschied allerdings, daß Deutschland in seiner europäischen Position nachdrücklich reduziert war und Ost- und Südosteuropa eine neue staatliche Gestaltung erfuhren.

---

[159] Bonn machte den Versuch, dieses Problem in seiner kleinen Schrift: Herrschaftspolitik oder Handelspolitik, zu theoretisieren.

II. ORGANISATIONEN UND ERSTE KONZEPTIONEN DER FINANZIELLEN UND WIRTSCHAFTLICHEN FRIEDENSVORBEREITUNGEN

1. Die innenpolitischen Voraussetzungen für eine wirksame Zusammenarbeit zwischen der Reichsregierung und den Unternehmern

Die Reichsregierung mußte sich im Rahmen ihrer Friedensplanung und auf Grund der geschilderten Voraussetzungen über ihre Stellungnahme zu den Reparationsforderungen klar werden. In den Sitzungen des Rats der Volksbeauftragten spielte die Entschädigungsfrage im November und Dezember 1918 jedoch keine Rolle; sie blieb zunächst den Ressorts überlassen. Die mangelnde Beachtung der wirtschaftlichen Friedensfragen durch die Reichsregierung wurde in der Öffentlichkeit kritisiert. So schrieb der evangelische Theologe und Geschichtsphilosoph Ernst Troeltsch am 28. Januar 1919 in einem seiner „Spektatorbriefe": „Das eigentliche Hauptproblem [...], das in Deutschland aus Gründen innerer Not und Verwirrung meistens vergessen und ignoriert wird[, ist]: die Gestaltung des Friedens, der internationalen Rechts- und Wirtschaftsverhältnisse. Davon hängt unsere künftige Lebensmöglichkeit und schließlich auch die Gestaltung der inneren Verhältnisse ab, die nur unter Voraussetzung der Lebensmöglichkeit zu relativer Ruhe kommen können[1]."

Hierbei wirkte sich besonders deutlich die Tatsache aus, daß die revolutionäre Regierung des Rats der Volksbeauftragten die alten Reichsämter und die Oberste Heeresleitung aus dem Kaiserreich ohne Eingriff übernahm und damit einem bedeutenden Teil der alten Führungsschicht, die als unentbehrlich für die Regierungsgeschäfte angesehen wurde, weiterhin beträchtlichen Einfluß und Beteiligung an der Macht sicherte. Zwar sollten ja die Staatssekretäre der Reichsämter den Volksbeauftragten nur als „technische Gehilfen" ohne politische Kompetenz dienen, aber es ist ohne weiteres ersichtlich, daß dieser Anspruch bei den täglichen politischen Entscheidungen schnell zur Fiktion wurde. Da die Reichsämter bestehen blieben, wurde in ihnen auch Politik gemacht, und zwar in sehr wesentlichen Fragen. Das gilt insbesondere für die Vorbereitungen auf die Friedensverhandlungen, mit denen in erster Linie das Auswärtige Amt beauftragt worden war[2]. Die Reichsämter zogen auch die ihnen genehmen Sachverständigen heran, die vornehmlich in allen mit den Reparationen zusammenhängenden Fragen sehr einflußreich wurden.

Sehr kritisch bemerkte Ernst Troeltsch am 28. Januar 1919: „Aber da zeigt sich ein großer Mangel der neuen Lage. Die Beamtenwelt ist so gut wie ohne alle Personalveränderung geblieben. Die Beamten, auch die konservativsten, stellen sich auf ‚den Boden der neuen Tatsachen' und bleiben im Amt, regieren, sprechen und benehmen sich aber ganz im alten Stil. Das erzeugt immer neues Mißtrauen und

---

[1] Troeltsch, S. 34.
[2] Quellen, 6/I, S. 62.

neue Reibungen. Nur ein gründlicher Beamtenwechsel des Verwaltungsdienstes kann hier helfen [...]. Man kann – wenigstens im ganzen und großen – mit Korpsstudenten nicht demokratisch vertrauenerweckend regieren[3]." Daß unter diesen Verhältnissen die politische Führung uneinheitlich war, erkannte man in der Öffentlichkeit schon bald. In einem ausführlichen Kommentar der „Frankfurter Zeitung" vom 29. November 1918 unter dem Titel „Drei Wochen Revolution" kam das Unbehagen über die mangelnde Konsolidierung der neuen Gewalten deutlich zum Ausdruck, allerdings mit einer für die Verkennung dessen, was sich tatsächlich abspielte, sehr bezeichnenden Fehlanalyse. Die Aufmerksamkeit wurde zunächst auf die Spannungen zwischen der SPD und der USPD gelenkt, die mit ihrem Streit die deutsche Aktionsfähigkeit lähmten. Die Ursache der Schwierigkeiten sah die Zeitung darin, daß die überkommenen Gewalten einen so vollständigen Zusammenbruch erlitten hätten, daß von ihnen nichts mehr übrig geblieben sei – eine völlige Verkennung der Situation. „Das Fürchterlichste" sei, daß Deutschland keine Zeit zur Erneuerung habe, sondern unter dem Druck und den Drohungen der feindlichen Mächte stehe. Die deutsche Verhandlungsfähigkeit auf der Friedenskonferenz könne zwar nur durch die neuen demokratischen Männer, die „berufenen Repräsentanten der Revolution" gestärkt werden; aber sie müßten sich Mitarbeiter sichern, die Fähigkeit, Erfahrung und Fachkunde mitbrächten. „Ohne diese wird Deutschland zugrunde gehen[4]!"

Auch in der öffentlichen Meinung wurde also der Mythos vom unentbehrlichen Fachmann gepflegt. Da es sich bei der Friedensvorbereitung um die neben der inneren Neuordnung Deutschlands wichtigste politische Frage des Reiches überhaupt handelte, war sie das beste Sprungbrett für eine neue Karriere des in seiner Masse noch wilhelminisch geprägten, in nationalistischer Grundhaltung verharrenden Großbürgertums, einer Karriere, die nun in der Republik noch zu wesentlich größerem Einfluß führte als in der Kaiserzeit. Damals waren sie zwar einflußreich, mußten hinter der tonangebenden aristokratisch-militärischen Gesellschaftsschicht aber zurückstehen. Nun öffnete sich ihnen nach der Abwehr der sozialistischen Revolution in Deutschland der Weg über die wirtschaftliche hinaus auch zur politischen Macht[5]. Angesichts der schwierigen finanziellen und wirtschaftlichen Friedensfragen, deren bedeutendste das Reparationsproblem war, gewann das vom Unternehmer repräsentierte Großbürgertum Einfluß zunächst in der Rolle des beratenden Fachmanns. Das große Verdienst der Unternehmer war ohne Frage, daß sie nach Kriegsende die Wirtschaft wieder auf einen hohen Stand zu bringen vermochten. Eine demokratische Republik konnte man mit ihrer Hilfe aber nicht errichten, ungeachtet der Tatsache, daß sich einzelne Bankiers und Industrielle rückhaltlos zum neuen Staat bekannten.

Die deutschen Industriellen legten ihr Verhältnis zum neuen Staat nach dem

---

[3] Troeltsch, S. 37. Siehe dazu Kollmann, S. 291–319. – Siehe allgemein: Elben, passim.

[4] Der große Krieg, S. 10016–18.

[5] Rosenberg, S. 12, spricht von der „ohnmächtigen Feudalklasse".

9. November 1918 unverzüglich fest. Ihr bedeutendster Einzelverband war der Verein Deutscher Eisen- und Stahlindustrieller. Als dessen Hauptvorstand am 14. November 1918 in letzter Sitzung das am darauffolgenden Tag unterzeichnete Abkommen mit den Gewerkschaften über die Zentralarbeitsgemeinschaft beleuchtete, wurden einige Erwägungen angestellt, die als repräsentativ für die Ansichten der meisten deutschen Industriellen gelten können. Ewald Hilger, einer der führenden Vertreter der oberschlesischen Eisenindustrie, der auf dieser Sitzung den Vorsitz übernahm, gab folgendes Bekenntnis ab: „Daß uns die neue Regierung nicht gefällt, darüber brauchen wir ebensowenig zu reden wie darüber, daß wir uns wie ein Mann hinter die Regierung stellen müssen und sehen müssen, was zu retten ist." Früher sei er ein Gegner jeder Verhandlung mit den Gewerkschaften gewesen, er habe sich aber gewandelt; jetzt müsse man über sie froh sein, denn die Gewerkschaften gingen gegen das drohende Chaos an. Das tat auch die SPD, und hieraus ergab sich ein natürliches Bündnis[6].

Die Stellung der Industriellen wurde weiter gestärkt, als sie weitblickend genug waren – nach Hilger ist in diesem Zusammenhang vor allem der Großindustrielle Hugo Stinnes zu nennen –, den heimkehrenden Soldaten ihre Arbeitsplätze wieder zur Verfügung zu stellen. Alle sollten nach Möglichkeit irgendwie beschäftigt werden, selbst mit unnützer Arbeit oder mit Hilfe halbierter Arbeitsschichten. Es war ein regelrechtes Arbeitsbeschaffungsprogramm, das den Bemühungen des Staatssekretärs des Reichsamts für wirtschaftliche Demobilmachung, Koeth, und anderer staatlicher Stellen sehr entgegenkam. Damit war auch der SPD geholfen; die Arbeitslosigkeit blieb erstaunlich niedrig, ein wesentlicher Grund für den Mißerfolg revolutionärer Massenbewegungen in den folgenden Monaten.

Wenige Tage nach der Sitzung vom 14. November 1918 beschloß am 19. November auch die Versammlung aller deutschen Arbeitgeberverbände, sich „auf den Boden der gegebenen Tatsachen zu stellen"[7]. Die SPD begnügte sich damit und schenkte der inneren Brüchigkeit solcher Beteuerungen zu wenig Beachtung; denn Tatsachen können sich ändern und können vor allem verändert werden. Die Zurückhaltung der SPD, sich mit dem allmählichen Wiedererstarken der konservativen Kräfte auseinanderzusetzen, wurde auch im Ausland bemerkt. Kapitän z. S. Walter Gherardi, Mitglied der amerikanischen Friedensdelegation und Leiter einer militärischen Beobachterkommission, die sich in der ersten Februarhälfte in Deutschland aufhielt, äußerte in seinen Berichten, daß die Regierung Eberts zu große Nachgiebigkeit nach rechts zeige[8]. Das war kaum übertrieben, wie eine Rede Eberts auf einer Berliner Kundgebung am 15. Dezember 1918, einen Tag vor dem Beginn des ersten Rätekongresses der Arbeiter- und Soldatenräte, beweist. Er forderte den Kongreß auf, die Desorganisation, die „Bevormundung und das Dreinreden" in die Geschäfte der Reichsleitung zu beenden. Dabei fiel der Satz: „Die Gefahren von

---

[6] BA, R 13 I/155.

[7] Der große Krieg, S. 9983.

[8] Schwabe, S. 327–32.

rechts fürchten wir nicht[9]." Es mußte die Zuhörer nachdenklich stimmen, daß über die Gefahren von links mit keiner Andeutung die gleiche Aussage gemacht wurde. Diese Gefahr fürchtete man eben doch mehr.

Die Industrie ging als nächstes auf eine wirtschaftspolitische Absicherung ihrer Position aus. Die Kriegsmaßnahmen wie Höchstpreise und Ein- und Ausfuhrverbote sollten fallen. In der außerordentlichen Mitgliederversammlung der Eisen- und Stahlindustriellen vom 10. Dezember 1918 wurde dafür plädiert, innerhalb der Zentralarbeitsgemeinschaft ein künftiges Zusammengehen mit den Gewerkschaften in der Handelspolitik anzustreben, damit die Forderungen der Industrie auf diesem Gebiet mit mehr Nachdruck vertreten werden könnten[10]. Dies konnte später ebenso zu Konflikten mit der Reparationspolitik der Reichsregierung, z. B. in Zollfragen, führen, wie der beginnende Protest gegen die planwirtschaftlichen Absichten des Staatssekretärs des Reichswirtschaftsamts, August Müller (SPD), und seines Unterstaatssekretärs, Wichard von Moellendorff. Beide wollten – vielleicht mit untauglichen Konzeptionen, aber den einzigen, die innerhalb der Reichsregierung überhaupt zur Diskussion gestellt wurden – den schon bestehenden binnenwirtschaftlichen und den infolge des Friedensvertrags zu erwartenden außenwirtschaftlichen Schwierigkeiten durch Einführung einer gelenkten Staatswirtschaft begegnen. Ein Reichsfonds zur Vergabe von Aufträgen an die Industrie in Höhe von 5 Mrd. Mark sollte ihnen die Mittel an die Hand geben, „um allmählich den Arbeitslohn, den Unternehmergewinn und den Rohstoffpreis, alle diese verschiedenen Komponenten, aus denen sich der Preis des Produktes zusammensetzt, in das richtige Verhältnis zu bringen, einen Ausgleich zwischen den verschiedenen Dingen herbeizuführen und ein normales Preisniveau zu erzielen. [. . .] Betrachten wir die Volkswirtschaft als Gesamtheit, so sehen wir diese Milliarden als den Betrag an, den das Reich zusetzen müßte, wenn es als Arbeitgeber im großen Stil auftreten würde[10a]."

Dieser unausgereifte Plan, weiter ausgearbeitet in der später noch kurz zu erörternden Gemeinwirtschaft, hätte natürlich eine gewaltige wirtschaftliche Umwälzung bedeutet. Er wurde in der Kabinettssitzung vom 12. Dezember 1918 durch den Staatssekretär des Reichsschatzamts, Eugen Schiffer, einen Verfechter des privatwirtschaftlichen Kapitalismus, mit guten Gründen bekämpft[11] und kam nicht zur Ausführung. Die Ablehnung, auf die er überall in der deutschen Wirtschaft stieß, galt aber in erster Linie der Bedrohung des freien Unternehmertums, weniger seinen sachlichen Mängeln. Die Niederlage, die das Reichswirtschaftsamt erlitt, hatte auch ihre Bedeutung für die künftige Reparationspolitik der Reichsregierung, die ohne eine gewisse Steuerung der Wirtschaft schwer denkbar war. Es hatte sich aber gezeigt, daß jeder lenkende Eingriff auf den entschlossenen Widerstand der Privatwirtschaft stoßen würde, die sich auch auf organisatorischem Gebiet stärkte.

---

[9] Der große Krieg, S. 10055–56.

[10] BA, R 13 I/92.

[10a] Quellen, 6/I, S. 323–24. Vgl. Schieck, S. 80.

[11] Quellen, 6/I, S. 326–30.

Die Wirtschaftsverbände wurden ausgebaut, und am 4. Februar 1919 schlossen sich der „Centralverband deutscher Industrieller" und der „Bund der Industriellen" zum „Reichsverband der deutschen Industrie" zusammen, der in der Weimarer Republik eine wichtige Rolle spielen sollte.
Die raschen Fortschritte bei der Konsolidierung der bestehenden Verhältnisse ohne weitere soziale und wirtschaftspolitische Veränderungen wurden von der USPD rechtzeitig erkannt und richtig eingeschätzt. Die größte Schwäche dieser Partei war aber die innere Auseinandersetzung zwischen dem rechten und dem linken Flügel. Diese Spannung führte zum schließlichen Austritt der Partei aus der Regierung, der vom revolutionär eingestellten linken Flügel erzwungen wurde[12]. Der hier wichtige Gegensatz auch des rechten Flügels der USPD zur SPD beruhte auf der Einstellung zur Nationalversammlung; die Vertreter des rechten Flügels der USPD vertraten die wohlbegründete Auffassung, daß man, um einen tatsächlichen gesellschaftlichen und politischen Wandel in Deutschland durchzusetzen, schon vor dem Zusammentritt der Nationalversammlung vollendete Tatsachen schaffen und die Revolution fortführen müßte. Sie lehnten allerdings den Terror und die Diktatur des Proletariats ab und wollten die Veränderungen auf demokratischer und sozialistischer Grundlage vorantreiben[13]. Es ging darum, eine ausgeprägte Alternative zur überkommenen Ordnung deutlich zu machen und so der Bevölkerung bei der Wahl zur Nationalversammlung eine Entscheidung zu ermöglichen. Das brauchte aber eine gewisse Zeit. Also setzte man sich für eine Verschiebung der Wahlen ein, während die SPD-Führung sie zur Vermeidung revolutionärer und chaotischer Zustände im Reich, außerdem aber aus außenpolitischen[14] Gründen sobald wie möglich abhalten wollte. Die SPD setzte sich durch, der Wahltermin wurde auf den 19. Januar 1919 festgelegt. Inzwischen hatte der linke Flügel der USPD die Entscheidung erzwungen, daß keine Vertreter ihrer Partei in den „Zentralrat der deutschen sozialistischen Republik", die oberste Instanz der Arbeiter- und Soldatenräte, eintreten sollten. So beherrschte die SPD den Zentralrat, der am 19. Dezember 1918 seine Arbeit aufnahm. Die USPD-Vertreter im Rat der Volksbeauftragten, Hugo Haase, Wilhelm Dittmann und Emil Barth, waren von ihrer eigenen Partei desavouiert worden[15]. Den letzten Anstoß zu ihrem Austritt aus der Regierung am 29. Dezember 1918 gaben die blutigen Zusammenstöße vom 23. und 24. Dezember zwischen der Volksmarinedivision und den Truppen des Generals Lequis, deren Einsatz die SPD-Volksbeauftragten veranlaßt hatten.
Zweifellos machte das Ausscheiden der USPD die nun von der SPD allein gestellte Reichsregierung – Gustav Noske und Rudolf Wissell traten neu in den Rat der Volksbeauftragten ein – zu einem von der Reichsbürokratie und den Unternehmern noch höher geschätzten Partner. Das war eine wichtige Tatsache, denn beide Grup-

---

[12] Quellen, 6/I, S. LXXV–LXXX.
[13] Kolb, S. 160–62.
[14] Aus Rücksicht auf die Vereinigten Staaten; Schwabe, S. 243–44.
[15] Ritter/Miller, S. 149–59.

pen konnten jetzt noch mehr Verständnis für ihre Vorstellungen und eine noch bessere Zusammenarbeit erwarten. Sozialismus und Planwirtschaft waren in weitere Ferne gerückt, die finanzielle und wirtschaftliche Friedensplanung konnte nun energisch betrieben werden. Daß die SPD-Führung dem Vorrang der wirtschaftlichen Belange in der Innenpolitik und bei den Friedensverhandlungen Rechnung tragen würde, war mit Sicherheit vorauszusehen. Ebert ging darauf in einer Kundgebung am 1. Dezember 1918 mit einer erstaunlichen Feststellung ein: „Keine Macht der Welt ist stark genug, die auf der Einheit des deutschen Wirtschaftslebens beruhende politische Einheit der deutschen Stämme dauernd zu entzweien[16]." Also erkannte er nicht nur die Bedeutung der Wirtschaft für die Politik der folgenden Jahre an, sondern wies die Deutschen mit seinen Worten auch auf eine Wurzel nationaler Bindung und Kraft hin.

In einem Kommentar zum Jahresende sprach die „Frankfurter Zeitung" die weitverbreitete Furcht vor dem wirtschaftlichen Zusammenbruch aus, der dem politischen und militärischen folgen werde, falls die Arbeiter „im Rausche unsinniger Hoffnungen [...] und die Unternehmer und Kapitalisten in panischer Angst um ihren Besitz die ohnehin todkranke Volkswirtschaft vollends ruinierten"[17]. Das wäre auch in den Augen der SPD-Führung gleichbedeutend gewesen mit dem Untergang Deutschlands. Also mußten die Unternehmer pfleglich behandelt werden. Bezeichnend für diese Einsicht ist die amtliche Verlautbarung vom 3. Januar 1919 gegen übertriebene Lohnforderungen, da unter diesen Umständen nutzbringende Arbeit unmöglich sei und das gesamte Wirtschaftsleben zum Erliegen komme[18]. Vor dem Zentralrat erklärte Ebert am 31. Dezember 1918, die Kohlenproduktion sei durch „unsinniges Auftreten von Agitatoren im Westen und in Oberschlesien sehr gefährdet. Unsere Nahrungsmittelindustrie ist fast brachgelegt. Wenn wir über diese Schwierigkeiten nicht hinwegkommen, brechen wir in den nächsten Wochen rettungslos zusammen. Die Hoffnung, von Amerika rechtzeitig Lebensmittel zu bekommen, steht auf unsicheren Füßen". Im Zentralrat teilte man Eberts Meinung, und Ende Januar 1919 erhielt auch dort die Unternehmerschaft für ihr kapitalistisches Tun den Segen. Max Cohen forderte: „Wir sollten der Privatinitiative die Möglichkeit geben, sich zu regen. [...] Wir haben ein Interesse daran, daß dieser Haupttrieb, die Gewinnmöglichkeit, nicht zu sehr beschnitten wird, auf den wir angewiesen sind, wenn wir aus der Misere herauskommen wollen." Fritz Faass, der Delegierte der Westfront im Zentralrat, fügte hinzu: „Wir sollten doch die Einsicht besitzen, daß wir heute in der Zeit der wirtschaftlichen Depression uns befinden und nicht daran denken können, alles zu sozialisieren, wo gar nichts da ist. Wir haben sonst den Standpunkt vertreten, daß wir nur sozialisieren können, wenn der Kapitalismus seinen höchsten Stand hat[19]."

---

[16] Ursachen, 3, S. 155–56. Zu beachten ist dabei auch Eberts Sorge um den Zusammenhalt des Reiches. Vgl. u.a. Quellen, 6/II, S. 308.

[17] Der große Krieg, S. 10093.

[18] Der große Krieg, S. 10104.

[19] Zentralrat, S. 127, 495ff.

Die Unternehmer konnten mit dieser Entwicklung zufrieden sein; sie waren fast unentbehrlich geworden. Ihre Stellung in Deutschland war gefestigt, ihr Einfluß stieg, und es waren auch schon die Voraussetzungen dafür vorhanden, daß er politisch wirksam zu werden vermochte. Damit war nicht gesagt, daß sie sich schon völlig sicher wähnen konnten. Vom 30. Dezember 1918 bis 1. Januar 1919 fand in Berlin eine Reichskonferenz des Spartakusbundes statt, auf dem die KPD gegründet wurde. Wenige Tage später brach am gleichen Ort der bürgerkriegsähnliche Spartakusaufstand aus.

Er wurde jedoch vom Militär unter dem Oberbefehl Noskes niedergeschlagen – der erste Erfolg der neuen Konzeption, mit Hilfe von Freikorps Ruhe und Ordnung im Reiche wiederherzustellen[20], lebhaft begrüßt vor allem von den Unternehmern. Die Ereignisse forderten sehr hohe Opfer und lösten eine große Streikwelle im Ruhrgebiet aus[21]. Die Kapitalflucht stieg an[22]. Trotzdem war die Stellung der Unternehmer schon fest genug. Sie konnten sich nun auch mit einer weiteren entscheidenden Frage befassen, der Vorbereitung auf die Verhandlungen über die finanziellen und wirtschaftlichen Friedensfragen, und dort ihren Einfluß zur Geltung bringen.

Jedoch nicht etwa die Industriellen übernahmen dabei die Führung, sondern eine andere Gruppe kam ihnen anfangs zuvor: die großen Privatbankiers. Sie standen mit den für die Vorbereitung auf die finanziellen und wirtschaftlichen Probleme der Friedensverhandlungen wichtigsten Reichsämtern, dem Auswärtigen Amt und dem Reichsschatzamt, bald in enger Verbindung. Die Industriellen gewannen erst allmählich größeren Einfluß, aber bei der Verflechtung von Bank- und Industrieinteressen sprachen die Bankiers häufig im Sinne der Industrie.

Die Friedensplanung lag seit Anfang November 1918 in den Händen des Botschafters Graf Bernstorff. Aber nicht nur infolge dieser Entscheidung festigte sich die Stellung des Auswärtigen Amts im November und Dezember 1918 immer mehr. Es vertrat auch die Politik Eberts nach außen, bemühte sich vor allem um Kontakte zur amerikanischen Regierung, entfaltete eine rege Tätigkeit, um sie von den Gefahren des revolutionären Sozialismus in Deutschland zu überzeugen, leitete den beharrlichen Kampf um die Lieferung von Lebensmitteln ein und warb um Unterstützung der SPD-Regierung[23]. Das vergrößerte natürlich den Einfluß des Auswärtigen Amts, und diese Stärke wurde auch demonstriert. Am 28. November 1918 erschien in der Presse die Meldung, daß bei einer Demission Solfs – der bayerische Ministerpräsident Kurt Eisner (USPD) hatte Solf am 25. November 1918 auf der Reichskonferenz heftig angegriffen und unbelastete Persönlichkeiten für die höchsten Ämter gefordert – die gesamte Politische Abteilung des Auswärtigen Amts

---

[20] Rosenberg, S. 71–73, hob die Frage hervor, „was für Truppen zum Schutz der Republik" gerufen worden seien, und sah in der Form der Niederwerfung des Januar-Aufstands einen schweren Schlag für die Regierung.

[21] Oertzen, S. 110–33.

[22] Zentralrat, S. 241, 278–79.

[23] Umfassend dazu Schwabe, 232–78.

zurücktreten wolle[24]. Solf ging bald darauf tatsächlich, aber aus anderen Gründen. Sein Nachfolger, Ulrich Graf von Brockdorff-Rantzau, begann mit den Pressionen schon, als er bestimmte Bedingungen für die Übernahme des Postens stellte. So beanspruchte er u.a. im Grunde ein Mitspracherecht in inneren Angelegenheiten und versuchte auf diese Weise, den „Primat der Außenpolitik" zu etablieren. Seine Bedingungen wurden akzeptiert[25]. Er war nun wirklich kein bloßer „technischer Gehilfe" des Rats der Volksbeauftragten.

Da die Volksbeauftragten durch innenpolitische Probleme voll in Anspruch genommen waren, blieb das Auswärtige Amt weitgehend sich selbst überlassen und konnte ungestört die Weichen für eine ihm angemessen erscheinende Behandlung der Friedensfragen stellen. Die Auslegung der Worte „Wilsonfrieden" oder „Rechtsfrieden" blieb weitgehend den respektierten Fachleuten überlassen – in erster Linie Brockdorff-Rantzau. Er wurde am 20. Dezember 1918 Staatssekretär des Auswärtigen Amts. Bis zu diesem Zeitpunkt Gesandter in Kopenhagen, hatte er seit dem Sommer 1917 mehrmals als Leiter der Außenpolitik zur Debatte gestanden. Seine Aufgeschlossenheit für die neuen gesellschaftlichen Entwicklungen, seine diplomatische Erfahrung und seine geistigen Fähigkeiten ließen ihn der SPD als geeignetste Persönlichkeit für diesen Posten erscheinen. Dabei war er persönlich weder Demokrat noch gar ein überzeugter Freund des Sozialismus. Er war immer ein höchst empfindlicher Aristokrat, schwierig im Umgang und ehrgeizig. Seine Außenpolitik blieb, wenn auch unter dem Eindruck der vor allem von Wilson proklamierten neuen Maßstäbe in modernem Gewand erscheinend, an der Ehre, Macht und Größe des Deutschen Reiches orientiert.

Vielleicht weil er der DDP nahestand, holte er sich beim Staatssekretär des Reichsschatzamts, Eugen Schiffer (DDP), Rat, ob er den Posten übernehmen solle. Schiffer berichtete über diese Unterredung: „Daraufhin formulierte ich meine Ansicht dahin, daß er das Amt annehmen könne, wenn er sich Garantien verschaffe, daß ihm in dessen Führung die Parteien nicht hineinreden dürften, und äußerte mich näher über die Art solcher Garantien. Er dankte mir überschwenglich, ernannte mich zu seinem Wohltäter und entfernte sich unter zahllosen Verbeugungen. Die Regierung gewinnt in ihm einen ebenso intelligenten wie ehrgeizigen Mitarbeiter. [...] Graf Brockdorff-Rantzau besitzt hinsichtlich seiner Brauchbarkeit einen unleugbaren Vorzug: Er ist zuverlässig durch seine Unzuverlässigkeit. Er ist an keine Partei gebunden und bereit, mit jeder zu arbeiten. Unter der Hand habe ich vernommen, daß er für alle Fälle auch bereits Fäden mit den Unabhängigen angesponnen hatte. Seine Vorurteilslosigkeit auf der einen und seine stupende Unkenntnis der innenpolitischen Zustände auf der anderen Seite qualifizieren ihn mindestens ebenso wie seine politische Intelligenz zu einem Talleyrand[26]." Die Charakterisie-

---

[24] Der große Krieg, S. 10012, 10017–18; Quellen, 6/I, S. 164–65.

[25] Quellen, 6/I, S. 371, Anm. 5–9 und S. 399. – Brockdorff-Rantzau und Bernstorff waren Vettern.

[26] Elben, S. 115.

rung Brockdorff-Rantzaus nannte treffend seinen Ehrgeiz, den Willen, unabhängig von Parteien seine Ziele zu verfolgen und „national" zu regieren, und den auffallenden Mangel an innenpolitischem Verständnis, der sich vor allem darin zeigte, daß er eine deutsche Einheitsfront gegen die Annahme eines „ungerechten" Friedens unbedingt voraussetzte und seine Außenpolitik darauf aufbaute, obwohl insbesondere nach dem November 1918 die innenpolitischen Differenzen dafür viel zu groß waren[27].

Schon einen Tag nach Abschluß des Waffenstillstandsvertrags fiel eine wichtige Vorentscheidung für die Erarbeitung der Richtlinien und die Zusammensetzung des Beraterstabes der deutschen Friedensdelegation. Am 12. November 1918 fand im Auswärtigen Amt eine Besprechung über wirtschaftliche Bestimmungen im Friedensvertrag statt. Im Verlauf der Sitzung wurde folgende Entschließung gefaßt: „Es ist in Aussicht genommen, wenn es die Verhältnisse gestatten, Vertreter der Wirtschaftskreise als Berater der [Friedens-]Unterhändler heranzuziehen." Die Teilnehmerliste ist beachtlich: Vertreter des Auswärtigen Amts, Reichswirtschaftsamts, Reichsschatzamts, Reichskolonialamts, der preußischen Ministerien für Handel, Finanzen, Arbeit, Landwirtschaft und Krieg, der Obersten Heeresleitung sogar und des Reichsmarineamts[28]. Im Anschluß an die Beschlüsse der Sitzung schlug am 16. November 1918 der Unterstaatssekretär im Auswärtigen Amt von dem Bussche-Haddenhausen ein vorbereitendes Sachverständigen-Komitee von Bankfachleuten für alle Finanzfragen vor[29]. Dieser präzisere Vorschlag setzte sich als erster durch.

Zu den Sachverständigen, die vor allem in Frage kamen, gehörte von vornherein der Hamburger Bankier Max Warburg, der schon in der Kaiserzeit der Reichsregierung beratend und Aufträge übernehmend zur Seite gestanden hatte. Wie er selbst berichtete, wollte Schiffer ihn zum Vertreter des Reichsschatzamts bei den Friedensverhandlungen machen. Statt dessen schlug Warburg am 28. Dezember 1918 Brockdorff-Rantzau die Berufung eines möglichst umfassenden Kreises von Sachverständigen für alle im Zusammenhang mit der Friedensregelung auftauchenden Probleme vor, nach Fachgruppen gegliedert, von denen ein engeres Gremium an den Verhandlungen teilnehmen und ein weiteres Gremium in Berlin als beratendes

---

[27] Deshalb trifft es für die Beurteilung Brockdorff-Rantzaus nicht zu, wenn Elben (S. 115, Anm. 2) meint, die „Unkenntnis der innerpolitischen Zustände" lasse sich durch die Quellen nicht bestätigen. Allein der Anspruch des Außenministers, in inneren Angelegenheiten mitzureden – den er übrigens nie hat erfüllen können –, und die Kontakte zu sehr unterschiedlichen Parteien bedeuten noch keine tiefe Erfassung der innenpolitischen Probleme. Schon Eyck stellt in seiner Geschichte der Weimarer Republik, Bd. 1, S. 126, fest, daß Erzberger die innenpolitischen und parlamentarischen Verhältnisse besser übersah als Brockdorff-Rantzau. Diese Schwäche kritisiert auch Bonn, der in seinen Memoiren S. 223–26 die m. E. bis heute noch beste Charakteristik Brockdorff-Rantzaus geschrieben hat – trotz der guten Skizzen Holborns (A history of modern Germany, Bd. 3, S. 559–63, 571–74 und „Diplomats and diplomacy in the early Weimar Republic", S. 132–48), die vielleicht zu schematisch vom Begriff des Junkers ausgehen.

[28] BA, Nl. Saemisch 92; BA, R 85/890.

[29] PA, WK 30, Bd. 2 (4069/D 917 460–61).

Organ zurückbleiben sollte[30]. Für die besondere Gruppe der Finanzexperten regte Warburg an, noch die Bankiers Arthur von Gwinner (Deutsche Bank), Franz Urbig (Disconto-Gesellschaft), Paul von Schwabach (Bleichröder-Bank) und Gustav Ratjen (Teilhaber bei Delbrück, Schickler & Co.) hinzuzuziehen, und erklärte, er könne bei den Friedensvorbereitungen unter keinen Umständen auf seinen Teilhaber Carl Melchior verzichten. Melchior wurde einer der sechs Hauptdelegierten in Versailles, Warburg selbst und Urbig gehörten als einflußreiche Berater zur Delegation, und auch die übrigen wurden in das Expertengremium berufen, blieben aber während der Verhandlungen in Berlin.

Sehr aufschlußreich sind die Grundsätze, die Warburg für die Auswahl der Finanzsachverständigen aufstellte: „Man muß bei der Zusammensetzung dieser Hauptdelegation [am Ort der Friedensverhandlungen] unbedingt Rücksicht nehmen darauf, daß 1) die hauptsächlichsten Kreditinstitute dabei sind, daß 2), so eigenartig dies klingt, die Delegation konfessionell richtig zusammengesetzt ist, 3) daß nicht Herren dabei sind, die sich, wie z.B. Herr Dr. A. Salomonsohn[31], während des Krieges für den U-Boot-Krieg und Annexionspläne ausgesprochen haben. Es müßten politisch nicht präjudizierte und am besten in ihren politischen Anschauungen als gemäßigt bekannte Herren sein." Darin kam wieder die Absicht zum Ausdruck, vor dem Ausland gut dazustehen und das neue Deutschland zu repräsentieren; eine gerade für die Friedensdelegation durchaus nicht abwegige Überlegung. Darüber hinaus wurden in den folgenden Wochen Warburgs Vorschläge einer „Gesamtorganisation", gestützt auf einen großen Kreis von Sachverständigen für alle auftretenden Fragen, in der „Geschäftsstelle für die Friedensverhandlungen" verwirklicht. Die Friedensdelegation, so betonte Warburg, dürfe dann selbstverständlich keine Entschlüsse fassen, ohne die beteiligten Sachverständigen angehört zu haben. Diese Konzeption setzte sich durch.

Gestützt auf die erfolgreiche Sicherung ihrer sozialen und wirtschaftlichen Position und auf Grund ihrer maßgeblichen Beteiligung an den Friedensvorbereitungen nahmen die führenden Unternehmer der Wilhelminischen Ära also von den Anfängen der Republik an bedeutenden Einfluß auf die politische Entwicklung. Dabei kam ihnen die finanzielle und wirtschaftliche Notlage des Reiches zugute. Sie waren durch ihre Mitarbeit aber auch mitverantwortlich – und das gilt gerade während des Zeitraums bis zur Rückkehr der deutschen Friedensdelegation aus Versailles – für den Ausgang der deutschen Bemühungen um Einfluß auf die endgültige Formulierung des Friedensvertrages, auch wenn sie dies später in ihrer Mehrheit nicht wahrhaben wollten und die Verantwortung für die Härten des Versailler Vertrags denjenigen zuschoben, die ihn hatten unterzeichnen müssen.

---

[30] PA, Nl. Brockdorff-Rantzau, Az. 17 (9105/H 234 809–18).

[31] Geschäftsinhaber der Disconto-Gesellschaft.

2. Die Organisation der finanziellen und wirtschaftlichen Vorbereitungen der Friedensverhandlungen

Ebert bestimmte in der Kabinettssitzung vom 15. Januar 1919, daß die nötigen Unterlagen und die Sachverständigen für die wirtschaftlichen Fragen sofort bereitgestellt werden müßten[32]. Brockdorff-Rantzau hob auf derselben Sitzung hervor, daß man sich auch auf finanziellem Gebiet nach geeigneten Experten umzusehen habe; Produktion, Handel und Industrie müßten, so verlangte er weiter, ihre Kräfte zur Verfügung stellen. Und es ist bezeichnend, daß sogar General Groener in der Kabinettssitzung vom 21. Januar 1919 erklärte: „Die Friedenskommission muß mit den besten Köpfen und Kräften unseres Wirtschaftslebens ausgestattet werden. Es dürfen nicht nur die Ressorts ihre Beauftragten entsenden[33]."

Auch die sozialdemokratische Fraktion stellte auf dem ersten deutschen Rätekongreß der Arbeiter- und Soldatenräte vom 16.–20. Dezember 1918, auf dem auch der Zentralrat gebildet wurde, den Antrag, die Friedensverhandlungen seien unverzüglich einzuleiten, „und zu denselben an maßgebender Stelle nationalökonomisch und politisch geschulte Männer aus dem deutschen Volke heranzuziehen". Der Antrag wurde an den nur aus SPD-Mitgliedern bestehenden Zentralrat überwiesen, wo er ebensowenig auf Widerspruch stieß, wie die weitere Richtlinie, daß Deutschland für die Reparationszahlungen und für den Wiederaufbau der Wirtschaft kreditwürdig sein müsse[34].

Die Bankiers und das Reichsschatzamt, aber auch das Auswärtige Amt betonten denn auch die Notwendigkeit, Maßnahmen, die die Kreditwürdigkeit und damit die für das Ziel eines raschen deutschen Wiederaufschwungs so sehr erwünschten Auslandsanleihen beeinträchtigen könnten, mit allen Mitteln zu verhindern. Brockdorff-Rantzau stand ganz unter dem Einfluß dieses vor allem von Max Warburg, aber auch im Reichsschatzamt vertretenen Konzepts[35], als er am 9. Dezember 1918 seine Bedingungen für den Antritt des Postens als Staatssekretär formulierte

---

[32] Quellen, 6/I, S. 268.

[33] Quellen, 6/II, S. 296. – Viktor Schiff, der Berichterstatter des „Vorwärts" in Versailles, beurteilte die Sachverständigen der Friedensdelegation folgendermaßen: „Es ist kein Zweifel daran, daß die Sachverständigen durchweg Vertreter des Großkapitals und z. T. sogar ausgesprochen reaktionär waren. Politisch standen einige bestenfalls den Demokraten nahe, die meisten anderen gaben sich in der damaligen Konjunktur lieber nicht zu erkennen: sie hatten sich jedenfalls alle auf den Boden der Tatsachen gestellt." Das sei wenig befriedigend gewesen; „aber die schwierigen finanz- und wirtschaftspolitischen Probleme waren damals ein Monopolgebiet der großkapitalistischen Kreise". Die Sozialdemokraten hätten damals keine geeigneten Leute „mit Autorität und Sachkenntnis" gehabt. Schiff, S. 7.

[34] Zentralrat, S. 7–8.

[35] Über die engen Kontakte zu führenden Unternehmern kann man im Nachlaß Brockdorff-Rantzaus seine ausgesprochen freundschaftliche Korrespondenz beispielsweise mit Krupp oder Warburg nachlesen.

und erklärte: „Als eine der wichtigsten, sofort in Angriff zu nehmenden Arbeiten betrachte ich ferner die Sanierung und Konsolidierung unseres Kredits. Heute vegetiert Deutschland als Ganzes und auch in seinen einzelnen Teilen in zerbrochenen finanziellen und wirtschaftlichen Lebensformen. Es wird unmöglich sein, diese unhaltbaren Zustände zu beheben, wenn nicht einmal mit höchster Entschiedenheit alle Versuche abgewiesen werden, denen in den Arm zu fallen, die bisher den wirtschaftlichen Apparat geleitet haben. Der Unternehmer muß unbedingt sicher sein, daß er in seiner rein technischen Arbeit durch die dilettantenhafte Mitregiererei nicht gehemmt wird." Es werde dann möglich sein, den „bürgerlichen Kredit durch große Auslandsanleihen zu stützen, zu beleben, ihm Zutrauen zu sich zu geben: und dieser bürgerliche Kredit wird in erster Linie auf die amerikanische Hilfe angewiesen sein[36]."

Wenn jedoch die Siegermächte keineswegs bereit waren, einen großzügigen Frieden zu schließen und Deutschland gleich wieder als vollwertigen Partner anzuerkennen, insbesondere eine entgegenkommende und alle wirtschaftlichen Probleme in Betracht ziehende Haltung in der Reparationsfrage einzunehmen, dann allerdings war es auch illusorisch, an eine bald einsetzende Kredithilfe zu glauben. Brockdorff-Rantzau tat das aber offensichtlich. In einem Atemzug äußerte er sowohl die Befürchtung, daß es vielleicht keine Verhandlungen geben werde, ein Friedensdiktat sicher sei, und die Alliierten guten Informationen zufolge nach dem Kriege gemeinsam wirtschaftlich gegen Deutschland vorgehen wollten, als auch die Hoffnung, daß man die Sieger von Deutschlands Recht auf einen Frieden gemäß dem Wilson-Programm überzeugen könne[37]. Diese Ambivalenz war bemerkenswert und wirkte sich voll aus, als sich die deutsche Friedensdelegation in Versailles aufhielt. Man war vom schlechten Willen der anderen mehr oder weniger überzeugt, ebenso aber auch von der Durchschlagskraft der eigenen Argumente. Brockdorff-Rantzaus Politik war darüber hinaus von Beginn an auf das riskante Unternehmen abgestellt, notfalls die Unterzeichnung des Friedens zu verweigern, auf diese Weise eine Ernüchterung der Sieger im Hinblick auf ihre Friedensziele zu erwirken und daraufhin gemäßigte Bedingungen zu erhalten.

Die Gedanken der Finanzsachverständigen bewegten sich zwar nicht in einem so weitgespannten Rahmen. Sie hofften vielmehr auf die wirtschaftliche Vernunft des Siegers und dessen eigenes wirtschaftliches Interesse. Als Voraussetzung sahen sie in erster Linie die Sicherung der privatwirtschaftlichen Initiative an, um ihren Sachverstand bei den Friedensverhandlungen überhaupt einsetzen zu können. Innenpolitisch war, so läßt sich die Überzeugung der Beteiligten zusammenfassen, die Erhaltung des Privateigentums, vor allem des unternehmerischen Eigentums, und des Standes, der damit umgehen konnte, also der Unternehmer, unerläßlich, damit die wirtschaftlichen Interessen Deutschlands nach außen sachgemäß und vertrauen-

---

[36] Brockdorff-Rantzau, S. 32–33.

[37] Aufzeichnung vom 14. 1. 1919; PA, Nl. Brockdorff-Rantzau, Az. 17 (9105/H 234 829–34); Exposé vom 21. 1. 1919, Quellen, 6/II, S. 297–300.

erweckend vertreten werden konnten. Der Volksbeauftragte Landsberg vertrat diesen Standpunkt am 11. Januar 1919 vor dem Zentralrat, als er erläuterte, daß die Verstaatlichung für die Siegermächte schneller greifbare Reparationswerte schaffe: „Dazu kommt noch, daß das Deutsche Reich als Staatsorgan keinen Kredit mehr hat. Die Privatbetriebe haben aber Kredit", und der Kredit sei eine wichtige Sache[38]. Die enge Verbindung, die zwischen der deutschen Kreditwürdigkeit und der Auswahl der Sachverständigen für die Friedensdelegation hergestellt wurde, läßt sich auch den Stellungnahmen führender Vertreter der Wirtschaft entnehmen, die Wert darauf legten, hervorragende Sachkenner mit gutem Ruf und guten Verbindungen im Ausland für die Delegation zu gewinnen[39]. So fanden sich in den finanziellen und wirtschaftlichen Fragen der Friedensvorbereitungen die hohe Beamtenschaft, das Militär und die führenden Vertreter der deutschen Wirtschaft zusammen und errangen mit dem Einverständnis der Reichsregierung und des Zentralrats in gegenseitiger Unterstützung entscheidende Bedeutung.

Ihre erklärte Absicht, über Auslandsanleihen den Wiederaufstieg Deutschlands einzuleiten, erhielt ein solches Gewicht, daß sie während der weiteren Friedensvorbereitungen in starkem Maße die Behandlung des Reparationsproblems beeinflußte. Reparationsleistungen sollten erst nach einer gewissen wirtschaftlichen Gesundung Deutschlands erfolgen. Der Gedanke war an sich durchaus vernünftig. Darüber hinaus aber war eben der deutsche Wiederaufstieg das wichtigste Ziel. Er wurde durch die Entscheidungen während der Friedensvorbereitungen ebenso eng und unmittelbar – wenn auch sachgerechter – mit dem Reparationsproblem verknüpft wie die Kriegsschuldfrage. Diese beiden Aspekte bestimmten die weitere Erörterung der Reparationen.

Es war vielleicht kein Zufall, daß die erste wichtigere Besprechung über die Grundlagen der finanziellen Vorbereitungen für die Friedenskonferenz eine knappe Woche nach dem Austritt der USPD aus der Reichsregierung stattfand[40]. Am 4. Januar 1919 trafen sich im Reichsschatzamt Erzberger als Leiter der Waffenstillstandskommission, führende Vertreter des Reichsschatzamts, wie Schiffer und Unterstaatssekretär Franz Clemens Schroeder, und des Auswärtigen Amts, u.a. Bernstorff und Ministerialdirektor Walter Simons, der Präsident des Reichsbankdirektoriums Rudolf Havenstein und der Vizepräsident Otto von Glasenapp sowie Direktoren wichtiger Privatbanken als Finanzsachverständige, unter ihnen Max Warburg. Dem bereits geschilderten Vorschlag Warburgs gemäß wurde beschlossen, eine engere und eine weitere Sachverständigen-Kommission einzusetzen. Dabei wurde ausdrücklich festgelegt, daß nur bestimmte Personen ihrer besonderen Eignung wegen und nicht als Vertreter ihrer Firmen ausgewählt würden. Man wollte eine Interessentenvertretung vermeiden. Die Frage der Sachverständigen verursachte aber Schwierig-

---

[38] Zentralrat, S. 320.

[39] Dies verlangten z.B. Deutsch, Hilger und Merton. Siehe die Aufzeichnung Toepffers vom 28. 1. 1919; PA, Handakten Toepffer 11, Bd. 1 (4627/E 204 387–89); Brief Hilger-Toepffer vom 27. 1. 1919 (4627/E 204 382–83).

[40] PA, WK 30, Bd. 14 (4069/D 920 321–23); BA, Nl. Saemisch 93.

keiten. Das Reichswirtschaftsamt, das mit seiner am Gemeinwohl orientierten Wirtschaftskonzeption und Zielplanung im Gegensatz stand zum Reichsschatzamt als Vertreter freier kapitalistischer Entfaltung, war auf der Tagung nicht vertreten. Staatssekretär August Müller warf am 16. Januar 1919 Brockdorff-Rantzau vor, er habe bestimmte Absprachen nicht eingehalten[41]. Anfang Dezember 1918 sei in einer Besprechung zwischen Solf, Schiffer, Müller und dem Leiter des Reichsamts für wirtschaftliche Demobilmachung, Koeth, der Vorschlag Müllers akzeptiert worden, eine kleine effiziente Kommission für die Friedensvorbereitungen zu gründen. Unter dem Vorsitz des Staatssekretärs des Auswärtigen Amts sollten ihr Vertreter des Auswärtigen Amts, des Reichsschatzamts, des Reichswirtschaftsamts, des Reichsamts des Innern, des Reichsjustizamts, des Demobilmachungsamts, der Heeres- und der Marineverwaltung angehören. In einer vorbereitenden Ressortssitzung vom 2. Januar 1919[42] habe dieser Vorschlag erneut Zustimmung gefunden und sei dahin ergänzt worden, daß die geplante Kommission Sachverständige für die Friedensverhandlungen auswählen würde. Nun höre er, so schrieb Müller, zu seinem Bedauern, daß vom Auswärtigen Amt bereits mehrere Sachverständige aus Finanzkreisen zugezogen worden seien.

Aber die Differenzen reichten weiter. Es ging nicht nur um die Finanzexperten. Schon einen Tag nach der Sitzung im Reichsschatzamt vom 4. Januar 1919 beantwortete das Auswärtige Amt eine telegraphische Anfrage der Vereinigung der Handelskammern des niederrheinisch-westfälischen und des südwestfälischen Industriebezirks vom 24. Dezember 1918 wegen der Beteiligung von Sachverständigen ohne jede Einschränkung damit, daß „die Mitarbeit wirtschaftlicher Sachverständiger aus allen Bevölkerungsschichten und Gegenden Deutschlands bei den Friedensverhandlungen gesichert ist“[43]. Das Reichswirtschaftsamt war nicht zu Rate gezogen worden, und zwar deshalb nicht, weil es nur eine begrenzte und mit Rücksicht auf seine gemeinwirtschaftlichen Ziele besonders ausgewählte Gruppe von Sachverständigen in das in Berlin bleibende Gremium aufnehmen wollte. Schon in der Kabinettssitzung vom 21. Januar 1919 erklärte demgegenüber Erzberger, daß man über 100 Sachverständige haben werde[44]. Am 22. Januar 1919 warf August Müller dem Unterstaatssekretär im Auswärtigen Amt Toepffer vor, daß neuerdings das Amt an die großen Wirtschaftsverbände herangetreten sei, um Sachverständige für die Friedensverhandlungen zu bekommen. „Er halte diesen Schritt für falsch und lege den allergrößten Wert darauf, daß die Zahl von 27 Vertretern des Erwerbslebens nicht wesentlich erhöht werde[45].“ Es waren schließlich fast 200[46]. Dieses Gremium in Berlin kann man sehr wohl als Interessentenvertretung bezeichnen. Müllers Proteste kamen zu spät und blieben wirkungslos. Sie machten aber den

[41] BA, R 85/967.
[42] BA, R 85/890.
[43] BA, R 13 I/274.
[44] Quellen, 6/I, S. 297.
[45] PA, Handakten Toepffer 11, Bd. 1 (4627/E 204 396).
[46] PA, Handakten Bernstorff 6.

Einfluß Warburgs und führender Vertreter der deutschen Wirtschaft auf Brockdorff-Rantzau deutlich. In der Kabinettssitzung vom 27. Januar 1919 versuchte Müller noch einmal, allerdings vergeblich, seinen Standpunkt vor allem gegenüber dem Auswärtigen Amt durchzusetzen[47].

Noch am 7. April 1919[48] bezog sich Reichswirtschaftsminister Rudolf Wissell, der Nachfolger August Müllers, auf die Abmachungen vom 2. Januar 1919, als er die mangelnde Wirksamkeit und die ungenügende Koordinierung in der Geschäftsstelle für die Friedensverhandlungen kritisierte, die nur ein Anhängsel der Abteilungen des Auswärtigen Amts darstelle. Er schlug noch einmal – und wieder vergebens, wenn sich auch die Zusammenarbeit mit den Ressorts verbesserte – eine interministerielle Kommission vor, diesmal unter Bernstorff. Auch Wissell war gegen das Übergewicht der Sachverständigen.

Welche Bedeutung das Auswärtige Amt der Beteiligung der Wirtschaftskreise beimaß, wurde in einer Notiz ganz klar festgehalten: „Es ist aber von Anfang an vom Auswärtigen Amt der größte Wert darauf gelegt worden, diese Arbeiten nicht einseitig vom grünen Tisch aus vorzunehmen, sondern dabei stete Fühlungnahme mit den zuständigen Erwerbskreisen und Interessentengruppen zu halten. [...] Das Auswärtige Amt ist aber noch weiter gegangen. Man ist sich im Auswärtigen Amt darüber vollständig klar, daß es nicht genügt, eine derartige vorläufige Durchsprache der Hauptgesichtspunkte vorzunehmen, sondern daß es notwendig ist, bei den Friedensverhandlungen selbst in steter enger Fühlung mit den Interessenten zu arbeiten[49]."

Zur personellen und sachlichen Organisation der Friedensvorbereitungen wurde die „Geschäftsstelle für die Friedensverhandlungen" gegründet[50]. Sie gliederte sich nach Fachreferaten, deren Referenten und ständige Mitarbeiter sämtlich Angehörige des Auswärtigen Amts waren. Zu ihnen gesellten sich dann je nach dem Gegenstand, der behandelt wurde, Vertreter der übrigen Ressorts und Sachverständige. Damit wurden sowohl die schon erwähnten Vorschläge Warburgs für ein umfassendes Gremium von Sachverständigen, das sich später in einen kleineren Kreis zur Begleitung der Friedensdelegation und einen größeren in Berlin aufgliederte, in einen festen Rahmen gebracht wie auch die dringend geforderte Einrichtung eines zentralen Büros verwirklicht. Die Geschäftsstelle war ein Bindeglied zwischen dem Auswärtigen Amt, den übrigen Ressorts und den Sachverständigen „aus allen Zweigen des deutschen Erwerbslebens", Empfangsstelle für sämtliche Anregungen und Interessentenwünsche zu den Friedensbedingungen und außerdem Tagungszentrale

---

[47] Quellen, 6/I, S. 314–15.

[48] Brief an Brockdorff-Rantzau; PA, WK 30, Bd. 36 (4097/D 925 341–47).

[49] Undatiert und ohne Unterschrift; PA, Deutsche Friedensdelegation Versailles, Pol. 1a (4662/E 211 531–32). In einer Aufzeichnung vom 1. 2. 1919 (PA, Handakten Toepffer 11, Bd. 1; 4627/E 204 363) heißt es: „Um Sachverständige für die Friedensverhandlungen zu bekommen, sind die Verbände der schaffenden Erwerbskreise, Arbeitgeber wie Arbeitnehmer, zur Benennung von geeigneten Personen aufgefordert worden."

[50] Einen Organisationsplan vom 8. 4. 1919 siehe BA, R 43 I/1.

und Pressebüro. Die Gründung einer solchen Geschäftsstelle hatte vor allem der Unterstaatssekretär für Wirtschaftsfragen im Auswärtigen Amt, der Industrielle Helmuth Toepffer, Handelsattaché in Kopenhagen als Brockdorff-Rantzau dort noch Gesandter war, in einer Aufzeichnung vom 26. Januar 1919 verlangt und war dabei nachdrücklich vom Reichswirtschaftsamt unterstützt worden, dem es um bessere Einwirkungsmöglichkeiten der Ressorts und die Kontrolle des Einflusses der Sachverständigen ging[51]. Als „Leiter der vorbereitenden Maßnahmen für die Friedensverhandlungen" blieb Bernstorff verantwortlich für alle Friedensfragen; zum Leiter der Geschäftsstelle wurde der Geheime Legationsrat Frisch ernannt. Über die zu berufenden Sachverständigen fand am 30. Januar 1919 im Auswärtigen Amt eine Besprechung statt, in der eine erste Zusammenstellung der sogenannten „Liste A" erfolgte, jener Experten, die zu den Friedensverhandlungen reisen sollten[52]. Bemerkenswert ist, daß an dieser wichtigen Sitzung nur Vertreter des Auswärtigen Amts und der Wirtschaft teilnahmen: Brockdorff-Rantzau, Bernstorff, Toepffer, der Großkaufmann und Kohlenexperte Eduard Arnhold, Felix Deutsch von der AEG, der Bankier Paul von Schwabach (Bleichröder-Bank) und Max Warburg. Schon hieran zeigte sich deutlich, daß die finanziellen und wirtschaftlichen Probleme für die deutsche Friedensdelegation im Vordergrund stehen würden. In der Delegation hatten später die entsprechenden Sachverständigen ein klares Übergewicht.
Bei der Zusammensetzung der Gremien, die von Vertretern der Finanz, der Industrie, des Handels und der Schiffahrt beherrscht wurden, machten sich die November-Umwälzungen nur insofern bemerkbar, als die preußischen Großgrundbesitzer überhaupt nicht zum Zuge kamen und auch durch annexionistische Vorstellungen während des Ersten Weltkriegs diskreditierte Persönlichkeiten die deutsche Delegation für die Friedensverhandlungen nicht begleiten durften. Von der preußischen Regierung insbesondere wurden immer wieder mit Nachdruck der ehemalige Regierungspräsident Friedrich von Schwerin, ein führendes Mitglied des Alldeutschen Verbandes, und der konservative Historiker Otto Hoetzsch der Delegation als Sachverständige für Schlesien und Posen vorgeschlagen[53]. Das Reichskabinett lehnte sie am 17. April 1919 „wegen ihrer politischen Stellung" endgültig ab. Ebensowenig wurden Vertreter des Bundes der Landwirte geduldet, obwohl sogar das Auswärtige Amt sich dafür einsetzte und auch einen „praktischen Landwirt" dabei haben wollte.

---

[51] Aufzeichnung vom 26. 1. 1919; PA, Handakten Toepffer 11, Bd. 1 (4627/E 204 385–86). – Über die deutschen Friedensvorbereitungen siehe auch Luckau. Ihre Aussage (S. 30), daß es keine Protokolle über die Sitzungen in der Geschäftsstelle für die Friedensverhandlungen gegeben habe, ist nicht richtig; sie sind, wenn auch lückenhaft, erhalten im PA. Als Leiter des Referats Wirtschaft in der GFV nannte Luckau irrtümlich den Krupp-Direktor Otto Wiedfeldt, der erst in einer späteren Phase von Brockdorff-Rantzau nach Versailles gerufen wurde, um Ministerialdirektor von Stockhammern (Auswärtiges Amt) zu ersetzen, gegen den sich vielfach Kritik erhoben hatte. Gemeint ist statt dessen der Nationalökonom Professor Kurt Wiedenfeld, der damals für das Auswärtige Amt arbeitete. Siehe dessen Memoiren.

[52] PA, Handakten Toepffer 11, Bd. 1 (4627/E 204 347–61 und E 204 366–67).

[53] BA, R 43 I/1.

Selbst der mächtige Hugo Stinnes mußte zu Hause bleiben, obwohl er mit Billigung des Auswärtigen Amts zunächst auf der Liste stand und sich neben Hilger auch Max Warburg für ihn einsetzte. Auch in diesem Falle konnte erst das Kabinett – am 18. März 1919 – den Ausschluß durchsetzen[54]. Übrigens schlug Felix Deutsch, der Direktor der AEG, am 27. Januar 1919 auch den Wiener Bankier Felix Somary vor[55]. Wie bei dem starken Einfluß der deutschen Bankiers nicht anders zu erwarten, blieb dieser Vorschlag völlig unberücksichtigt, denn Somary war es ja gewesen, der als einzige Lösung für Reparationen und finanzielle Erholung den von ihnen so heftig abgelehnten Staatsbankrott vorgeschlagen hatte.
Auch die Militärs erhielten keine einflußreiche Stellung. Am Ende der deutschen Friedensvorbereitungen war eindeutig entschieden, daß man für den Wiederaufstieg Deutschlands auf die wirtschaftliche Stärke setzen und die militärische Macht völlig vernachlässigen wollte, allerdings unter der Voraussetzung der Aufnahme und des Schutzes Deutschlands durch den Völkerbund. In Versailles wurden die militärischen Wünsche völlig den wirtschaftlichen Zielen untergeordnet. Infolgedessen standen wichtige konservative und stark national eingestellte Gruppen sowohl bei den Friedensvorbereitungen wie bei den Verhandlungen in Versailles abseits.

3. Die ersten Analysen und Materialien des Reichsschatzamts zur Reparationsfrage

Die Unterlagen für eine spätere deutsche Stellungnahme zu den Reparationsforderungen der Sieger lieferte zunächst das Reichsschatzamt. Am 27. November 1918 teilte Staatssekretär Schiffer dem Auswärtigen Amt erste Ergebnisse einer durch sein Ressort vorgenommenen Schätzung der Kriegskosten der Alliierten mit und wies darauf hin, daß Frankreich seine Lasten auf Deutschland abzuwälzen versuchen werde. Im Januar 1919 folgte eine weitere Aufzeichnung über die wegen ihres Einflusses auf die Reparationen wichtige staatliche Verschuldung der größeren Siegermächte, vor allem über ihre Verschuldung untereinander während des Ersten Weltkriegs[56]. Dies wäre ein realistischer Ansatz zur Behandlung der Frage, mit welchen Forderungen die deutsche Delegation zu rechnen hatte, und damit zur Erörterung des Reparationsproblems überhaupt gewesen. Er wurde aber kaum weiterentwickelt, obwohl es ohne Zweifel nützlicher war, von den Forderungen und Bedürfnissen der Allierten einerseits und von der Leistungsfähigkeit Deutschlands andererseits auszugehen als von Erörterungen über Recht und Unrecht oder von spitzfindigen Auslegungen des Wilsonschen Friedensprogramms.
In der Reichskonferenz vom 25. November 1918 und in der Kabinettssitzung vom

[54] Akten der Reichskanzlei, Das Kabinett Scheidemann, S. 65, 182. – Siehe auch PA, Handakten Toepffer 11, Bd. 1 (4627/E 204 339–41 und E 204 376–79).

[55] Brief Deutsch-Toepffer vom 27. 1. 1919; PA, Handakten Toepffer 11, Bd. 1 (4627/E 204 380–81).

[56] PA, WK 30, Bd. 6 (4069/D 918 445–49); BA, Nl. Saemisch 92.

12. Dezember 1918 erläuterte Schiffer außerdem ein durchgreifendes Steuerprogramm – auch eine unerläßliche Voraussetzung für die Leistung von Reparationen. Der Volksbeauftragte Landsberg hielt dieses Steuerprogramm für so einschneidend, daß er in der Kabinettssitzung erklärte: „Die Steuer könnte dazu führen, daß die Kriegsentschädigung höher ausfällt, wenn sich die Entente klar wird, was wir an neuen Steuern durchführen wollen.“ Eduard Bernstein, der bedeutendste Theoretiker des Revisionsimus in der Sozialdemokratie, von der USPD zum Beigeordneten im Reichsschatzamt ernannt, widersprach dieser Auffassung ebenso wie der Vorsitzende des Rats der Volksbeauftragten Haase mit der Begründung, daß die hohen Steuern im Gegenteil die Alliierten von der deutschen Notlage überzeugen könnten[57]. Interessant ist in diesem Zusammenhang, daß während der Debatte niemand auf den Gedanken kam, ein rigoroses Steuerprogramm auch deshalb zu empfehlen, weil es gegenüber den Alliierten den ernsthaften Willen zur Entschädigung und zum Wiederaufbau unter Beweis stellen konnte. Im übrigen wurde ein einschneidendes und umfassendes Steuerprogramm weder von der Regierung des Rats der Volksbeauftragten noch vom nachfolgenden Kabinett Scheidemann vorgelegt.

Den ersten bemerkenswerten und umfassenden deutschen Beitrag zur Reparationsfrage lieferte der Direktor der Deutschen Bank Carl Bergmann, Kriegsreferent im Reichsschatzamt, mit seiner Denkschrift vom 4. Januar 1919: „Wie können wir den Gegnern Kriegsschäden ersetzen[58]?“ Bergmann stellte die Frage nach der deutschen Leistungsfähigkeit angesichts der maßlosen, aus der Presse bekannten französischen und englischen Forderungen. Diese Frage setzte eine nüchterne Abgrenzung von Anspruch und Verpflichtung voraus; denn wäre beidem leicht zu entsprechen, würde sie sich erübrigen. Sollte also – so begann Bergmann seine Erörterung – die Zahlung aller Kriegskosten von Deutschland verlangt werden, dann müßten die deutschen Friedensunterhändler unbedingt jede Erörterung darüber ablehnen und „erklären, daß sich in solchem unerfüllbaren Verlangen lediglich der Vernichtungswille der Gegner bekunde, dem man deutscherseits freien Lauf lassen müsse“. Hier tauchte schon die Möglichkeit einer Ablehnung der Friedensbedingungen auf. Im übrigen fehlten auch die damals üblichen propagandistischen Töne nicht: „Zugleich wäre schärfster Protest gegen den Bruch des Wilson-Programms zu erheben, dessen allseitige Annahme Deutschland bewogen habe, im Vertrauen auf einen gerechten Frieden den Waffenstillstand abzuschließen und sich durch Erfüllung der für die Einstellung der Feindseligkeiten geforderten harten Bedingungen vollkommen wehrlos zu machen.“

Der klaren Ablehnung eines gegnerischen Anspruchs auf volle Erstattung der Kriegskosten stellte Bergmann die Anerkennung der deutschen Entschädigungs-

---

[57] Quellen, 6/I, S. 209–12, 344–51, 356, 358–59.

[58] Am 10. 1. 1919 von Schiffer dem AA übermittelt; PA, WK 30, Bd. 14 (4069/D 920 463–92). Bergmann hatte die Denkschrift schon am 21. 12. 1918 Schiffer vorgelegt; BA, R 2/2550. Vgl. Bergmann, S. 21–22.

pflicht im Rahmen der Lansing-Note vom 5. November 1918 gegenüber. Eine solche vernünftige Abgrenzung ließ Raum zu weiteren Überlegungen und künftigen Verhandlungen; es war ein eindeutiger und sachlicher Ausgangspunkt. Aber dieser zielsichere Gedankengang wurde zunächst fallengelassen zugunsten spitzfindiger rechtlicher Unterscheidungen, die den gegnerischen Anspruch weiter verringern helfen sollten: ein, wenig eindrucksvolles, Rechten um die Erfassung des der Zivilbevölkerung zugefügten Schadens. Bergmann legte die Lansing-Note so aus, als beziehe sich die von den Verbündeten der Vereinigten Staaten durchgesetzte Präzisierung der deutschen Entschädigungspflicht nur auf die Schäden, die der Zivilbevölkerung in Belgien und Nordfrankreich zugefügt worden waren, und schloß ausdrücklich alle übrigen „Kriegsschäden der Zivilbevölkerung – etwa durch den U-Boot-Krieg oder Fliegerangriffe in den nichtbesetzten Gebieten" aus. Gerade diese Schäden sollten aber durch die Klarstellung der Lansing-Note mit erfaßt werden[59]. Es ist darüber hinaus nicht von der Hand zu weisen, daß auch die Anwendung der Begriffe „Kriegsschäden" und „Zivilschäden" auf eine recht formalistische Argumentation hindeutet. Beide Begriffe spielten schon bei den Verhandlungen um den finanziellen Zusatzvertrag vom 27. August 1918 zum Brest-Litowsker Vertrag[60] eine Rolle. Sie sollten innerhalb der Schäden, welche die Zivilbevölkerung erlitten hatte, eine Unterscheidung zwischen den Auswirkungen der Kampfhandlungen und anderweitigen Kriegsmaßnahmen, wie Beschlagnahmungen, ermöglichen.

So weit also zollte Bergmann trotz des sachlichen Ansatzes, den er wählte, jener durchaus nicht vereinzelten teils formalistischen, teils propagandistischen Einstellung Tribut, die, stets auf der Suche nach Lücken und Winkeln zur Durchsetzung der eigenen Anschauungen, charakteristisch für Verhandlungen in der Wilhelminischen Ära war. Im übrigen aber kehrte er wieder zu seinem sachlichen Ausgangspunkt zurück: „Man würde sich jedoch einer gefährlichen Selbsttäuschung aussetzen, wenn man sich nicht wenigstens darauf vorbereiten wollte, daß die Gegner unter Ausnutzung ihrer tatsächlich unbeschränkten Macht noch viel weitergehende Ersatzansprüche stellen und zu einem Teile auch durchsetzen können." Bergmann fügte zwar hinzu, daß damit auch das deutsche Volk das volle Recht erhalte, für seine eigenen Kriegsschäden eine Gegenrechnung aufzumachen, aber angesichts der „tatsächlich unbeschränkten Macht" der Alliierten kann man kaum annehmen, daß er darin wirklich eine erfolgversprechende Möglichkeit sah. Vielmehr drängt sich der Eindruck auf, daß alle derartigen kraftvollen Einwendungen und Gegenpositionen nur die bittere Erkenntnis erleichtern sollten, daß man sich schließlich doch mit dem harten Machtspruch der Alliierten auseinanderzusetzen haben werde. Und die vom Standpunkt des gewissenhaften Finanzmannes einzig mögliche Gegenposition dazu hatte er sehr klar erfaßt: „Eine der wichtigsten Aufgaben der deutschen Vertreter im Friedenskongreß wird sein, den zahlenmäßigen Beweis dafür anzutreten, daß die verhängnisvolle wirtschaftliche Lage Deutschlands, wie sie sich

---

[59] Burnett, Bd. 1, S. 382–83, 392–93.

[60] Finanzabkommen zum Zusatzvertrag; Reichsgesetzblatt 1918, S. 1172–89.

aus den Folgen des Weltkrieges ergibt, die Gegner in ihrem eigenen wohlverstandenen Interesse dazu führen muß, ihre Ersatzansprüche auf das Äußerste zu beschränken. Dazu wird es einer rückhaltlosen, durch sorgfältig zusammengestelltes Material im einzelnen begründeten Darlegung der finanziellen Verhältnisse Deutschlands bedürfen."

Auf die Berechnung der ungefähren Höhe der Summe, die Deutschland abgefordert werden würde, verschwendete Bergmann deshalb keine Zeit; sein Ziel war eine allgemein anerkannte Feststellung der damals gegebenen deutschen Leistungsfähigkeit. Die Begründung seiner ablehnenden Haltung gegenüber allen Schätzungen ist zugleich eine scharfsinnige Voraussage des Ergebnisses der Reparationsverhandlungen in Versailles: „Es erscheint auch nach der Natur der Sache als ausgeschlossen, daß eine ziffernmäßige Feststellung im Laufe der Friedensverhandlungen erfolgen könnte. Zur Ermittlung der einzelnen ersatzpflichtigen Schäden bedarf es jahrelanger Arbeit besonderer internationaler Kommissionen." So dachten die Amerikaner und ihre Verbündeten in Versailles später auch und schufen die Reparationskommission. Die Einmütigkeit zwischen Siegern und Besiegten in diesem Punkt sollte daran scheitern, daß die Ansichten über die Befugnisse und Aufgaben einer solchen Kommission weit auseinander gingen. Die Erörterung dieses entscheidenden Punktes schloß Bergmann mit der Feststellung: „Um eine Vorstellung davon zu gewinnen, ob die wirtschaftlichen Kräfte Deutschlands ausreichen, den Gegnern die voraussichtliche Summe ihrer überschießenden Schadensforderungen zu ersetzen, wird man schon jetzt irgendeinen bestimmten Betrag als rechnerische Grundlage schätzungsweise greifen müssen. Mehr oder weniger gefühlsmäßig wird die Ansicht geäußert, daß der Betrag von 30 Milliarden Mark das Höchstmaß dessen darstelle, was Deutschland als Schadensersatz leisten könne."

Nach dieser Feststellung stand Bergmann vor dem Problem der Aufbringung der Reparationssummen und dem ihres Transfers in die Gläubiger-Länder. Da die Aufbringung des gesamten Betrages auf einmal oder in wenigen Raten überhaupt nicht in Frage kam, legte er zunächst eine jährliche Zins- und Amortisationszahlung auf die Summe von 30 Mrd. Mark zugrunde. Er nannte dafür 2 Mrd. Mark. Diese Summe jährlich aufzubringen sah er also immerhin schon unmittelbar nach dem Krieg als möglich an. Nennenswerte Devisenbestände waren zunächst aber nicht vorhanden, die Goldreserve wurde zur Sicherung der Währung gebraucht und die Nutzung von deutschem Staatseigentum durch die Entente war nicht ertragreich und für die deutsche Wirtschaft gefährlich. Bergmann erkannte sofort die Schwierigkeit, diese Annuität von 2 Mrd. Mark zu transferieren. Angesichts der „ungeheuren Wertzerstörung" während des Krieges und des „gewaltigen Eigenbedarfs" nahm er ferner an, „daß auf lange Zeit hinaus an eine aktive Zahlungsbilanz Deutschlands überhaupt nicht zu denken" sei, zumal auch er schon damit rechnete, daß die Zahlungsbilanz nicht mehr wie vor dem Kriege durch Einnahmen aus Guthaben und Anlagen im Ausland ausgeglichen werden könnte. Sein Schluß war also naheliegend, daß Deutschlands Wirtschaft ohne finanzielle Hilfe des Auslands nicht wieder in Gang zu setzen sei. Zur gleichen Zeit stellte die Reichsbank in einer

Denkschrift „Die deutsche Zahlungsbilanz und der Auslandskredit" kategorisch fest: „Deutschland bedarf in weitestem Maße des Auslandskredits[61]." Die deutsche Finanzpolitik erblickte nicht erst nach den Markzusammenbrüchen der ersten zwanziger Jahre die Lösung ihrer Probleme in Auslandsanleihen – sie erhielt diese Ausrichtung schon unmittelbar nach dem Waffenstillstand. Einer Hilfe durch Anleihen standen aber die schon bestehenden Schulden bei den neutralen Staaten entgegen. Bergmann schätzte sie auf 3,5 bis 4 Mrd. Goldmark. Deshalb wollte er durch „Vorsorge für eine weitere Finanzierung der Kredite bei den Friedensverhandlungen" verhindern, daß Deutschland den Neutralen gegenüber bankrott erschien. Um über die tatsächliche Situation überhaupt Klarheit zu erlangen, sollte zunächst eine möglichst umfassende Bilanz der deutschen Guthaben und Verpflichtungen aufgemacht werden; sie konnte später auch als Argument gegen überhöhte Reparationen verwendet werden.

Diese Gedankengänge, in denen einige der wichtigsten Probleme der Reparationszahlungen berührt wurden, waren durchaus folgerichtig und stichhaltig. Bergmann kam zu dem Schluß, daß während der Friedensverhandlungen ausländische Anleihen zur Schuldentilgung, für die Lebensmitteleinfuhr und für die Rohstoffversorgung gesichert werden müßten. Diese Beträge würden mit mehr als 20 Mrd. Papiermark so hoch sein, daß über deren Tilgung und Zinsendienst hinaus für Reparationen zunächst keinerlei Mittel zur Verfügung stünden. In diesem Zusammenhang blieb auch die Abtragung der internen Kriegsverschuldung des Reiches von rund 150 Mrd. Papiermark nicht unerwähnt: „Wenn die für die deutschen Kriegskosten ausgegebenen Kriegsanleihen und Schatzanweisungen notleidend werden, dann fällt mit einem Schlage der ganze schwer erschütterte Bau des deutschen Wirtschaftslebens in sich zusammen. Um es aphoristisch auszudrücken: das jetzige deutsche Volksvermögen besteht zum überwiegenden Teile aus den Schulden des Reichs." Das bedeutete aber, dieser Teil des Volksvermögens war für den Augenblick nicht mehr vorhanden und „bestand" höchstens im Vertrauen auf künftige Steigerung des Sozialprodukts und der Steuerkraft, die es dem Staat ermöglicht hätte, seine Verpflichtungen allmählich einzulösen. Eine Einstellung des Zinsendienstes für die Kriegsanleihen, so fuhr Bergmann fort, hätte „die Zahlungsunfähigkeit aller größeren deutschen privaten Geld- und Kreditinstitute und in Rückwirkung wiederum den Bankrott des Reiches" zur Folge. Die enge Verbindung zwischen dem Reich und den Bankiers wird in diesen Worten sehr deutlich, da Bergmann selbst zu den Bankiers gehörte. Ob die privaten Kreditinstitute tatsächlich zusammengebrochen wären, wenn man sogar Somarys Vorschlag entsprochen und den Staatsbankrott – nicht nur die Einstellung des Zinsendienstes – erklärt hätte, mag dahingestellt bleiben. Immerhin werden die Institute ihre Bestände an Kriegsanleihen wohl laufend abgeschrieben haben. Im übrigen haben sie auch die Inflation

---

[61] Vom 2. 1. 1919; Drucksache 2b der Geschäftsstelle für die Friedensverhandlungen, Anlage 1. Die Drucksachen, in denen sich die Ergebnisse der deutschen Vorbereitungen für alle Themen der Friedensverhandlungen niederschlugen, sind vollständig vorhanden in der Bibliothek des Auswärtigen Amts in Bonn.

im großen und ganzen überstanden. Aber diese Widerstandsfähigkeit war vielleicht nicht vorauszusehen.

Die Argumentation Bergmanns war etwas übertrieben; worauf es ihm ankam, war der Beweis, daß die Alliierten im eigenen Interesse den wirtschaftlichen Zusammenbruch und die Zahlungsunfähigkeit Deutschlands nicht zulassen dürften. Auch diese Bestandsaufnahme wurde unter dem mehr propagandistischen Aspekt abgeschlossen, daß die gegnerischen Mächte „sonst nicht nur auf die Erstattung ihrer Kriegsschäden von vornherein verzichten müßten, sondern auch darauf angewiesen wären, die hungernde und frierende deutsche Bevölkerung dauernd zu unterhalten, wenn sie der Gefahr des Übergreifens der in Deutschland dann unvermeidlichen Anarchie in ihre eigenen Länder begegnen wollen. Sie müßten im andern Falle außerdem ständig ihre gesamte Kriegsmacht unter den Waffen halten, um einigermaßen Ordnung – die Ruhe des Kirchhofs – in der ganzen Welt zu schaffen". Bergmann nahm an, daß die Alliierten Anleihen für Deutschland nicht verweigern, aber weitgehende Gegenforderungen stellen würden. Er war sich über ihr „tiefgewurzeltes Mißtrauen uns gegenüber" – ein belastendes Erbe der Wilhelminischen Ära – durchaus im klaren, sprach sich jedoch nachdrücklich gegen eine Finanzkontrolle der Siegermächte aus.

Konsequent am Ziel seiner Überlegungen angelangt, forderte Bergmann als Richtlinie für die Friedensverhandlungen über Reparationsfragen, daß zur Sicherung der deutschen Wirtschaft und Kreditfähigkeit möglichst geringe Entschädigungsleistungen in Bargeld erfolgen sollten. Statt dessen verwies er auf Verrechnung der im Waffenstillstandsvertrag abgelieferten Werte – auch des militärischen Materials – und des Reichseigentums sowie der Anteile an der Reichsschuld in den abzutretenden Gebieten und Kolonien. Im Reichsschatzamt waren Untersuchungen über die Höhe dieser Anrechnungswerte im Gange.

Diese Hauptpunkte wurden ergänzt durch Detailprobleme, die sich aus der Festlegung von Zwangskursen und der Ausgabe von Besatzungsgeld in den von Deutschland besetzten Gebieten in West und Ost ergaben. Auch diese Probleme sollten bei den Friedensverhandlungen so behandelt werden, daß dem Reichskredit kein Schaden daraus erwachsen konnte. Nach kurzer Erörterung der auf seiten der Alliierten bestehenden Befürchtungen für ihr eigenes Wirtschaftsleben, falls Deutschland große Entschädigungen in Form von Waren und Rohstoffen leisten würde, schlug Bergmann schließlich umfassende deutsche Wiederherstellungsarbeiten in den zerstörten Gebieten Belgiens und Nordfrankreichs vor. Das war im Grunde die einzige größere Entschädigungsleistung, die er den Alliierten sofort anzubieten hatte.

Die Denkschrift wurde u. a. auch Max Warburg zugeschickt, der am 24. Januar 1919 in einem ausführlichen Brief an Schiffer dazu positiv Stellung nahm. „Leistungen nur in natura", womit er vor allem den Wiederaufbau, aber wohl auch Sachlieferungen meinte, hielt er allerdings für unübersehbar, deshalb sollten teilweise auch Barzahlungen erfolgen, und zwar in Mark. Er befürwortete deutsche Gegenforderungen, anteilige Übernahme von Reichsschulden in abgetretenen Gebieten durch die neue Staatsgewalt und Sicherung der Kolonien, die höchstens gegen Entschädigung abgetreten werden dürften. Für Anleihen, die Deutschland aufnehmen müßte, bestand er auf ausländischer Währung, vermittelt durch private Konsortien. Es müsse vor allem amerikanisches Beteiligungskapital herangezogen werden. Auf Grund der dadurch ermöglichten Exportsteigerung könnten die Schulden später leichter in Devisen zurückgezahlt werden[62].

Die Bergmann-Denkschrift faßte schon die meisten jener Vorstellungen und Überlegungen zusammen, die während der Vorbereitungszeit auf die Friedensverhandlungen und bei der Stellungnahme zu den am 7. Mai 1919 von den Alliierten überreichten Friedensbedingungen maßgebend blieben. Die von Bergmann angeführten Gesichtspunkte bezeichneten das Konzept eines deutschen wirtschaftlichen Wiederaufstiegs, der durch die Kriegsfolgen so wenig wie möglich beeinträchtigt werden sollte. Bei aller rein fachlichen Stichhaltigkeit der meisten dieser Darlegungen ist nicht zu übersehen, daß ein solches Programm, wenn es durchgeführt wurde, mit seinen vielen Einschränkungen und Vorbehalten den Siegern sehr dürftig erscheinen mußte. Ein Programm, das sich vorwiegend auf wirtschaftliche Vernunftgründe, Rechtsklauseln, juristische Interpretationskunststücke und Appelle gründete, war angesichts der tiefen Kluft der Feindseligkeit, die auch Bergmann erkannte, unbrauchbar; und dies wäre im Hinblick auf die enorme politische Bedeutung, die alle Vorbereitungen auf die Friedensverhandlungen besaßen, auch nicht dadurch entschuldigt, daß man es als rein fachliche Sachverständigen-Analyse betrachtete. Dazu enthielt es zuviel Vorschläge über die von der deutschen Delegation einzunehmende Haltung und die allgemeine deutsche Wirtschafts- und Finanzpolitik. Außerdem standen Sachverständige zu hoch im Kurs, als daß ihre Stellungnahmen nicht einen bedeutenden Einfluß auf die politischen Richtlinien für die Friedensverhandlungen genommen hätten. Bergmanns Untersuchung erweiterte sich auch zum innenpolitischen Programm von schwer abzuschätzender Tragweite, als er in den Schlußbetrachtungen die Folgerung zog: „Das Reich wird so zum allgemeinen Arbeitgeber in Deutschland. Es belastet sich freilich über die ungeheuren Kosten des Krieges hinaus mit neuen großen Ausgaben, für welche die Deckung nur in weiter erhöhten Steuern gefunden werden kann. [...] Der vorgezeichnete Weg bringt uns nicht zu den gewohnten Pfaden der alten Friedenswirtschaft zurück. Er führt in gerader Richtung zu einer vollkommenen Sozialisierung des deutschen Wirtschaftslebens in dem Sinne, daß es in allen seinen Betätigungsformen von dem überragenden Einfluß des Gemeinwohls durchdrungen wird. Da das Reich für den Ersatz der Kriegsschäden fortlaufend Milliardenaufträge an die verschiedenen Zweige der Industrie zu erteilen hat, wird es ohne irgendwelche Zwangsmaßnahmen dahin gelangen, wohin die heute maßgebende Richtung strebt, nämlich zu einer durchgreifenden Beherrschung aller wirtschaftlichen Fragen und ihrer Regelung zum Besten des großen Ganzen. Aus den Erfahrungen der Kriegswirtschaft wird hierbei vielerlei zu lernen sein."

---

[62] BA, R 2/2550.

Diese Äußerungen enthielten den Versuch einer Einbeziehung der Gemeinwirtschaftspläne des Reichswirtschaftsamts in eine umfassende Finanzkonzeption zur Regelung der künftigen Reparationsverpflichtungen. Da der Staatssekretär des Reichsschatzamts, Schiffer, als Liberaler Gemeinwirtschaftspläne ablehnte[63], ist die konziliante Umgehung des Streitpunkts durch seinen Referenten ein Zeichen dafür, daß trotz der tiefgreifenden Meinungsverschiedenheiten über die künftige Wirtschaftsordnung in Deutschland eine gemeinsame Haltung der für die innere und äußere Politik entscheidenden drei Reichsämter in der Reparationsfrage möglich war. Die Gemeinsamkeit wurde begünstigt durch ihre einheitliche konservative Einstellung gegenüber revolutionärer Umwälzung von links. Das war schon während der Reichskonferenz vom 25. November 1918 zutage getreten – man vergleiche nur die Tendenz der Referate Solfs, Schiffers und August Müllers[64].

Die am Schluß der Bergmann-Denkschrift angedeutete übergreifende Konzeption, die vielleicht auch das Reichswirtschaftsamt befriedigen konnte, stand und fiel allerdings mit der Zustimmung der Sieger zu deutschen Reparationsleistungen in Form von Sachlieferungen oder durch Wiederaufbau. Nur in diesem Falle konnten die Reparationsleistungen es dem Staat ermöglichen, die Rolle des beherrschenden und lenkenden, allmählich eine neue Wirtschaftsform herbeiführenden Auftraggebers zu gewinnen. Deshalb war es das Bestreben der deutschen Unternehmer, den Staatseinfluß möglichst fern zu halten, auf starke Förderung der Exportindustrie zu drängen, um aus allgemeinen Exportüberschüssen anstatt durch bestellte Sachlieferungen die Reparationsleistungen zu erbringen, und mit den Unternehmern in den Ländern der wichtigsten Reparationsgläubiger zu direkter Zusammenarbeit zu kommen.

Als Abschluß dieser ersten Phase der Bearbeitung des Reparationsproblems kann eine Aufzeichnung von Ende Januar 1919 über die „Kriegsentschädigungsforderungen der Entente-Staaten" gelten[65]. Die feindlichen „Vorschläge über die Form und Mittel zur Eintreibung der Kriegsentschädigung", die in der Aufzeichnung eingehend erörtert wurden, hatten wie viele andere Meldungen die Wirkung, daß die Verantwortlichen in Deutschland viel mehr auf die Möglichkeit hofften, durch Sachlieferungen Reparationen zu leisten als durch Geld. Genannt wurde besonders von englischer Seite die Beschlagnahme von Gold, Schiffen, Maschinen, Vorräten, Fabriken und Rohstoffquellen, der Bau von Schiffen für England auf deutschen Werften und der Wiederaufbau der zerstörten Gebiete. Was man aber auch beachtete, war die starke Minderheit gemäßigter Engländer – und übrigens auch die Ansicht einiger gemäßigter Franzosen[66]. Diese Minderheit, so wurde festgestellt, vertrete u.a. die Ansicht, Deutschland solle seine Flotte behalten und England an

---

[63] Quellen, 6/I, S. 319–67.

[64] Quellen, 6/I, S. 155–61, 207–12.

[65] BA, Nl. Saemisch 92.

[66] Siehe dazu die umfangreiche Widerlegung der in der französischen Kammer aufgestellten Forderung von 120 Mrd. francs in einer Aufzeichnung des Reichsfinanzministeriums vom 9. 5. 1919 (BA, R 2/2581), das französische Gegenstimmen auswertete.

den deutschen Frachtgewinnen teilhaben. Dieser Gedanke einer ausländischen Gewinnbeteiligung, genauer: einer Beteiligung an der Wirtschaft des Reiches sollte später noch eine Rolle in den deutschen Überlegungen zu den Reparationsleistungen spielen. Weiterhin wurden die englischen Bedenken erwähnt, daß zu große Sachlieferungen eine ungeheure Steigerung der deutschen Ausfuhr und somit eine Gefahr für die englische Wirtschaft und ihre Märkte nach sich ziehe. Sie sollten deswegen durch eine Beschlagnahme der infolge des Exports erzielten Guthaben Deutschlands in aller Welt ersetzt werden – eine Regelung, ähnlich jener Exportabgabe, die England in den zwanziger Jahren unter dem Recovery Act verlangte.
Dieser Ersatzvorschlag war allerdings nicht viel wert, denn er änderte an dem Problem wenig. Für den deutschen Exporteur war es, zunächst finanziell betrachtet, gleichgültig, ob er für seine Waren von der Reichsregierung direkt bezahlt wurde, die dann mit diesen Waren ihre Reparationsverpflichtungen beglich, oder ob er seine Waren erst exportierte und sich hinterher den beschlagnahmten Exporterlös von der Reichsregierung ersetzen ließ. Entscheidend war nach wie vor, daß Deutschland seine Ausfuhr in beiden Fällen gewaltig steigern mußte und die befürchtete Wirkung für die Engländer die gleiche blieb. Dies ist ein Beispiel für die mangelnde theoretische Durchdringung der Probleme, die prompt auch in der Aufzeichnung des Reichsschatzamts ihr Gegenstück fand, wo diese Problematik folgendermaßen kommentiert wurde: „Also Warenbelieferung der Welt auf Kosten des deutschen Steuerzahlers." Wie sonst? Deutschland konnte hochzufrieden sein, wenn es so kam: Hohe Handels- und demzufolge Zahlungsbilanzüberschüsse und Abschöpfung der daraufhin steigenden Kaufkraft im Innern durch Steuern, die dann als Reparationen den Siegermächten zuflossen. Der englische Ersatzvorschlag hatte aber eines für sich: Wenn die Reparationsleistung in Form von Waren erfolgte, war das für die Deutschen eine völlig risikolose Exportgarantie und für die Engländer – oder andere Reparationsgläubiger – eine bindende Abnahmeverpflichtung. Es hätte sich wahrscheinlich bald herausgestellt, daß solche gezielten, zwangsweisen Warenströme gar nicht aufgenommen werden konnten und die Vereinbarung nicht durchzuführen war. England konnte die Waren höchstens weiterverkaufen. Also schien die Exportabgabe doch die bessere Lösung zu sein. Sie erlaubte eine ökonomisch sinnvollere, marktgerechtere Verteilung der unvermeidlich großen deutschen Exporte auf die ganze Welt. Zwei entscheidende Tatsachen würden aber bestehen bleiben: Das deutsche Exportvolumen würde in beiden Fällen gleich hoch sein müssen, nämlich die „normale" Ausfuhr zusätzlich derjenigen, die – vereinfacht gesagt – zur Erzielung eines Handelsbilanzüberschusses in Höhe der Reparationsleistung notwendig war. Und außerdem würde jeder Markt, den die deutsche Exportwirtschaft zusätzlich gewänne, zumindest teilweise den hochentwickelten und mit Deutschland konkurrierenden Industrien der Siegermächte verloren gehen.
Auch die weiter in der Aufzeichnung angeführte französische Absicht, in Deutschland Steuern zu beschlagnahmen und ihm nur so viel zu lassen, daß es gerade leben könne, war entweder in sich widerspruchsvoll, denn unter dieser Bedingung würden bald nicht mehr viel Steuern eingehen, oder aber sie lief auf die geschilderten Kon-

sequenzen der deutschen Exportsteigerung hinaus; denn die Steuereinnahmen mußten ja nicht nur auf dem Papier – nämlich u. U. der Notenpresse – stehen, sondern auch transferiert, also in Devisen gezahlt werden. Das Problem wurde in einigen französischen Äußerungen auch erkannt; Deutschland sollte deshalb einen bestimmten Prozentsatz seines Staatshaushalts zur Begleichung der Reparationsverpflichtungen bereitstellen – ein Gedanke, der auch von deutscher Seite später in Versailles verwertet wurde – und zur Abdeckung dieser Belastung seine Handelsbilanzüberschüsse und einen Teil seiner Sparleistung verwenden.

Unter den wenigen Stimmen der Kritik an der feindlichen Reparationspolitik wurden in der Aufzeichnung vor allem einige führende englische Zeitungen genannt, wie der „Economist", „Nation" und „Statist". Sie warnten vor der Gefahr, daß eine zu hohe Kriegsentschädigung die Fähigkeit der Deutschen, Steuern zu zahlen, sehr beeinträchtige, Zahlungsstockungen eintreten lasse und den Ruin des deutschen Finanzsystems herbeiführe. Man trat für bescheidene Forderungen und die Verwendung deutscher Auslandsguthaben und deutscher Schuldverschreibungen ein. Der letzte Gedanke wies schon auf Auslandsanleihen für Deutschland als Hilfe bei der Lösung des Reparationsproblems hin. Er wurde mit einer interessanten Variante von einem schweizerischen Bankfachmann in der „Neuen Zürcher Zeitung" vom 27. Dezember 1918 aufgegriffen[67], hinter dem man im Reichsschatzamt französischen Einfluß vermutete. Dieser Sachverständige schlug vor, die 150 bis 200 Mrd. Mark Reparationen, mit denen Deutschland rechnen müsse, zunächst mit Sachlieferungen und, weil Barzahlungen ausgeschlossen seien – was die Deutschen auch immer behaupteten –, den großen Rest vermittels einer 4%igen Anleihe, rückzahlbar in 28 Jahren bei einer Tilgungsrate von 2% jährlich zu begleichen. Die Vereinigten Staaten, England und Frankreich sollten eine Zinsgarantie übernehmen, damit die Anleihe einen guten Markt finde.

Schiffer äußerte am 27. Januar 1919 im Kabinett die Ansicht, daß die finanziellen Fragen bei den Friedensverhandlungen den Hauptstreitpunkt bilden würden. Erstaunlich optimistisch stellte er außerdem fest: „Die Entente wird ihre Forderungen danach bemessen, was Deutschland leisten kann; das geht schon aus den bisherigen Veröffentlichungen hervor[68]." Vor allem aber wird klar, daß die „Stimmen wirtschaftlicher Vernunft" aus dem gegnerischen Lager mit besonderer Aufmerksamkeit beachtet wurden. Diese Äußerungen bestärkten die deutschen Sachverständigen in ihrer Absicht, auf die wirtschaftliche Vernunft zu setzen und ihre Reparationspläne danach auszurichten.

---

[67] Telegramm Rombergs (Bern) für das Reichsschatzamt vom 27. 12. 1918; PA, WK 30, Bd. 12 (4069/D 919 866).

[68] Quellen, 6/I, S. 316.

4. Die ersten prinzipiellen Vorstellungen über die zu vertretende deutsche Reparationspolitik auf der Friedenskonferenz

In der schon erwähnten Sitzung am 4. Januar 1919[69] kamen auch die Vorarbeiten des Reichsschatzamts für die finanziellen Probleme zur Sprache. Das Ergebnis war die Festlegung dreier Hauptthemen, die bearbeitet werden sollten: 1. Die Begleichung der aufgelaufenen Schulden bei den Neutralen und die Erlangung einer Auslandsanleihe; 2. die Abgeltung der Entschädigungsforderungen durch Geld oder Wiederaufbau und 3. die Regelung der Markverpflichtungen in den ehemals von Deutschland besetzten Gebieten, die durch Einführung eines Zwangskurses für die Reichsmark oder durch Ausgabe von Besatzungsgeld entstanden waren. Der letzte Punkt spielte bei den späteren Vorbereitungen eine untergeordnete Rolle.

Das Reichsschatzamt wollte möglichst rasch eine Übersicht über die finanzielle Belastung des Reichs in Form einer Zahlungsbilanz veröffentlichen[70]. Mit ihrer Hilfe sollten die hochgespannten Reparationserwartungen der Alliierten durch umfangreiche Zahlennachweise gedämpft und die beschränkte Zahlungsfähigkeit Deutschlands dargelegt werden. Zugleich ließ sich damit das dringende Bedürfnis nach einer Auslandsanleihe begründen. Ihr Zinsen- und Tilgungsdienst sollte, wie in der Besprechung festgelegt wurde, grundsätzlich den Entschädigungsverpflichtungen vorausgehen. Außerdem beabsichtigte das Reichsschatzamt, die Abtretung deutscher Forderungen gegenüber den ehemaligen Verbündeten des Reiches als Reparationsleistung zu prüfen und die Frage einer Finanzkontrolle der Alliierten oder der für die Zahlungen zu stellenden Sicherheiten zu untersuchen. Weil die Anzeichen immer deutlicher wurden, daß auch das deutsche Privatvermögen im gegnerischen Ausland für die Reparationen herangezogen werden sollte, überlegte man sich außerdem, ob diese Werte, insbesondere aus den Vereinigten Staaten, nicht vorher zur Bezahlung von Lebensmittellieferungen verwendet werden sollten. Auf einer Ressortbesprechung am 23. Januar 1919 wurde ein entsprechender Beschluß gefaßt[71]. Darauf ließen die Alliierten sich aber nicht ein.

Die Reichsregierung wie die Eigentümer, denen eine aus der deutschen Staatskasse gezahlte Entschädigung nur ein schwacher Trost sein konnte, wollten eine Beschlagnahme jedoch unbedingt verhindern. Eine dieser Frage gewidmete „Denkschrift des Deutsch-Amerikanischen Wirtschaftsverbandes zu den Friedensverhandlungen" vom 23. Januar 1919[72] gipfelte in der pathetischen Aufforderung: „Möchten die Referenten in wirtschaftlichen Fragen, fest auf dem Boden der prägnanten Grundsätze Wilsonscher Weltpolitik stehend, nicht als Bittsteller, sondern im Vollgefühl

---

[69] Siehe S. 78.

[70] Letzte Fassung: Drucksache 2b, GFV, Denkschrift über die finanziellen Grundlagen zu den Friedensverhandlungen (2. Entwurf, Anfang Mai 1919).

[71] BA, Nl. Saemisch 93.

[72] Am 1. 2. 1919 dem AA zugesandt; PA, Handakten Toepffer 11, Bd. 1 (4627/E 204 312–17).

der Gerechtigkeit ihrer Sache mit dem Mut und Feuer innerer Überzeugung den deutschen Standpunkt in diesen Fragen vertreten und durch die klare und treffende Logik ihrer Ausführungen dem fundamentalen Rechtsempfinden Geltung verschaffen, daß das Eigentum der Person unangetastet aus dem Kriege hervorgehen muß als eine Vorbedingung des Wilsonschen Gedankens eines Weltfriedens von Permanenz." Immerhin war dieser Verband im übrigen der realistischen Auffassung, daß es angesichts der schlechten Lage für Deutschland ausgeschlossen sei, bei den Friedensverhandlungen bestimmte Forderungen durchzusetzen.

Es gab aber auch noch andere Gebiete, auf denen einzelne Wirtschaftsbereiche schon lange vor Abschluß des Friedensvertrags mittelbar mit dem Reparationsproblem in Berührung kamen. Das waren einmal alle Firmen, denen im Krieg beschlagnahmtes Material, vor allem Maschinen, aus den ehemals von Deutschland besetzten Gebieten zur Verfügung gestellt worden war. Schon im Waffenstillstandsvertrag, verstärkt in den Verlängerungsabkommen vom 13. Dezember 1918 und 16. Januar 1919[73] verlangten die Alliierten Rückerstattung dieses Materials, das nun aus dem Produktionsprozeß wieder herausgelöst werden mußte. Außerdem gingen die Ablieferungen von Lokomotiven, Waggons und Lastkraftwagen, die zu schweren Verkehrsstörungen führten, weiter; dazu kamen seit dem 16. Januar 1919 die Verpflichtungen zur Ablieferung landwirtschaftlicher Maschinen. Das war der Beginn der Sachlieferungen auf Reparationskonto.

Hart gerungen wurde monatelang um die deutsche Handelsflotte, die für Lebensmitteltransporte nach Deutschland eingesetzt werden sollte[74]. Die Alliierten hatten großen Mangel an Schiffsraum, die Deutschen aber wollten die Schiffe nicht hergeben, ehe nicht die Versorgung mit Lebensmitteln und deren Finanzierung gesichert war; nach dem Versailler Vertrag mußten sie doch als Reparationsleistung ausgeliefert werden. Diese Frage erregte aber schon früh die Gemüter nicht nur der deutschen Reeder, sondern auch des „Vereins deutscher Eisen- und Stahlindustrieller". Sie gingen in vehementen Protesten im Januar und Februar 1919 zu Recht davon aus, daß die Handelsflotte endgültig ausgeliefert werden würde[75]. Sie fürchteten vor allem einen künftigen Wirtschaftskrieg der Entente gegen Deutschland. Die Auslieferung der Schiffe, so argumentierten sie, bedeute den Ruin des deutschen Überseehandels und den Zusammenbruch der Werftindustrie mit ihren Rückwirkungen auf andere Wirtschaftszweige. Insbesondere die Eisenindustrie sei für ihre Ein- und Ausfuhren dann von der Gnade und Ungnade der Feinde abhängig. Die Annahme, daß mit der Ablieferung der Schiffe die Reederei in Deutschland aufhören und der Schiffsbau eingestellt werde, war allerdings ziemlich

---

[73] Waffenstillstand, Bd. 1, S. 95–131, 135–94. Siehe auch PA, Nl. Brockdorff-Rantzau, Az. 16 (9105/H 234 657–737).

[74] Waffenstillstand, Bd. 2, S. 7–209; dazu Schwabe, S. 354–79.

[75] Telegramm vom 24. 1. und Brief vom 16. 2. 1919 an die obersten Reichsbehörden und an die Nationalversammlung; BA, R 13 I/190. Sitzung des Hauptvorstandes des Vereins am 1. 3. 1919; BA, R 13 I/93. – Auch wegen der großen Beteiligung von Bankkapital an Reedereien wollte man die Ablieferung der Handelsflotte verhindern.

unsinnig; näher lag, daß die Neubauten stark zunehmen würden, damit möglichst bald die Handelsflotte wiedererstehen könnte. So geschah es dann auch in den zwanziger Jahren.

Man ging von vornherein darauf aus, Wege zu finden, die die Wirtschaft schonten oder ihr sogar zugute kamen. Auf der mehrmals erwähnten Besprechung vom 4. Januar 1919 im Reichsschatzamt[76] entwickelte Erzberger, ohne Widerspruch zu finden, ein eigenes Programm: Die Grundlage bildete die Lansing-Note vom 5. November 1918, allerdings in der begrenzten Auslegung, daß Entschädigungen für Folgen des deutschen U-Boot-Krieges abgelehnt werden müßten. Deutsche Leistungen sollten vornehmlich in Form von Sachlieferungen und durch Übernahme des Wiederaufbaus der zerstörten Gebiete erfolgen. Das war die erste deutsche Konzeption zur Lösung eines Teilgebietes der Reparationsfrage.

Schon bald nach dem Waffenstillstand hatte Erzberger sich mit dem Plan des Wiederaufbaus befaßt und, um ihm Nachdruck zu verleihen, dem Auswärtigen Amt den Bericht eines Vertrauensmannes in den Niederlanden vom 29. November 1918 mitgeteilt[77]. In diesem Bericht heißt es u.a., Frankreich fordere auf Jahre hinaus den Einsatz deutscher Arbeitskräfte, eine Forderung, die wohl relativ leicht zu erfüllen sei durch Anwerbung von Arbeitern über deutsche Bauunternehmer. Auf diese Weise könne auch die Arbeitslosigkeit in Deutschland gemildert werden. In einer Abgrenzung der Aufgabenbereiche mit dem Auswärtigen Amt am 21. Februar 1919 sicherte sich Erzberger im Rahmen der Friedensvorbereitungen die Bearbeitung jener Fragen, die mit dem Wiederaufbau der zerstörten Gebiete zusammenhingen.

Der Gedanke, in dieser Form Reparationen zu leisten, war weit verbreitet; so unterschiedliche Persönlichkeiten wie der Unabhängige Sozialdemokrat Oskar Cohn, Beigeordneter im Reichsjustizamt, und Max Warburg vertraten ihn. Cohn erklärte am 5. Dezember 1918 gegenüber einem Vertreter der amerikanischen Gesandtschaft in Kopenhagen, es sei eine gerechte Lösung, wenn Deutschland durch Arbeit und Stellung von Material für die Schäden in Belgien und Nordfrankreich aufkomme, jedoch müsse es sich zu diesem Zweck auch selbst erholen können. Warburg kündigte dem Diplomaten Ellis L. Dresel, der im Auftrag der amerikanischen Friedenskommission vom 27. Dezember 1918 bis 5. Januar 1919 Deutschland bereiste, an, daß die Reichsregierung Arbeiter in die zerstörten Gebiete schicken und Zahlungen für den Wiederaufbau leisten würde. Auch die Reichsentschädigungskommission trat in ihren Planungen für den Wiederaufbau mit Hilfe von Arbeitern und Material aus Deutschland ein[78].

Das Auswärtige Amt blieb in dieser Frage zunächst zurückhaltend. In den „Richtlinien für die deutschen Friedensunterhändler", die Brockdorff-Rantzau in der Kabinettssitzung vom 27. Januar 1919 vorlegte, die aber schon mindestens seit

---

[76] Siehe S. 78, 92.

[77] Schreiben vom 2. 12. 1918; PA, WK 30, Bd. 7 (4069/D 918 594–98).

[78] Papers, Paris Peace Conference, Bd. 2, S. 113–21, 167; PA, GFV-Protokolle, 17. 2. 1919.

Mitte Dezember 1918 in erster Fassung existierten[79], wurde die Wiederherstellung der zerstörten Gebiete in Nordfrankreich und Belgien durch Arbeitseinsatz nicht ausdrücklich erwähnt und nur vage vom „Ersatz, möglichst in natura" gesprochen. In Antwort auf ein Schreiben des Reichsamts für wirtschaftliche Demobilmachung erklärte Brockdorff-Rantzau am 18. Februar 1919[80], die Heranziehung von deutschen Arbeitern und Unternehmern für den Wiederaufbau sei auch im Auswärtigen Amt „seit geraumer Zeit in Aussicht genommen", stoße jedoch auf besondere Schwierigkeiten, einmal den Haß der Bevölkerung – ohne Zweifel eine beachtenswerte Tatsache –, zum andern die Konkurrenz von Unternehmern aus England und den Vereinigten Staaten. Nicht erwähnt wurde, daß auch französische Unternehmer in deutschen Wiederaufbau-Leistungen eine unerwünschte Konkurrenz sehen konnten.

Auch auf deutscher Seite bestanden einige Schwierigkeiten. Die Bauunternehmer erklärten, das Baumaterial sei zu knapp und könne im benötigten Umfang nicht geliefert werden. Im übrigen aber waren Arbeitgeber – die über die Verbände möglichst viele Unternehmer zu beteiligen gedachten – und Arbeitnehmer mit dem Plan grundsätzlich einverstanden. Sie stimmten auch der Anregung des Gesandten in Bern, Adolf Müller, zu, die deutschen Gewerkschaften sollten in dieser Frage Fühlung mit den französischen aufnehmen[81]. Die Nachrichten aus der Schweiz, daß es für Frankreich unmöglich sei, den Wiederaufbau allein zu leisten, und daß eine möglichst schnell angebotene deutsche Hilfe eine günstige Wirkung haben würde, trieben die deutschen Planungen weiter voran. Bei der Waffenstillstandskommission bereitete speziell das Referat XIII die Entschädigungsleistungen durch Wiederaufbau vor und erstattete fortlaufend Bericht in den „Mitteilungen des Referats Wiederaufbau der zerstörten Gebiete in Belgien und Nordfrankreich".

Die Erörterungen über den Wiederaufbau wurden allerdings auch nachhaltig angeregt durch den drohenden wirtschaftlichen Zusammenbruch. Die großen wirtschaftlichen Schwierigkeiten hatten ihre Ursachen in dem immer spürbarer werdenden Rohstoffmangel, der aus den verschiedensten Industriezweigen gemeldet wurde und ebenso eine Folge der Blockade war wie die bedrohliche Lebensmittelknappheit[82]. Der Schleichhandel blühte. Im Frühjahr 1919 wurde vom Reichsernährungsamt beispielsweise festgestellt, daß etwa ein Drittel der Nahrungsmittel

---

[79] Quellen, 6/II, S. 268, 319–22. Reichsmarineamt an Auswärtiges Amt vom 7. 1. 1919; PA, WK 30, Bd. 14 (4069/D 920 350–65).

[80] PA, Auswärtiges Amt Weimar, IV/10 (4665/E 219 629–31).

[81] PA, GFV-Protokolle, 20. 3. 1919. – Siehe dazu einen interessanten Artikel in den „Dresdner Neuesten Nachrichten", Nr. 103 vom 16. 4. 1919: Der Wiederaufbau Belgiens und Nordfrankreichs sei eine besondere Verpflichtung für Deutschland, um die Zweifel der Alliierten am deutschen Friedenswillen auszuräumen. Jedoch müsse klar sein, daß durch diese Arbeit ein Schaden, nicht eine Schuld wiedergutzumachen sei. PA, WK 30, Bd. 38 (4097/D 925 791–92).

[82] Zentralrat, S. 629, 756, 760; Der große Krieg, S. 10335–36; BA, R 13 I/155 (Sitzung vom 1. 3. 1919); BA, R 43 I/1126 (passim); Quellen, 6/II, S. 279–80.

auf diesem Wege umgesetzt werde[83]. Ähnliches galt für andere Konsumgüter. Immer schärfer wirkten sich außerdem die Verkehrsbeschränkungen aus, eine Folge der fortlaufenden Ablieferung von Lokomotiven gemäß dem Waffenstillstandsvertrag[84]. Am gefährlichsten aber waren die vielfach politischen Unruhen und Streiks, die seit Anfang 1919 im Ruhrgebiet, in Berlin und im sächsischen Industriegebiet anhielten und sich in den Monaten Januar bis April stellenweise zu Perioden des Generalstreiks steigerten[85]. Die Streiks wirkten sich vielleicht mehr indirekt aus, indem sie die innenpolitische Labilität und Unsicherheit beträchtlich steigerten, erneute revolutionäre Entwicklungen erzeugten und durch Gewalttaten der Radikalen wie auch der im Dienste der Reichsregierung die Unruhen bekämpfenden Freikorps die innere Zerrissenheit und die gewaltsame Konfrontation der Gesinnungen in erschreckendem Maße ausdehnten. Von allen anderen Rückwirkungen einmal abgesehen, war es für die gesamte deutsche Volkswirtschaft eine schwere Beeinträchtigung ihrer Produktivität, daß ein sozialer Ausgleich, eine ausgewogene neue Ordnung nicht erreicht wurde, sondern eine Periode der Antagonismen zwischen den verschiedenen fortschrittlichen und reaktionären, radikalen und gemäßigten gesellschaftlichen Gruppierungen einsetzte.

Vom Staat wurde nichtsdestoweniger viel für die Ankurbelung der Wirtschaft geleistet[86]. Es wurden vernünftige Gedanken zur Arbeitsbeschaffung angestellt, deren Grundlage ein regelrechtes deficit spending war. Diese auch zur Verhinderung revolutionärer Unruhen notwendigen Maßnahmen hatten ihren Preis in der steigenden Inflation[87]. Langfristig konnten sie nur Erfolg haben, wenn allmählich die Überwindung der wirtschaftlichen Notlage in einen konjunkturellen Aufschwung überging, der zu einer Stabilisierung und Erholung der Volkswirtschaft führte. Dazu war aber der Binnenmarkt unzureichend; man brauchte einen regen Handel und steigende Absatzmöglichkeiten im Ausland. Und dies ist der Punkt, an dem sich die Lösung des Reparationsproblems mit der erforderlichen Entwicklung des deutschen Außenhandels traf. Es war also nicht nur die Frage, wie die binnenwirtschaftliche Entwicklung – im Zusammenhang mit der politischen und sozialen – weitergehen würde, sondern es kam vor allem auch auf die künftige außenwirtschaftliche Lage Deutschlands an. Daran konnte man im Auswärtigen Amt um so weniger vorbeisehen, als die deutschen Friedensvorbereitungen ganz unter dem Einfluß – personell und sachlich – der wirtschaftlichen Belange standen.

In bezug auf die Richtlinien für die eigentliche Reparationspolitik hatte das Auswärtige Amt sich zunächst ganz für die engste Auslegung der Lansing-Note entschieden, und die Absicht, damit auch das rasche Wiedererstarken der deutschen Wirtschaft zu erleichtern, war bereits in der „Aufzeichnung über die Vorschläge

---

[83] Zentralrat, S. 611.

[84] Zentralrat, S. 632; Der große Krieg, S. 10062, 10150; BA, R 13 I/155 (Sitzung vom 1. 3. 1919).

[85] Oertzen, S. 115–52.

[86] Zentralrat, S. 626–32; Der große Krieg, S. 10104.

[87] Siehe dazu Quellen, 6/II, S. 306.

des Auswärtigen Amts für die Friedensverhandlungen" von Mitte November 1918 unverkennbar[88]. Auch Brockdorff-Rantzau vertrat schon im Januar 1919 diese Reparationspolitik. Er wollte von vornherein nicht nur retten, was noch zu retten sei, sondern auch sofort damit beginnen, die deutsche Position neu aufzubauen. Aus einem Entwurf vom 21. Januar 1919 für eine Denkschrift über „Die nächsten Aufgaben der deutschen äußeren Politik", den er auf Eberts Wunsch hin verfaßt hatte und als „Mein Programm" bezeichnete, geht deutlich hervor, daß er die Nöte und Argumente der Wirtschaft bei seinen außenpolitischen Planungen berücksichtigen wollte[89]. Alle Grundlagen, so schrieb er, seien zusammengebrochen, Frankreich wolle Deutschland politisch, England wolle es wirtschaftlich nicht mehr erstarken lassen. Deutschland könne nicht einmal die Reparationssummen, die es selbst anerkenne, zahlen. Deshalb sei ein wirtschaftlich zusammengebrochenes Deutschland auch den Alliierten im Grunde unerwünscht. Eine Wirtschaftskatastrophe verhelfe dem Bolschewismus zum Sieg, und dann sei erst recht an Reparationen nicht mehr zu denken. Statt dessen schlug er ein gemeinsames Vorgehen Deutschlands mit den Alliierten bei der Wiederaufrichtung Rußlands vor, das für alle Beteiligten von Vorteil sei[90]. Die Deutschen hätten die dazu notwendigen Kenntnisse und das „Menschenmaterial". Dann könne auch Deutschland sich erholen, woran gerade die Vereinigten Staaten ein Interesse hätten, denn sie brauchten Deutschland als Absatzmarkt.

Diese Gedanken waren weder neu noch auch sehr wirkungsvoll; es waren vage Vorschläge, die nicht auf einer treffenden Analyse der alliierten Außenpolitik beruhten. Die Alliierten dachten nicht daran, eine solche Politik gemeinschaftlich mit Deutschland durchzuführen. Auch Sowjetrußland schätzte Brockdorff-Rantzau falsch ein. Es hatte überhaupt kein Interesse daran, auf kapitalistischer Basis von den Westmächten wirtschaftlich wieder aufgerichtet zu werden, ganz abgesehen davon, daß eine Abschaffung des Sowjetsystems erst durch Krieg möglich gewesen wäre.

Eine scharfsinnige Bemerkung strich Brockdorff-Rantzau aus diesem Entwurf wieder

---

[88] Luckau, S. 195–98; dort falsch datiert, worauf Schwabe, S. 529 Anm. 38, hinweist. Er irrt sich aber, wenn er darin einen frühen Entwurf der „Richtlinien für die deutschen Friedensunterhändler" sieht. Schon der Titel beweist das, noch mehr der Inhalt.

[89] Vom 21. 1. 1919; PA, Nl. Brockdorff-Rantzau, Az. 17 (9105/H 234 798–802). Siehe auch seine „Empfehlungen" vom 14. 1. 1919 (Unterlage für die Kabinettsitzung am 15. 1. 1919), Az. 17 (9105/H 234 829–34). – Wie sehr auch das Auswärtige Amt sich auf die Bedeutung der Wirtschaft für die künftige Politik und das Wiedererstarken Deutschlands einstellte, zeigt ein Runderlaß vom 23. 2. 1919: Es müsse – auch in der Beamtenausbildung – Vorsorge dafür getroffen werden, „daß die Gesandtschaft als Ganzes sich mit diesen Aufgaben [. . .] beschäftigt. Politik ohne Wirtschaft ist zum mindesten in Zukunft eine Unmöglichkeit". PA, Handakten Toepffer, Schweden.

[90] Über die deutsch-sowjetischen Beziehungen, auch die wirtschaftlichen, zwischen dem Waffenstillstand und Versailles, die von Brockdorff-Rantzau ganz der Rücksicht auf die Alliierten untergeordnet wurden, siehe Linke, S. 21–64.

heraus: Die ungeheuren Reparationsforderungen seien für einige Länder geradezu die Voraussetzung ihres finanziellen Durchhaltens. Diese Streichung wirkt fast symbolisch: die ungemein schwierige finanzielle Lage insbesondere Frankreichs[91] wurde bei den deutschen Vorbereitungen für die Friedensverhandlungen nicht gewürdigt, geschweige denn berücksichtigt. Dies paßte nicht in die auf äußerste Reduzierung der Reparationen bedachten Planungen der Reichsregierung und der Sachverständigen. Indes hätte gerade die Berücksichtigung der wirtschaftlichen Lage, in der sich die Entente befand, die Erkenntnis fördern müssen, daß diese Planungen politisch unrealistisch waren.

Dabei hatte Brockdorff-Rantzau in der Kabinettssitzung vom 15. Januar 1919 selbst bekräftigt, daß die Sieger einen fertigen Vertragsentwurf vorlegen und Annahme oder Ablehnung fordern würden: „Man wird versuchen, uns einen Gewaltfrieden aufzunötigen, dem wir uns nicht fügen sollten. Nur ein Rechtsfrieden, der auf den 14 Wilsonschen Punkten beruht, kommt für uns in Frage." Ebert verschob den Akzent merklich, als er dazu sagte: „Wir brauchen augenblicklich etwas, wir brauchen eine Plattform für die Friedensverhandlungen, eine Standarte für das deutsche Volk. Die allgemeine Devise, unter der wir marschieren, sind die Wilsonschen Grundsätze." Davon, daß kein Friedensvertrag unterzeichnet werden würde, der nicht einen Rechtsfrieden nach deutscher Auffassung verwirkliche, sagte er kein Wort[92]. Er sagte aber auch nicht, daß diese Standarte nur ein Strohhalm war, denn das Volk war an Standarten gewöhnt.

Zwei Tage später, am 17. Januar 1919, unterrichtete die Reichsregierung auf Grund der Beratungen im Kabinett die Öffentlichkeit über die Aufgaben und Ziele der deutschen Friedensdelegation[93]. Diese Erklärung enthielt vor allem eine Aussage über die deutsche Verhandlungsposition, hinter der schon die Sorge vor den Gefahren stand, die einer um innere Erneuerung bemühten deutschen Republik durch unerfüllbare Friedensbedingungen drohten: „Vor allem ist sich die Reichsregierung der Verantwortung bewußt, die ihr durch die Annahme des Wilsonschen Programms auferlegt ist. Wie sie alles zu dessen Durchführung Erforderliche nachdrücklich betreiben und dann jede damit übernommene Verpflichtung streng einhalten wird, so muß sie andererseits Forderungen unserer bisherigen Gegner ablehnen, die über jenes Programm hinausgehen; sie darf die Grenzen nicht überschreiten lassen, die der Behauptung der jungen Republik als Staat, Volk und Wirtschaftskörper gezogen sind. Sie muß sich der Weiterführung eines Wirtschaftskrieges nach Friedensschluß widersetzen." Es werde „für die Zukunft eine wirtschaftliche Annäherung der Völker unter möglichst gleichmäßigen Bedingungen anzustreben sein". Erst ziem-

---

[91] Weill-Raynal, Bd. 1, S. 18–19; Sauvy, Bd. 1.

[92] Quellen, 6/II, S. 268. Aufzeichnungen Brockdorff-Rantzaus vom 14. und seines Vetters, des Unterstaatssekretärs Freiherr Langwerth von Simmern, von Ende Januar 1919; PA, Nl. Brockdorff-Rantzau, Az. 17 (9105/H 234 829–34) und Az. 16 (9105/H 234 674–75).

[93] Quellen, 6/II, S. 281–82.

lich am Schluß dieser Erklärung ist kurz von territorialen Fragen, die hinter den wirtschaftlichen deutlich zurücktraten, die Rede. Einen Tag später wurde in Paris die Friedenskonferenz der Allierten eröffnet, auf der man die Deutschland aufzuerlegenden Friedensbedingungen erarbeitete[94].

Mitte Januar 1919 also hatte sich der Rat der Volksbeauftragten zum ersten Mal eingehend mit der Außenpolitik und deren wichtigster Frage, den bevorstehenden Friedensverhandlungen beschäftigt: Trotzdem blieben die innenpolitischen Probleme, wenn auch in abgeschwächter Form, für ihn wichtiger. Er stimmte in erster Linie der vom Auswärtigen Amt empfohlenen Organisation der Friedensvorbereitungen und der Friedensdelegation zu und legte als Verhandlungsbasis, von der die Unterhändler auszugehen hatten, den Notenwechsel fest, der dem Abschluß des Waffenstillstands vorausgegangen war. Auf die Erarbeitung der Einzelheiten des deutschen Friedensprogramms nahmen die Volksbeauftragten kaum Einfluß. Das überließen sie den zuständigen Reichsämtern. Aber auch in der wichtigsten Frage, wie sich die Delegation bei unerwartet harten Friedensbedingungen verhalten solle, ergriffen die Volksbeauftragten nicht entschlossen die Führung, sondern ließen sich von Brockdorff-Rantzau treiben.

Die erste Gelegenheit, bei der Brockdorff-Rantzau mit Nachdruck auch öffentlich seine Auffassung über die Grundlagen und die Grenze der deutschen Friedensbereitschaft verkündete, war durchaus nicht zufällig der Fortgang der sich aus dem Waffenstillstandsvertrag ergebenden Finanzverhandlungen. In einer Note vom 5. Januar 1919[95] hatte der französische Finanzkommissar in schroffer Form weitere Maßnahmen gefordert, um den Abfluß von Auslandswerten aus Deutschland zu verhindern und sie für die Reparationsleistungen sicherzustellen. Neben schärferen Eingriffen in die Rechte von Privatpersonen enthielt die Note indirekt einen schweren Angriff gegen Deutschlands Kreditwürdigkeit, indem deutschen Kreditnehmern die Rückzahlung von Auslandskrediten nur mit besonderer alliierter Genehmigung gestattet wurde. Ebenfalls unter schärfere Kontrolle sollte die gesamte deutsche Einfuhr gestellt werden.

In einer Note vom 13. Januar 1919[96] antwortete Brockdorff-Rantzau mit einem empörten Protest. Angesichts der unverkennbaren französischen Vorbereitungen eines Wirtschaftskrieges gegen Deutschland griff er weniger auf rechtliche und in der Sache liegende Gegenargumente zurück als auf emotionale Formulierungen. Vermutlich gab der Gesandte Edgar Haniel von Haimhausen, Vertreter des Auswärtigen Amts bei der Waffenstillstandskommission, die letzte Anregung dazu. Er schlug vor, „schon jetzt auf diplomatischem Wege die Welt emphatisch“ auf die Verleugnung der Wilsonschen Grundsätze durch die Sieger hinzuweisen, jedoch bezog er sich interessanterweise auf drohende territoriale, nicht auf wirtschaftliche

---

[94] Instruktiv und alle wichtigen veröffentlichten Quellen erwähnend ist der Aufsatz von Fellner, S. 7–23.

[95] PA, WK 30, Bd. 15 (4069/D 920 611–15).

[96] Der große Krieg, S. 10128–29.

Friedensbedingungen[97]. Brockdorff-Rantzau jedenfalls klagte die Entente an, daß sie das Reich einer „finanziellen Sklaverei" unterwerfen wolle. Den Schlußabsatz nutzte er zu einer weit über den vorliegenden Anlaß hinausgehenden, aber doch in bemerkenswerter Weise gerade mit den Wirtschaftsfragen verknüpften grundsätzlichen Erklärung über den zu schließenden Frieden: „In der Masse des deutschen Volkes beginnt der Gedanke aufzudämmern, die Alliierten hätten die Wilsonschen Punkte, nach denen Deutschland als freies Volk unter den Völkern leben soll, nur angenommen, um Deutschland erst wehrlos zu machen und es dann zu vergewaltigen. Die Beibehaltung der Blockade, die Hinausschiebung der Versorgung mit Lebensmitteln, die wirtschaftliche und politische Absperrung zwischen dem linken und rechten Rheinufer machen das deutsche Volk darauf aufmerksam. Im Vertrauen auf die Note des Staatssekretärs Lansing vom 5. November haben in Deutschland Heimat und Heer den weiteren Kampf als unnötig aufgegeben und die Waffen niedergelegt. Wenn jetzt die alliierten und assoziierten Regierungen dadurch, daß sie den Friedensschluß hinauszögern und den Waffenstillstand als Instrument zu vorheriger wirtschaftlicher Erdrosselung Deutschlands handhaben, ihrer in einem der feierlichsten Momente der Geschichte abgegebenen Erklärung entgegenhandeln, so vermag das deutsche Volk darin keine Kriegslist zu erblicken, sondern ein solches Vorgehen erscheint ihm als außerhalb jedes menschlichen Verständnisses und göttlichen Rechtes stehend, das jedes Gefühl für die Versöhnung der Völker ersticken müßte und für das es kein Verzeihen und Vergessen gäbe."

In diesen Sätzen war schon die grundlegende Richtlinie für das deutsche Vorgehen bei den Friedensverhandlungen enthalten. Brockdorff-Rantzau verfolgte sie konsequent bis zum Rücktritt, als seine Politik gescheitert war. Die Kernstücke waren der moralische Appell an das Gewissen der Welt und die Drohung, den Friedensvertrag nicht zu unterzeichnen. Außerdem aber enthüllte diese Manifestation eine bestimmte Taktik, die in späteren Noten von der deutschen Delegation in Versailles weiterverfolgt wurde. Sie enthielt einen propagandistischen Effekt, der nicht nur auf das Ausland berechnet war, sondern auch auf Deutschland; sie sollte alle diejenigen zufriedenstellen und bestärken, die in erster Linie die nationale Größe und Ehre im Sinn hatten, und sie sollte eine Einheitsfront für die Ablehnung von – im Sinne Brockdorff-Rantzaus – unannehmbaren Friedensbedingungen schaffen. Aus den 14 Punkten wollte Ebert eine „Standarte" für das deutsche Volk machen; bei Brockdorff-Rantzau wurde daraus eine nationale Fanfare. Demagogisch war die Förderung der Legende von einem politischen Dolchstoß Wilsons während der Vorbereitung des Waffenstillstands, und bedrückend klingt der prophetische Ausblick am Schluß. Daß auf deutscher Seite im Grunde wirklich nichts vergeben und vergessen, dem Ressentiment gerade auch durch die ungelöste Reparationsfrage immer neue Nahrung gegeben wurde, darin lag die schwerste Belastung der deutschen Außenpolitik der Weimarer Zeit. Offenbar merkte Brockdorff-Rantzau selbst gar nicht, daß er diese Entwicklung förderte, indem er sie vorausschauend und drohend zugleich beschwor.

[97] PA, Nl. Brockdorff-Rantzau, Az. 16 (9105/H 234 659–65).

Folgerichtig trat er dafür ein, das Abkommen vom 16. Januar 1919 zur Verlängerung des Waffenstillstands abzulehnen[98]. Diese Einstellung wurde in der Presse vielfach geteilt. So schrieb die „Frankfurter Zeitung" in einem Kommentar zum 16. Januar 1919: „Aber was uns nun so empört, das ist der unglaubliche Zynismus, mit dem es der militärische Bevollmächtigte der Entente wagt, die Bedingungen des militärischen Waffenstillstands von Woche zu Woche mehr auf das politische und wirtschaftliche Gebiet hinüberzuspielen. [...] Die Grenze des Erträglichen ist erreicht. Wir sind bereit, alles zu tun, um die militärischen Konsequenzen unserer Waffenstreckung geduldig auf uns zu nehmen, aber wir sind nicht bereit, in Trier uns Bedingungen diktieren zu lassen, die mit dem Waffenstillstand nicht das geringste zu tun haben, sondern die der Friedenskonferenz in ernsthaftesten Punkten vorzugreifen suchen. [...] Wir können es nicht tragen, wirtschaftlich nicht und nicht moralisch[99]."

Nach dem Zusammentritt der Nationalversammlung am 6. Februar 1919 in Weimar wurden die Proteste gegen jeden Gewaltfrieden vor diesem Forum fortgesetzt. Die Enttäuschung über die Zusammensetzung der Nationalversammlung, in der sich viele Abgeordnete des alten Reichstags wieder begegneten, war nicht nur bei der Linken, sondern vor allem auch in der DDP groß. Georg Bernhard kritisierte am 17. Februar 1919 in der „Vossischen Zeitung", daß so wenig junge Abgeordnete eine Chance erhalten hätten; „in allen Parteien herrscht mit unerbittlicher Strenge der Ring der alten Parlamentarier"[100]. Nach der Wahl Eberts zum Reichspräsidenten bildete Scheidemann am 13. Februar die neue Reichsregierung; eine Koalition aus SPD, Zentrum und DDP[101]. Größere personelle Veränderungen unterblieben. Es gab von nun an keine Reichsämter mehr, sondern Ministerien, ihre Leiter, bisher Staatssekretäre genannt, wurden Minister. Trotzdem hielt sich übrigens noch für einige Zeit der Titel Unterstaatssekretär, obwohl seine Träger im heutigen Sinne Staatssekretäre waren.

Die Regierung bekräftigte in ihrem Programm die Ablehnung jedes Gewaltfriedens. Diese grundlegende Richtlinie für die Verhandlungen führte Brockdorff-Rantzau am 14. Februar 1919 in einer großen Rede vor der Nationalversammlung weiter aus[102]. In ihrer Gefährlichkeit durchschaut und hart kritisiert wurde eine solche Politik von führenden Politikern der USPD wie der SPD. Graf Kessler notierte in seinem Tagebuch am 14. Februar 1919: „Hilferding kritisierte heftig die Drohung

---

98 Aufzeichnung Brockdorff-Rantzaus für Erzberger vom 10. 1. 1919, Ressortbesprechungen am 16. und 18. 1. 1919; PA, Nl. Brockdorff-Rantzau, Az. 16 (9105/H 234 657–58, H 234 671–73, H 234 677–79). Siehe auch Quellen, 6/II, S. 295–96; Schwabe, S. 357–61.

99 Der große Krieg, S. 10133–35.

100 Hartenstein, S. 75. Über die Gründung der DDP und ihre Abgrenzung von der DVP siehe dort, S. 17–28. Siehe dazu Rosenberg, S. 87–89.

101 Verhandlungen der Deutschen Nationalversammlung, Bd. 326, S. 1–3 (Rede Eberts vom 6. 2. 1919), S. 44–45 (Regierungserklärung vom 13. 2. 1919). Über die gescheiterten Verhandlungen wegen der Aufnahme der USPD in die Regierung siehe Kastning, S. 22–23.

102 Verhandlungen der Nationalversammlung, Bd. 326, S. 66–72.

Eberts und Rantzaus, die Waffenstillstandsverhandlungen eventuell abzubrechen. Entweder sei es ein leeres Gerede, oder Deutschland werde, wenn man breche, dem Hunger und Bolschewismus ausgeliefert. Richtig würde es nach Hilferding sein, ein genaues positives Programm aufzustellen, wie wir uns im einzelnen die Anwendung der Wilsonschen 14 Punkte dächten, zum Beispiel in bezug auf Polen, auf Wiederaufbau usw., nicht immer bloß passiv uns Bedingungen auferlegen zu lassen und zu protestieren.“ Cohen griff die Politik Eberts und Brockdorff-Rantzaus im Zentralrat scharf an und betonte: „In unserer Lage kann man keine Demonstrationspolitik treiben[103].“

Zwei Tage nach der Rede Brockdorff-Rantzaus unterzeichnete Erzberger, als Reichsminister ohne Portefeuille in seinem Aufgabengebiet bestätigt, die letzte Verlängerung des Waffenstillstands[104]. Sie war nunmehr unbefristet, was die Alliierten in Andeutungen mit bevorstehenden Verhandlungen über einen Präliminarfrieden begründeten. Da aber erneut zusätzliche Forderungen gestellt worden waren, fühlte Brockdorff-Rantzau sich desavouiert, verlangte seinen Abschied und lenkte erst ein, als Ebert und Scheidemann ihn beschworen, zu bleiben, und er selbst merkte, daß er sich mit seiner Auffassung isoliert hatte[105].

Dies war nicht nur die erste Regierungskrise des Kabinetts Scheidemann, sondern auch für die Friedensverhandlungen eine entscheidende Situation. Erzberger, unterstützt von Haniel, wies mit Recht darauf hin, daß die Franzosen ja nur auf einen Abbruch der Verhandlungen lauerten, um in Deutschland einmarschieren zu können und aller rechtlichen Bindungen aus dem Notenwechsel vor dem Waffenstillstand ledig zu sein. Wäre die Grundlage der 14 Punkte und der Lansing-Note verloren gegangen, so hätte die Forderung auf Erstattung aller Schäden und Kosten des Krieges erhoben werden können[106]. Vielleicht sah auch Brockdorff-Rantzau dies ein, während die deutsche Schwerindustrie durch eine ihrer führenden Persönlichkeiten, Generaldirektor Albert Vögler, in der Nationalversammlung gegen Erzberger auftrat, seine angeblich zu nachgiebige Haltung verurteilte und ihm vorwarf, die Sachverständigen aus der Wirtschaft nicht genügend zu Rate gezogen zu haben. Im Parlament mißglückte die Attacke, aber Vögler erfaßte den eigentlichen Hintergrund, als er den Erfolg des ganzen darin sah, daß von diesem Zeitpunkt an wirtschaftliche Sachverständige zu allen Waffenstillstands- und Friedensfragen in weitem Maße herangezogen würden, Erzberger aber für die Führung der Friedensverhandlungen nun nicht mehr in Frage komme[107]. Dies stand zwar nicht mehr zur Debatte, richtig war jedoch das Empfinden, daß sich die härtere und auf die „nationale Ehre“ bedachte Linie durchgesetzt hatte.

---

[103] Kessler, S. 127; Zentralrat, S. 755.

[104] Waffenstillstand, Bd. 1, S. 197–261.

[105] PA, Nl. Brockdorff-Rantzau, Az. 16 (9105/H 234 712–26).

[106] Haniel an Brockdorff-Rantzau, 22. 2. 1919; PA, Nl. Brockdorff-Rantzau, Az. 16 (9105/H 234 734–37); K. Epstein, S. 331–41; Schwabe, S. 383–95.

[107] Verhandlungen der Nationalversammlung, Bd. 326, S. 131–70 (Sitzung vom 18. 2. 1919); K. Epstein, S. 337–41; BA, R 13 I/155 (Sitzung vom 1. 3. 1919).

Der Vorfall insgesamt beleuchtete die bedenkliche Führungsschwäche Scheidemanns. Die wichtigsten Ressorts verfolgten bei den Friedensvorbereitungen ihre eigenen Wege. Auch durch parlamentarische Körperschaften wurden keine wirksamen Kontrollen ausgeübt und keine richtungweisenden Initiativen entfaltet. Der Zentralrat – mit der Ausnahme Cohens, der aber allein stand – lehnte es mit einer gewissen Scheu vor der überlegenen Kenntnis der Fachleute ab, sich mit außenpolitischen Fragen zu beschäftigen. Die Außenpolitik, so meinte resignierend Albert Grzesinski, sei doch nicht von Sozialisten gemacht worden, und Fritz Herbert äußerte unumwunden: „In der Außenpolitik kann man nur mitreden, wenn man viel gelesen hat[108].“ Die Nationalversammlung dagegen bot in ihrer überwiegenden Mehrheit meist Akklamation zur „festen Haltung“. Sie schenkte den finanziellen und wirtschaftlichen Friedensproblemen wenig Beachtung. Man begnügte sich mit allgemeinen und grundsätzlichen Erklärungen. So protestierte der Abgeordnete Haußmann (DDP) am 18. Februar 1919 angesichts der fortwährenden Verschlechterung der wirtschaftlichen Lage gegen die Verschleppung des Friedens durch die Alliierten. In derselben Debatte wurde auf die Verschärfung und Unerfüllbarkeit der Waffenstillstandsbedingungen hingewiesen, die zusammen mit der Aushöhlung des Wilson-Programms schlechte Vorzeichen für den Friedensschluß darstellten. Einen Tag später stellte der Abgeordnete Mayer (Zentrum) Deutschlands Recht auf einen Frieden heraus, der ihm die notwendige wirtschaftliche Grundlage und Bewegungsfreiheit gebe, den Zugang zu Rohstoffen sichere und die durch die Lansing-Note bereits vertraglich vereinbarte Entschädigungspflicht bestehen lasse, die sich nur auf die durch deutsche Angriffe verursachten Schäden in den besetzten Gebieten beziehe und sich auf ungefähr 10 Mrd. Mark belaufe. Ähnlich äußerte sich Erzberger am 20. Februar 1919[109]. Es fehlte der große parlamentarische Gegenspieler – sowohl gegenüber der Rechten wie gegenüber der uneinheitlichen und halbherzigen Regierung.

---

[108] Zentralrat, S. 756, 758 (Sitzung vom 4. 3. 1919).

[109] Verhandlungen der Nationalversammlung, Bd. 326, S. 131–70, 182, 193, 214–15.

III. DIE ERÖRTERUNGEN ÜBER DIE WIRTSCHAFTLICHEN UND FINANZIELLEN RICHTLINIEN FÜR DIE DEUTSCHE FRIEDENSDELEGATION

1. Die Beratungen über Reparationsleistungen in der Geschäftsstelle für die Friedensverhandlungen vom 10. bis 12. März 1919

Die vorbereitenden Besprechungen in der Geschäftsstelle für die Friedensverhandlungen standen im Schatten der wachsenden Unruhen innerhalb der deutschen Arbeiterschaft, die, unzufrieden mit dem Versanden der Revolution und dem Wiedererstarken der konservativen Kräfte, radikaleren Parolen zu folgen begann. Daran war die halbherzige Reformpolitik der Reichsregierung ebenso mitschuldig wie ihre Empfindlichkeit gegenüber jeder Aktivität der demokratisch orientierten Räte und das harte Vorgehen mit Hilfe des Militärs und der häufig reaktionären Freikorps gegen die linksradikalen Gruppen. Gerade die Großindustrie sollte diese Wendung während der großen Streiks, die in den Industriegebieten, vor allem an der Ruhr, im Februar 1919 einsetzten und im März und April ihren Höhepunkt erreichten, zu spüren bekommen. Manche Stellungnahmen der Wirtschaftssachverständigen bei den Friedensvorbereitungen standen unter dem Einfluß der erneuten revolutionären Entwicklung.
Die Reichsregierung sah durch die Unruhen zunächst die Arbeit der Nationalversammlung bedroht und erließ am 1. März 1919 einen Aufruf, der sich gegen die „terroristischen Elemente" richtete, die das Reich in wirtschaftlicher und politischer Anarchie zu zerstören drohten. Jeder Streik führe Deutschland dem Abgrund näher; die – im einzelnen erläuterte – wirtschaftliche Notlage sei die schlimmste Gefahr, und nur durch große Arbeitsanstrengungen könnten die Schwierigkeiten überwunden werden. Die Arbeiter hingegen stellten sich die Frage, für wen sie arbeiteten und ob sie nicht letzten Endes der Reaktion Vorschub leisteten. Da wirkten die Versprechungen der Reichsregierung, daß neben der politischen auch die wirtschaftliche Demokratie errichtet werde, kaum noch. Am 3. März 1919 wurde in Berlin der Generalstreik ausgerufen. Es war ein politischer Streik, der sich insbesondere gegen die bewaffnete Macht der Reichsregierung und die Unterdrückung des Rätegedankens wendete[1]. In den folgenden Tagen kam es in Berlin zu blutigen Straßenkämpfen, den schwersten Unruhen dort überhaupt.
Die erste unmittelbare politische Folge war eine bisher noch nicht genügend erforschte Regierungskrise. Nicht im Bündnis mit der revolutionären Arbeiterschaft, doch von ihrem Vorgehen verursacht, wurde erwogen, das Kabinett Scheidemann zu stürzen und ein neues unter Beteiligung der USPD und unter Ausschluß des Zentrums zu bilden. Der Zentralrat diskutierte darüber am 4. und 5. März 1919; die Unzufriedenheit mit Scheidemann und anderen SPD-Ministern war allgemein.

---

[1] Der große Krieg, S. 10234–35, 10242; Rosenberg, S. 74–76.

Man entschloß sich aber nicht zum Handeln, obwohl vor allem Cohen einen Wechsel forderte. Er kam erneut auf die verfehlte Außenpolitik zu sprechen und nahm scharf gegen Brockdorff-Rantzau Stellung. Dieser verhandelte allerdings selbst mit den Führern der USPD. Haase stand anscheinend als neuer Ministerpräsident zur Debatte. Es kam aber nichts dabei heraus; offenbar hielt Haase das Unterfangen schließlich für aussichtslos. Wie Brockdorff-Rantzau nach dem Ende der Krise am 12. März 1919 im Kabinett zu seiner Verteidigung sagte, seien die Unabhängigen Sozialdemokraten von sich aus an ihn herangetreten. Jedenfalls scheint Brockdorff-Rantzaus Hauptmotiv die Sorge gewesen zu sein, daß plötzlich alle Bemühungen um eine Konsolidierung im Innern hinfällig zu werden drohten. Deshalb sollte die Arbeiterschaft durch eine sozialistische Regierung beruhigt werden, und man besprach bereits Ministerlisten – eine opportunistische Kabinettspolitik[2]. Allein, hätte tatsächlich ein Regierungswechsel stattgefunden, dann wären die wirtschaftlichen und sozialen Verhältnisse kaum vor einer gewissen Umgestaltung bewahrt geblieben. Ein bloßer Personenwechsel hätte den Arbeitern nicht genügt. Und auch die finanziellen und wirtschaftlichen Friedensvorbereitungen wären dann wahrscheinlich sowohl personell wie sachlich in andere Bahnen gelenkt worden. Als die akute Krisis vorüber war, konnten die entscheidenden Besprechungen zwischen den Ressorts und den Sachverständigen in einer Atmosphäre größerer Gewißheit darüber geführt werden, daß der Wille zur Stabilisierung des erreichten modus vivendi zwischen der SPD, der Bürokratie, dem Militär und den Unternehmern die Oberhand behalten würde.

Noch in der ersten Februarhälfte 1919 hatten in der Geschäftsstelle für die Friedensverhandlungen – zunächst vornehmlich unter den Ressorts – jene Sitzungen begonnen, auf denen in dichter Folge alle Fragen behandelt wurden, die im Zusammenhang mit den zu erwartenden Friedensbedingungen standen. Soweit die Erörterungen sich um die deutsche Entschädigungspflicht drehten, war die möglichst weitgehende Beschneidung der gegnerischen Forderungen die entscheidende Richtlinie. In der Argumentation lassen sich zunächst deutlich zwei Tendenzen unterscheiden: Einerseits suchte man die einzelnen Forderungen, die möglichweise geltend gemacht werden konnten, zu ergründen und zu widerlegen, andererseits wurde das Problem insgesamt angepackt und unter Berücksichtigung der wirt-

---

[2] Zentralrat, S. 756ff., 771; Kessler, S. 143–46, 152; Aufzeichnung Brockdorff-Rantzaus vom 7. und Erklärung im Kabinett am 12. 3. 1919, PA, Nl. Brockdorff-Rantzau, Az. 11 „P" (9105/H 234 032–33, H 234 068–69), und Brief Kurt Hahns, des Vertrauten Max' von Baden, an ihn vom 5. 3. 1919 über Unterredungen zwischen beiden am 3./4. 3. 1919, Az. 13 „I" (H 234 469–74); Kabinettssitzung 12. 3. 1919: Akten der Reichskanzlei, S. 36f., 40–42; Kessler, S. 143–46, 152; Elben, S. 116. – Brockdorff-Rantzaus Haltung war sehr undurchsichtig; vielleicht wollte er die USPD sprengen und mit Rücksicht auf die Friedensverhandlungen einige im Ausland angesehene Vertreter ihres rechten Flügels in die Regierung bringen. In der boshaften Bemerkung Kesslers, Brockdorff-Rantzau wolle sich wie im Varieté mit lauter ersten Nummern umgeben, steckt ein Körnchen Wahrheit; Kessler, S. 110.

schaftlichen Lage Deutschlands der Versuch gemacht, die Höhe und die Voraussetzungen einer begrenzten pauschalen Entschädigungssumme festzulegen. Dabei deckte sich, grob gesagt, die erste Richtung mit den Intentionen der hohen Ministerialbürokratie, vor allem des Reichsfinanzministeriums, die zweite mit denen der Finanz- und Wirtschaftssachverständigen.

Bei den Einzelfragen ging es in erster Linie um die Feststellung, gegenüber welchen Ländern Deutschland zur Entschädigung verpflichtet war, welche Schäden ersetzt werden mußten und wie sich die Schadenssumme feststellen ließ. An diesen Diskussionen beteiligte sich auch das um Zahlungsbilanz und Budgetausgleich besorgte Reichsschatzamt bzw. Reichsfinanzministerium intensiv. Die Bemühungen schlugen sich nieder in Gegenentwürfen zum finanziellen Teil der „Richtlinien für die deutschen Friedensunterhändler", die am 27. Januar 1919 dem Kabinett vorgelegen hatten[3], und boten die denkbar engste und spitzfindigste Auslegung der deutschen Verpflichtungen, so daß man sich fragt, ob hier noch Vertreter eines besiegten und ohnmächtigen Landes sprachen. Besonders im Hinblick auf Belgien machten sich offenbar noch Relikte von Überlegungen bemerkbar, die während des Krieges angestellt worden waren, als man in Belgien noch ein künftig von Deutschland abhängiges Land sah. Legationsrat Gaus, die spätere Völkerrechts-Koryphäe des Auswärtigen Amts, korrigierte und überarbeitete diese Entwürfe Anfang Februar 1919. Seine Ansicht ging im großen und ganzen in die endgültige Fassung der Richtlinien ein, ohne daß dadurch die Interpretationsversuche, rechtlichen Eingrenzungen und Spitzfindigkeiten abgeschnitten worden wären. Gaus wies neben anderem nach, daß die deutsche Wiedergutmachungspflicht im Falle Belgiens umfassend sei und entsprechend dem Programm Wilsons auch die Entschädigung für Rumänien, Serbien und Montenegro einbezogen werden müsse. Im Zuge dieser Erörterungen findet sich in der Stellungnahme des Reichsschatzamts vom 3. Februar 1919 auch eine der ganz seltenen Auseinandersetzungen mit dem Artikel XIX des Waffenstillstandsvertrages. Er wird als „eine allgemeine Anmeldung von Ersatzansprüchen" ausgelegt, die bei den Friedensverhandlungen im einzelnen noch freie Hand lasse und, da sie andernfalls einen unbegrenzten Anspruch bedeuten würde, keine „feste Verpflichtung in dieser Allgemeinheit" darstelle[4]. Das war eine recht eigenwillige Auslegung, die auf Grund einer isolierten Betrachtung ohne die Lansing-Note vom 5. November 1918 zustande kam und gerade dadurch in gefährliche Nähe dessen geriet, was vermieden werden sollte: die umfassende Verpflichtung zur Wiedergutmachung. Auch diese Erörterung wurde in den „Richtlinien" schließlich bewußt vermieden.

Hinsichtlich der Schadensrechnung, die Italien, Rumänien, Serbien und Montenegro möglicherweise präsentieren würden, sollte vor allem auf die Zuständigkeit der Verbündeten Deutschlands verwiesen werden. Die Ansprüche Rumäniens und

---

[3] Quellen, 6/II, S. 319–23.

[4] Bemerkungen des Reichsschatzamts vom 29. 1. und 3. 2. 1919; BA, R 2/2550. Entwurf des Reichsfinanzministeriums „Richtlinien für die deutschen Friedensverhandlungen auf finanziellem Gebiet" vom 20. 3. 1919; PA, GFV, A 152.

auch Italiens wurden unter Hinweis darauf, daß sie Deutschland angegriffen hätten, und unter Berufung auf die Lansing-Note vom 5. November 1918 abgelehnt[5].
Für die Spezifizierung und Berechnung sowohl jener Schäden, die Deutschland verursacht, als auch derjenigen, die Deutschland erlitten hatte, war die Reichsentschädigungskommission verantwortlich. In einer ihrer Sitzungen erläuterte der Wirkliche Legationsrat Schmitt aus der Handelspolitischen Abteilung des Auswärtigen Amts, Leiter des entsprechenden Referats in der Geschäftsstelle für die Friedensverhandlungen, am 17. Februar 1919, die Aufgaben der Kommission genauer: Bei der Berechnung der von Deutschland angerichteten Schäden sollten die „den feindlichen Ländern verbliebenen Vorteile einschließlich der bei der Räumung zurückgelassenen Vorräte“ abgezogen und „eindrucksvolles und zuverlässiges Material“ über deutsche Gegenforderungen zusammengestellt werden.
Es stellte sich allerdings bald heraus, daß wirklich fundierte Gegenforderungen relativ gering waren. In der Sitzung wurde auch erwogen, inwieweit Schäden in Nordfrankreich und Belgien dem Gegner zur Last gelegt und planmäßige Zerstörungen durch die deutschen Truppen während des Rückzugs als „kriegsnotwendig“ nachgewiesen werden konnten. Der Weg der Berechnungen war dornenreich, und die Beamten der Kommission verfingen sich manchmal im Gestrüpp überholter Pläne und Vorstellungen. So wurde z.B. im Vergleich festgestellt, daß der Schaden, der errechnet worden war für die während der Kämpfe mit den Russen zerstörten ländlichen Gebäude in Ostpreußen, bedeutend über den Berechnungen für den Gesamtschaden an städtischen Gebäuden in Frankreich und Belgien lag. Dieser Vergleich hätte den Alliierten natürlich die Möglichkeit gegeben, ihre Forderungen stark heraufzusetzen. Der Vorsitzende der Kommission, Hiekmann, kürzte die Berechnung für Ostpreußen daraufhin drastisch und entschuldigte die hohe Summe damit, daß man in Ostpreußen in „Erwartung des sicheren Endsieges und reichlicher Entschädigung durch die Feinde“ ohne Sparsamkeit gewirtschaftet habe. Am 10. März 1919 teilte er auf einer Sitzung der Geschäftsstelle für die Friedensverhandlungen mit, Deutschland werde nach Berechnungen seiner Kommission für Zerstörungen in Belgien und Nordfrankreich Wiedergutmachung in Höhe von ca. 12 Mrd. Mark zu leisten haben[6].
Die Arbeit der Reichsentschädigungskommission über die deutschen Verpflichtungen fand in einer umfangreichen Denkschrift ihren Abschluß[7]. Bürokratische Engstirnigkeit und kleinliche, komplizierte Berechnungsgrundsätze kennzeichneten den Ansatz wie die Ausführung der Schadensermittlung. Die Reichsregierung hatte sich nun einmal dazu verpflichtet, diesen Entschädigungsforderungen zu genügen, und Frankreich und Belgien waren auf Grund ihrer eigenen wirtschaftlichen Notlage darauf angewiesen. Deswegen und wegen der ohnehin hochgeschraubten Erwartun-

---

[5] PA, GFV-Protokolle, 13. 2. und 25. 3. 1919.
[6] PA, GFV-Protokolle, 17. 2. und 10. 3. 1919.
[7] Drucksache Nr. 37, GFV, „Denkschrift der Reichsentschädigungskommission über die vom Deutschen Reich zu vertretenden Kriegsschäden in Belgien“ vom 10. 4. 1919; Drucksache 37a enthält das gleiche für Frankreich.

gen in England und Frankreich war es gerade unter dem Gesichtspunkt einer großzügigen politischen Lösung der Friedensprobleme eine sehr kurzsichtige, im Grunde unpolitische Taktik, die gegnerischen Ansprüche mit Hilfe umstrittener Auslegungen so weit wie möglich zu drücken.

Die während der Konferenzen in der Geschäftsstelle für die Friedensverhandlungen öfter erörterten Berechnungen der Reichsentschädigungskommission spielten jedoch gegenüber dem Bestreben, das Problem der Wiedergutmachung mit seinen schwerwiegenden Implikationen umfassend zu behandeln, schließlich nur eine untergeordnete Rolle. Nach einigen Sitzungen über Einzelfragen wurde bei den großen Besprechungen in der Geschäftsstelle vom 10. bis 12. März 1919 mit der Erörterung des Gesamtkomplexes der Entschädigungsprobleme begonnen[8].

Schmitt erläuterte auf diesen Besprechungen den Sachverständigen den Stand der innerhalb der Reichsregierung angestellten Überlegungen. Im großen und ganzen blieben sie im Rahmen der Bergmann-Denkschrift vom 4. Januar 1919[9]. Er erwähnte die Schadensrechnung von 120 Mrd. frs, bei der die Budgetkommission der französischen Kammer vorläufig angelangt war, die Nachricht, daß in England eine Gesamtforderung in Höhe von über 400 Mrd. Mark erörtert wurde, und die Tatsache, daß Bonar Law am 5. März 1919 vor dem Unterhaus nachdrücklich Pressemeldungen dementiert hatte, England werde auf Geldansprüche verzichten[10]. Um so stärker schien sich die Notwendigkeit aufzudrängen, in allem auf Wilson zu blicken, namentlich in der einzuschlagenden Taktik. Auf Grund der verschiedenen Nachrichten, die das Auswärtige Amt über die Erwägungen der Alliierten erhielt, spiegelten sich in den Ausführungen Schmitts Besorgnis, Ungewißheit über den schließlichen Inhalt des Friedensvertrags und sogar so etwas wie ein schlechtes Gewissen wider: „Es kann sein, daß es [der Friedensvertrag] ähnlich aussehen wird, wie die Ostverträge, die wir abgeschlossen haben. Es bewährt sich das Wort: was du nicht willst, daß man dir tu, das füg auch keinem andern zu! Wir können nur wünschen, daß das Rad der Geschichte sich bald wieder drehen und der Spruch dann von neuem gegen unsere Feinde wirken wird. Unser Ziel wird sein müssen, zu einem Völkerbund mit allgemeinem Welthandelsvertrag zu kommen, der allen Völkern freien Verkehr ohne ökonomische Barrieren gewährt. Wir sind hier gezwungen, aus taktischen Gründen eine gewisse Ideologie zu treiben, denn unsere einzige feste Basis sind die Punkte des Präsidenten Wilson."

Schmitts Ausführungen beruhten auf einer umfangreichen Aufzeichnung von Anfang März 1919[11], in der alle bis dahin angestellten Überlegungen über die Reparationen zusammengefaßt waren. Obwohl er selbst am 17. Februar der Reichsentschädigungskommission ihre Aufgaben erläutert hatte, hielt er ihre Erhebungen für wenig lohnend, da die Verständigungsbasis doch nur eine begrenzte Pauschalsumme sein könnte, und legte statt dessen wie die Bankiers und die Industriellen den

---

[8] PA, GFV-Protokolle, 10., 11. und 12. 3. 1919.

[9] Siehe S. 83ff.

[10] Parliamentary Debates, House of Commons, fifth series, Bd. 113, Spalte 557.

Schwerpunkt auf die Möglichkeiten, die Reparationsverpflichtungen zu finanzieren. Zur Begrenzung dieser Verpflichtungen im Sinne der deutschen Auslegung der Lansing-Note schlug er jedoch die Abgabe von Erklärungen durch die deutsche Friedensdelegation vor, die unsachlich waren und einer gefährlichen Legende über das Ende des Krieges Vorschub leisteten: ,,Die Hoffnung, einen gerechten Frieden zu erhalten, war der Grund, weshalb die Heimat und dann das Heer einen weiteren Kampf für unnötig" angesehen und die Waffen niedergelegt hätten[12]. Alle über das Wilson-Programm hinausgehenden Forderungen seien ein Betrug am deutschen Volk. Einen Vertrag der ,,Erdrosselung" werde man nicht unterschreiben, diese Weigerung müßten die Friedensunterhändler durchhalten und auf die Gefahr des Bolschewismus hinweisen. Schmitt war sich durchaus darüber im klaren, daß die französische Finanz- und Wirtschaftslage sehr bedenklich war, doch zog er daraus genau den falschen Schluß und unterstützte so die hochmütige Politik seines Ministers: seine schlechte Lage würde den Gegner zum Entgegenkommen zwingen – obwohl ganz im Gegenteil eine Verschärfung der Friedensbedingungen die Folge war. Sehr präzise drückte Warburg am 27. März 1919 die allgemeine Anschauung aus: ,,Die Lage, in der sich unsere Feinde befinden, insbesondere Frankreich, Italien – England nicht so sehr –, ist genau so schlecht wie die unserige [Zuruf:] (sehr richtig!), und wenn die Herren erst zur Vernunft gekommen sind und einsehen werden, daß sie von uns nur eine begrenzte Summe erwarten können, dann werden sie sich auch darüber klar sein, worüber wir uns hier schon längst klar sind, daß weder wir noch sie unter normalen Verhältnissen in der Lage sind, den Zahlungsverpflichtungen nachzukommen." Deshalb trat er für eine internationale Regelung ein[13]. So einleuchtend diese Haltung war, so wenig rechnete man mit den politischen Auswirkungen des Zustands, in dem Frankreich sich befand, und mit der Tatsache, daß es für den Sieg am Rande des Abgrunds auch einen Preis erhalten und Vorsorge für eine ungewisse und bedrohte Zukunft treffen wollte, mochte dabei auch die Unvernunft triumphieren.

In den Worten Warburgs deutete sich aber außerdem die Erkenntnis des Zusammenhangs oder zumindest der ähnlichen Wirkung der Reparationen für Deutschland, wie der Verschuldung an die Vereinigten Staaten für die Alliierten an. Aus dieser ähnlichen Lage sollte sich ebenfalls ein falscher Schluß entwickeln: Die Hoffnung, daß die Amerikaner allen wieder aufhelfen würden. Dabei hätte man in Deutschland durchaus auch den entgegengesetzten – und der Wirklichkeit mehr entsprechenden – Schluß ziehen können, daß nämlich die Vereinigten Staaten im gleichen Maße und ebenso hart auf Rückzahlung der Schulden bestehen würden wie ihre Verbündeten auf der Erfüllung der deutschen Reparationsverpflichtungen. Allerdings hätten sich die Amerikaner bei ihrer überragenden wirtschaftlichen Stellung

---

[11] PA, GFV, A 152.

[12] Brockdorff-Rantzau bezeichnete die Waffenstreckung als deutsche Vorleistung; siehe Schwabe, S. 348.

[13] PA, GFV-Protokolle, 27. 3. 1919.

viel eher großzügig zeigen können; das war der eine Unterschied. Der andere lag in der außenwirtschaftlichen Zielsetzung. Die Amerikaner wollten möglichst schnell zu einer Normalisierung des Welthandels zurückkehren und vor allem auch in Europa einen möglichst ungestörten Absatzmarkt haben. Dabei konnten sie ihre Stellung als Gläubiger gegenüber der wirtschaftlich in schwerer Bedrängnis stehenden Entente wirkungsvoll ausspielen; dieser Druck wurde wiederum teilweise in Form von Reparationsforderungen und wirtschaftlichen Diskriminierungen auf Deutschland abgeleitet, da die Entente, vor allem Frankreich, in dieser Lage daran interessiert war, das in seiner potentiellen Wirtschaftsmacht viel stärkere Deutschland nach Möglichkeit zu schwächen und seine freie wirtschaftliche Entwicklung zu beeinträchtigen. Diese Verhältnisse bei den Alliierten wurden auf deutscher Seite kaum in Rechnung gestellt.

Schmitt wies in seiner Aufzeichnung von Anfang März 1919 auf die begrenzte deutsche Fähigkeit, Reparationen zu leisten, hin, ohne allerdings eine Summe zu nennen, die Deutschland zahlen könnte. Das wußte auch niemand genau, und insofern stand man vor einem ähnlichen Problem wie die Alliierten: sie konnten sich nicht darüber klar werden, wieviel sie verlangen sollten, und die Deutschen wußten nicht, wieviel sie bezahlen konnten. Als Mittel zur Aufbringung der Reparationen nannte Schmitt höhere Steuern, Verkauf der Kolonien – hier ganz im Gegensatz zu Warburg, der die Kolonien unbedingt halten wollte – und die Mithilfe beim Wiederaufbau in Frankreich und Belgien. Hinsichtlich des Wiederaufbaus warnte er vor zu großen Hoffnungen, da die Entente dieses Geschäft sicher selbst machen wolle. Für die Zahlung der Reparationen sah er die einzige Möglichkeit in Markannuitäten, ein Gedanke, der wahrscheinlich auf Warburg zurückging. Damit wäre das später so dornenreiche Transferproblem umgangen worden, allerdings war es eine Illusion, anzunehmen, daß die Siegermächte auf Zahlung in Devisen verzichten würden. Aber Schmitt selbst wollte aus einem anderen Grund auf die Markannuitäten verzichten, da dann, wie er ausführte, die Gefahr bestünde, daß die Alliierten sich mit ihren wachsenden Markguthaben in die deutsche Industrie einkaufen würden. Deshalb wäre es besser, wenn die Reichsregierung von vornherein als Reparationsleistung eine Beteiligung des Auslandskapitals an der deutschen Industrie anböte und auf diese Weise die Entwicklung in der Hand behielte[14]. Dieser Gedanke fand auch in Kreisen der deutschen Industrie Zustimmung und spielte später bei den Erörterungen der Reparationsfrage innerhalb der deutschen Friedensdelegation noch eine erhebliche Rolle. Am Rande sei noch erwähnt, daß Schmitt demgegenüber die Gleichstellung der Ausländer mit den Inländern beim Grunderwerb nicht für angebracht hielt, weil dann die Gefahr der Überfremdung des Germanentums durch das Slawentum drohe[15].

---

[14] Siehe auch eine Aufzeichnung des Militärattachés Oberstleutnant Renner (Den Haag) von Ende März 1919 mit dem Vorschlag, Syndikate zu gründen mit ausländischer Kapital- und Gewinnbeteiligung; PA, WK 30, Bd. 34 (4091/D 924 829–33).

[15] PA, GFV-Protokolle, 12. 3. 1919.

Schmitt gab während der Sitzung vom 10. März 1919 in der Geschäftsstelle für die Friedensverhandlungen Schadensberechnungen in Höhe von 38 Mrd. Goldmark bekannt. Das Mißverhältnis zwischen diesem Ergebnis und den gegnerischen Forderungen ließ jede Erörterung über deren wahre Höhe überflüssig erscheinen. Bemerkenswert war, daß Schmitt die Lansing-Note vom 5. November 1918 als Rechtsbasis der Entschädigungsdiskussion zwar in der engen deutschen Auslegung zugrunde legte, aber die Schäden aus dem U-Boot-Krieg doch in den Bereich der Überlegungen einbezog, als er mitteilte, daß die Höhe dieser Schäden auf 26 Mrd. Goldmark geschätzt werde. Sie sind in der Summe von 38 Mrd. Goldmark berücksichtigt[16]. Er hielt es für ausgeschlossen, daß Deutschland imstande sei, angesichts des vom Reichsfinanzministerium für das erste Friedensjahr angesetzten Zahlungsbilanzdefizits von 28 Mrd. Papiermark in absehbarer Zeit Reparationen zu zahlen, und er wurde in der deprimierenden Schätzung der deutschen Zahlungsverpflichtungen noch bestätigt vom Reichswirtschaftsministerium, das einen Importbedarf zunächst in Höhe von 71 Mrd., später von 55 Mrd. Papiermark[17] für die beiden ersten Friedensjahre in Rechnung stellte, eine Summe, die von den Bankiers Urbig, Arnhold und auch Fritz Andreae (Dresdner Bank), „berufsständigem Mitarbeiter" im Reichswirtschaftsministerium, als viel zu hoch, von Walther Rathenau, dem Präsidenten der AEG, als eher zu niedrig bezeichnet wurde. Einen Ausweg sah Schmitt nur im Wiederaufbau anstelle von Geldleistungen und in einer großen Anleihe. Mit Rücksicht darauf sollten die finanziellen Verhältnisse Deutschlands ohne Verschleierung oder Vertuschung offengelegt werden; denn die grundlegenden Themen der finanziellen Friedensregelungen würden Rechtsgrundlage und Umfang der Reparationen sein. Schmitt forderte die Sachverständigen zur Unterstützung auf; sie sollten mitarbeiten „auf dem Wege, im einzelnen große Opfer zu bringen, um weniges, aber Entscheidendes für uns durchzuholen, und zu dem Ziele, denen, die nach uns kommen, die Sicherheit zu geben, daß Deutschland sich in einem Menschenalter voll wieder erholen wird". Es sei die „Pflicht, die besten Kräfte Deutschlands heranzuziehen"; denn die zu fassenden Entschlüsse sollten nicht allein von der Volksvertretung, sondern auch von der „sachlichen Erfahrung der deutschen Wirtschaftszweige" getragen werden, womit auch noch ein leichtes Mißtrauen gegenüber der Kompetenz der Nationalversammlung seinen Ausdruck fand[18].

Im Hinblick auf die zur Zahlung von Reparationen notwendigen Exportüberschüsse stellte Schmitt fest, daß die künftige Handelsbilanz wegen des hohen Einfuhrbedarfs an Lebensmitteln und Rohstoffen nicht pessimistisch genug beurteilt werden könne. Als Rathenau darauf hinwies, daß England und Frankreich niemals den wirtschaftlichen Wiederaufstieg Deutschlands auf das Vorkriegsniveau dulden würden und

---

[16] Die Summe von 26 Mrd. scheint zu hoch gegriffen, vgl. Keynes, Folgen, S. 106–07. Vielleicht sollte sie die deutsche Absicht unterstreichen, den Ersatz von Seekriegsschäden abzulehnen.

[17] Referat von Schmitz (Metallbank) über die Rohstofflage vom 29. 3. 1919 in der Geschäftsstelle für die Friedensverhandlungen; BA, Nl. Moellendorff 86.

[18] PA, GFV-Protokolle, 12. 3. 1919.

deshalb schon bei den Verhandlungen der Waffenstillstandskommission in Trier die Lieferung von Rohstoffen abgelehnt hätten, faßte Schmitt die vorherrschende Ansicht in der Forderung zusammen, Deutschland werde sich auf den Standpunkt stellen müssen, wenn die Alliierten Reparationen erhalten wollten, müßten sie auch die nötigen Rohstoffe und Waren liefern. Und das, so kann man hinzufügen, am besten auch noch auf Kredit.

Aus all diesen Überlegungen zog Unterstaatssekretär Schroeder vom Reichsfinanzministerium während der Sitzung vom 12. März 1919 den Schluß, daß die Friedensdelegation an Hand von exaktem Material nachzuweisen hätte, daß Deutschland über die Verpflichtungen der Wilson-Punkte hinaus keine weiteren Belastungen tragen könne. Diese Formulierung unterschied sich von der sinnvolleren, die Bergmann gefordert hatte, als er sagte, die Alliierten müßten davon überzeugt werden, ihre Ansprüche im eigenen Interesse auf das Äußerste zu beschränken. Außerdem entbehrte es jeden logischen Zusammenhangs, wenn Deutschlands Leistungsfähigkeit gerade so groß sein sollte wie die allgemein formulierten und über die Höhe nichts aussagenden Wilsonschen Wiedergutmachungsforderungen.

Bernstorff rundete die Unterrichtung der Sachverständigen über den Standpunkt der Reichsregierung noch mit der entscheidenden Richtlinie ab, als er erklärte: „Wie die Herren aus der Rede des Herrn Ministers in Weimar[19] wissen, hat sich die Reichsregierung auf den Standpunkt gestellt, daß wir uns unbedingt an diese 14 Punkte des Präsidenten Wilson halten müssen und daß ein Frieden auf einer anderen Basis für uns nicht in Betracht kommt, d.h. daß wir einen solchen zu unterschreiben nicht bereit sein würden.“ Graf Kessler trug unter dem 12. März 1919 in sein Tagebuch ein: „[Bernstorff] äußerte unverblümt, daß wir gezwungen sein würden, abzulehnen. Rantzau fährt hin nach Paris und wird nein sagen[20].“ Die Konsequenz der Haltung Brockdorff-Rantzaus liegt auf der Hand, denn schon in den von ihm aufgestellten Bedingungen vor Übernahme seines Amtes hatte er sich vorbehalten, den Friedensvertrag bei aus deutscher Sicht unzumutbaren Bedingungen nicht zu unterschreiben. Bernstorff machte außerdem die Sachverständigen offiziell auf den Zusammenhang zwischen Kriegsschuld und Reparationen aufmerksam, der seit November 1918 die Vorstellungen der Reichsregierung und insbesondere des Auswärtigen Amts beherrschte: „Zu befürchten ist auch, daß die Schuldfrage amtlich erörtert werden wird, indem die Basis für die harten Bedingungen, welche uns auferlegt werden, darin gesucht werden wird, uns einfach für den ganzen Krieg und alle Folgen verantwortlich zu machen. Für eine Verteidigung unserer Sache in der Schuldfrage ist gesorgt worden.“

Die Haltung der Sachverständigen stimmte zumindest in zwei wichtigen Punkten mit den Überlegungen der Reichsregierung völlig überein: Einmal darin, daß die deutsche Kreditwürdigkeit, die unbedingt erhalten bleiben sollte, äußerst bedroht war, zum anderen darin, daß Reparationszahlungen vorerst nicht geleistet werden

---

[19] Siehe Anm. II/102.

[20] Kessler, S. 154.

konnten. Der Direktor der Deutschen Bank Paul Mankiewitz betonte nachdrücklich, daß Deutschland praktisch zahlungsunfähig sei. Zahlungen in Mark – die übrigens auch schon von den Alliierten während der Verhandlungen über Lebensmitteleinfuhren abgelehnt worden waren – seien unmöglich, da sie nach russischem Beispiel die Währung restlos ruinieren würden.

Hinter allen Erörterungen der Kreditwürdigkeit stand die Absicht, auf eine große Auslandsanleihe für den Wiederaufbau der deutschen Wirtschaft hinzuarbeiten. Wie Melchior allerdings auf Grund seiner Verhandlungen in der Waffenstillstandskommission bemerkte, erschien diese Hoffnung bei der völlig ablehnenden Haltung der Alliierten vergebens. Er war aber der Ansicht, daß es spätere Kreditoperationen nach Abschluß des Friedensvertrags sehr erleichtern würde, wenn das Reich zunächst eine Summe von vielleicht 1,5 Mrd. Goldmark aufbringen könnte[21]. Tatsächlich waren die Reichsregierung und die Bankiers zu großen Anstrengungen bereit, um Deutschlands Kredit zu stützen, ohne sämtliche Aktiva zu verschleudern, die im Ausland von Wert waren – das Gold der Reichsbank, die geringen Devisen in neutraler Währung, Auslandseffekten und deutsche Guthaben in feindlichen Ländern; diese Werte sollten dazu dienen, das Wirtschaftsleben wieder in Gang zu setzen. Allerdings wurden gerade sie nach dem Brüsseler Abkommen vom 14. März 1919[22] in erster Linie zur Bezahlung von alliierten Lebensmittellieferungen herangezogen. Die Vertreter der Industrie wiesen darauf hin, daß keinesfalls der Hauptteil der verbliebenen deutschen Aktiva für Lebensmittel ausgegeben werden dürfe, sondern auch zum Ankauf der immer dringender benötigten Rohstoffe für die Industrieproduktion verwendet werden müsse. Ähnlich urteilte das Reichsbank-Direktorium Ende April 1919. Es warnte davor, bedenkenlos und ohne Rücksicht auf die Finanzierung Lebensmittel unter Verwendung jener Aktiva anzukaufen, die „für den Wiederaufbau des deutschen Wirtschaftslebens den Grundstein bilden sollen". Das war der entscheidende Punkt. Das Reichswirtschaftsministerium und etwas vorsichtiger auch das Auswärtige Amt traten demgegenüber dafür ein, daß die Lebensmittelversorgung Vorrang haben müsse, und zwar im Hinblick auf ein mögliches Stocken der Friedensverhandlungen. Dann, so hieß es, werde Deutschland alle Lebensmittel, die verfügbar seien, brauchen, um eine neue Blockade zu überstehen[23].

---

21 PA, GFV-Protokolle, 10. 3. 1919. Vgl. Sitzungen der Finanzkommission der Waffenstillstandskommission vom 15. 1. und 15. 2. 1919 in Spa; Waffenstillstand, Bd. II, S. 12, 56–57. – Die Kreditfrage wird in ihrer Bedeutung erst klar, wenn man sie im Rahmen der Reparationen und des Wiedererstarkens der deutschen Wirtschaft betrachtet und nicht, wie Schwabe, S. 366, es tut, auf das deutsche Verlangen nach Lebensmittelkrediten beschränkt. Es ist auch eine Verkennung, wenn Schwabe, S. 367, meint, daß die Entente die Blockade nur unter ihrem kriegspolitischen Aspekt würdigte. Die Blockade war der erste Schritt der wirtschaftlichen Nachkriegspolitik gegenüber Deutschland.

22 Waffenstillstand, Bd. II, S. 179–98.

23 PA, GFV-Protokolle, 27. 3. 1919; BA, R 43 I/1266 (Denkschrift Reichsbankdirektorium 25. 4. 1919).

Von diesen Fragen abgesehen, zeichnete sich aber auch eine etwas unheimliche Übereinstimmung in einer Entscheidung ab, die keineswegs mehr auf nur sachliche Erwägungen zurückging. Hans Clemm, Direktor der Zellstoffabrik Waldhof, gab im Verlauf der Diskussion „der allgemeinen Freude" über Bernstorffs bereits zitierte Feststellung Ausdruck, daß notfalls der Frieden nicht unterzeichnet würde[24]. Auch die Regierungsvertreter bemühten sich nicht, die festen vaterländischen Töne Clemms zu korrigieren. Schmitt sagte bedenkenlos: „Es kann uns nicht mehr schlechter gehen als es uns geht. [...] Wir haben nichts mehr zu verlieren als unseren Namen." Deshalb müsse die Friedensdelegation bei aller Vorsicht der Verhandlungsführung maßlosen Reparationsforderungen gegenüber fest bleiben und schlimmstenfalls die Unterzeichnung verweigern. Diese Bemerkung läßt ebenso noch den Sog der deutschen „Alles oder Nichts"-Haltung des Weltkriegs spüren wie die überaus riskante und in der Tat falsche Annahme Schmitts, daß ein solches Vorgehen der Friedensdelegation schließlich Erfolg haben müßte, weil ein völliger Zusammenbruch Deutschlands den Siegern den Schuldner und den Kunden rauben würde.

Angesichts dieser Äußerungen stellte nur Oskar von Miller[25] die zweifelnde Frage, was eigentlich geschehen solle, wenn die Delegation nun nicht unterzeichne. Daraufhin erklärte Bernstorff lediglich, wenn die Friedensbedingungen derart sein sollten, daß sie die wirtschaftliche Vernichtung Deutschlands zur Folge hätten, so sei ihre Ablehnung besser als ihre Annahme.

Im übrigen ist auffallend, daß in erster Linie über die politische Frage, in welcher Form die Reichsregierung zu den gegnerischen Forderungen Stellung nehmen sollte, diskutiert wurde. Die volkswirtschaftlich relevanten Fragen, wie man die Reparationssummen am leichtesten aufbringen und transferieren konnte, blieben völlig am Rande oder gingen in der Forderung nach Auslandskrediten als Lösung für alle großen finanziellen Probleme auf. Der vorherrschende Gesichtspunkt auf diesen Sitzungen war die Vorsorge für die Zukunft der deutschen Nation, weniger die Suche nach Lösungen für konkrete wirtschaftliche Probleme, die sich durch die Reparationen ergaben. Ganz allgemein ging eine starke Tendenz dahin, zunächst bewußt keine konkreten Überlegungen zur Reparationsleistung anzustellen, sondern mit den Alliierten einen Ausgleich über die künftige wirtschaftliche Position Deutschlands und das Maximum dessen auszuhandeln, was aus deutscher Sicht an Entschädigungszahlungen noch tragbar erschien. Erst nachdem auf diesem Wege annehmbare Voraussetzungen geschaffen worden waren, sollten anscheinend detaillierte Pläne darüber aufgestellt werden, wie die Verpflichtungen zu begleichen seien. Eine Alternative dazu wäre gewesen, unabhängig von der Höhe der Gesamtsumme mit Vorschlägen über deutsche Leistungen in den ersten ein bis zwei Jahren nach dem Friedensschluß zu beginnen, verbunden mit einer nach der wirtschaftlichen Lage zu variierenden Rahmenplanung für die daran anschließenden Jahre,

---

[24] PA, GFV-Protokolle, 12. 3. 1919.

[25] Königlich Bayerischer Geheimer Baurat, lebenslänglicher Reichsrat der Krone Bayern.

in der vor allem ein möglichst vielfältiges Angebot an Sachlieferungen und Wiederaufbauleistungen hätte enthalten sein müssen, da an Barzahlungen kaum zu denken war.

Brockdorff-Rantzau unterrichtete Scheidemann drei Tage später über die Ergebnisse der Sitzung vom 12. März 1919 „mit etwa 160 führenden Männern des deutschen Wirtschaftslebens“[26]. Alle Beteiligten seien „auf Grund eingehender ernster und sachlichster Erörterung“ zu der Überzeugung gelangt, „daß der Abschluß eines Friedens, der Deutschland wirtschaftlich nicht wieder hochkommen läßt, abgelehnt werden muß und abgelehnt werden kann“. Seine Begründung bezeugt die Dominanz der wirtschaftlichen Ziele der Friedensplanung auch in territorialen Fragen: Deutschland könne nicht bestehen, wenn ihm Gebiete mit wichtigen Bodenschätzen oder Anbauflächen weggenommen würden. Außerdem wies er darauf hin, daß die Alliierten auf Absatz ihrer angehäuften Warenmengen angewiesen seien und Deutschland in seiner beherrschenden Lage in der Mitte Europas nicht dem Bolschewismus anheimfallen lassen könnten. Was Brockdorff-Rantzau hier als „geschlossene Meinung“ der führenden Wirtschaftskreise niederschrieb, entsprach vor allem seinem eigenen Programm. Auf seine Bitte wurde das Schreiben auch den übrigen Mitgliedern des Reichskabinetts zugestellt. Das Fehlurteil, daß der leitende Impuls der Alliierten bei den Friedensregelungen die Absatzmöglichkeit für ihre Warenüberschüsse sein werde, geht allerdings zu Lasten der Wirtschaftsexperten.

Die Übereinstimmung zwischen Brockdorff-Rantzau und den Unternehmern war tatsächlich vorhanden. Sämtliche führenden Wirtschaftsverbände traten gegen die „Erdrosselungsabsichten“ der Entente auf und schlugen Scheidemann am 26. März 1919 vor, „eine einheitlich geleitete Protestkundgebung durchzuführen, die [...] mit aller Energie und rücksichtslos die Forderung aufstellt, daß insbesondere über die in den 14 Wilsonschen Punkten aufgestellten wirtschaftlichen Bedingungen nicht hinausgegangen werden soll, [und die] unter Umständen die Ablehnung eines anderen Friedens propagieren würde“. Rücksichtslos und mit aller Energie – das war fast der Ton Ludendorffs. Nach Bekanntgabe der Friedensbedingungen sollte dann eine „über das Deutsche Reich zu organisierende Abwehrbewegung [...] in Angriff genommen werden“. Scheidemanns Antwort war positiv[27].

2. Grundsätzliche Erwägungen in der Sitzung vom 15. März 1919

Oskar von Miller war es, der den gewohnten Ablauf der Sitzungen in der Geschäftsstelle für die Friedensverhandlungen, die in erster Linie vom verzweifelten Behauptungswillen einer Großmacht und ihrer Führungsschicht und von beträchtlichen Interessentenforderungen geprägt waren, mit einem bemerkenswerten Bei-

[26] BA, R 43 I/1. Dort auch ein weiteres, fast identisches Schreiben vom 22. 3. 1919.

[27] Brief des „Hansabunds für Gewerbe, Handel und Industrie“ und Antwort Scheidemanns vom 1. 4. 1919; BA, R 43 I/1.

trag unterbrach. Am 15. März 1919 wurde auf Wunsch jener Sachverständigen, die dazu ausersehen waren, die Delegation an den Ort der Friedensverhandlungen zu begleiten, eine Sitzung im kleinen Kreis abgehalten[28]. Bei dieser Gelegenheit hielt Miller eine Rede, die seine Zuhörer überrascht haben muß, denn sie rührte an die wunden Punkte der deutschen Friedensvorbereitungen. Er wehrte sich dagegen, daß jeder Interessentenkreis von der Reichsregierung forderte, bei für ihn unerträglichen Bedingungen den Friedensvertrag nicht zu unterzeichnen; und aus den unangenehmen Erfahrungen des Weltkriegs heraus hielt er ein Plädoyer für eine neue Verantwortung in der Politik: „[. . .] und ich möchte eigentlich nicht, daß wieder eine Begeisterung eintritt, wie sie während des Krieges herrschte, in der verschiedene Kreise sagten: Wir müssen den Krieg weiterführen, bis wir das Erzbecken von Briey bekommen, wir müssen ihn weiterführen, bis keine Abstimmung in Elsaß-Lothringen stattfindet, wir müssen ihn weiterführen, bis wir den nötigen Einfluß in Belgien haben, und so fort, ohne genau zu überlegen oder zu wissen, was für ein Risiko mit der Weiterführung des Krieges verbunden war. Ich glaube, wir müssen doch überlegen, ob die verschiedenen Arten des Schadens, der uns zugefügt werden kann, verschieden sind, je nachdem wir doch mit den Feinden eine Verständigung suchen, oder je nachdem wir einfach die Unterschrift des Vertrages verweigern."

Die Politik des bewußten Risikos fand Miller angesichts der Druckmittel der Gegner – weitere Besetzung, Kontributionen, Grenzsperren – undurchführbar und warnte eindringlich vor der Gefahr des wirtschaftlichen Zusammenbruchs. Er wollte die Vorbereitungen auf einen anderen Weg leiten: „Also es ist nicht bloß zu überlegen und der Kommission mitzugeben: Was können wir nicht zugestehen? Wogegen müssen wir uns unter allen Umständen verwahren? Ihr dürft dies nicht unterzeichnen, ihr dürft das nicht unterzeichnen, ihr dürft jenes nicht zugestehen usw.! – sondern es sind der Kommission auch Ratschläge mitzugeben: Wie könnt ihr eure Verhandlungen einrichten, daß sie trotz alles Übelwollens der Feinde doch vielleicht zu einem richtigen Ziele führen? Wie wären die Verhandlungen zu führen, um bei den Feinden den Eindruck zu erwecken: man kann mit uns verhandeln, man kann mit uns wieder Frieden schließen? [. . .] Wir dürfen nicht unsere Unterlagen so einrichten, daß wir sagen: Wir sind bankerott, wir können überhaupt keine Entschädigung bezahlen; – denn daß wir Entschädigung bezahlen müssen, darüber, glaube ich, ist gar kein Zweifel. Entschädigungen werden wir bezahlen müssen, und die Leute werden uns sagen: Wie ihr es innerlich einrichtet, ist uns ganz gleichgültig, – und bloß eine Vorlage, bloß Notizen, die zeigen, daß unsere Reichsbilanz mit 28 Milliarden Defizit abschließt, allein werden nicht genügen. Die Leute werden uns fragen: Was habt ihr eigentlich, um eure Finanzen zu verbessern, daß ihr trotzdem wieder etwas zahlen könnt? Und darüber müssen wir nachdenken: Welches sind die Mittel, um unsere Finanzen so zu verbessern, daß wir tatsächlich etwas hingeben können, nachdem zweifellos etwas gefordert werden wird?"

---

[28] PA, GFV-Protokollmaterial, 15. 3. 1919.

Zur Lösung des Reparationsproblems verlangte er absolute Ehrlichkeit in der Darlegung der Mittel, über die Deutschland noch verfügte, und den aufrichtigen Willen vor allem der vermögenden Schichten, sich von einem Teil ihres Besitzes und ihrer Gewinne zu trennen. Er drängte darauf, sofort darüber Klarheit zu schaffen, welche Steuern die Reichsregierung zur Aufbringung der Reparationslasten erhöhen und neu einführen müsse. Vor allem sollten nicht die üblichen Klagen erhoben werden, daß indirekte Steuern das Volk verhungern ließen, direkte dagegen die Industrie kaputt machten. Miller wollte – vergeblich – der Situation zuvorkommen, daß man auf diesem Gebiet ohne irgendwelche Vorkehrungen in die Friedensverhandlungen eintrat. Außerdem machte er einen Vorschlag, der auch heute noch zu den wirksamsten und für einen Reparationsgläubiger günstigsten gerechnet werden kann: Er regte an, den Gegner an der deutschen Industrie und an ihrem Gewinn zu beteiligen und ihn damit zugleich an ihrem Gedeihen zu interessieren. Während der Sitzung ging aber niemand darauf ein, obwohl auch Schmitt diesen Gedanken in seiner Aufzeichnung von Anfang März 1919 schon erwähnt hatte[29].

Am Schluß seiner Rede faßte Miller seine Vorschläge in Thesen und Fragen zusammen, über die sich jene Sachverständigen, die zur Begleitung der Friedensdelegation vorgesehen waren, klar werden sollten. Einige davon seien hier noch zitiert, weil sie tatsächlich ohne Winkelzüge und Einschränkungen ein politisches Konzept entwickelten, das den deutschen Friedensvorbereitungen in dieser Eindeutigkeit fehlte und das die Mitverantwortung für die Rechte und Bedürfnisse anderer Nationen der deutschen Politik zum Maßstab setzte: „Wir müßten uns entscheiden: welche Forderungen sind unangenehm, welche sind schädlich, welche sind für uns im höchsten Grade bedauerlich, aber vielleicht noch annehmbar, so sehr wir es bedauern würden, und welche sind absolut unannehmbar? Und wir müßten uns überlegen: Welche Anträge, welche Maßnahmen könnten wir eventuell vorschlagen, wie könnten wir den Feinden entgegenkommen, damit sie sehen: Ja, wir wollen nicht nur protestieren, wir wollen nicht bloß ablehnen, sondern wir wollen, wie zwei Menschen, die zu einer Verhandlung zusammenkommen, wirklich Vorschläge machen, die dem einen annehmbar sind und dem andern auch noch annehmbar sind, wie ich überhaupt glaube, daß es gut wäre, wenn wir bei unseren Verhandlungen vielleicht auch noch einen Gesichtspunkt hineinfügen würden, und das ist der: wieweit kommen nicht nur deutsche Interessen in Betracht? wieweit können wir von speziellen deutschen Interessen absehen? und [...] Vorschläge machen, die für die ganze Welt gut sind – Handelsvorschläge, Rationalisierungsvorschläge, Vertragsvorschläge, die auch unseren Feinden nützen, die der ganzen Welt nützen [...]?" Mit der Verbesserung der Verhältnisse der ganzen Welt und der Förderung des Handels der anderen Nationen gehe auch Deutschlands Handel und Industrie in die Höhe.

Viel Erfolg hatte Miller damit aber nicht. Der Ton seiner Ausführungen wurde recht allgemein von Rathenau begrüßt, der auch die Abstufung der Probleme nach

---

[29] PA, GFV, A 152.

ihrer Wichtigkeit befürwortete. Rathenau, wie übrigens auch Carl Bosch[30], legte einen ausgesprochen starken Pessimismus hinsichtlich der wirtschaftlichen Lage Deutschlands an den Tag. Als einzige Hoffnung sah er – ähnlich wie Schmitt – die deutsche Arbeitskraft an. Das Schlimmste fürchtete er von den Friedensbedingungen: vor allem grundsätzliche Forderungen, die nicht erfüllt werden könnten und dann Sanktionen und wirtschaftliche Zwangsmaßnahmen zur Folge hätten, insbesondere im Zusammenhang mit den Reparationen. In der für ihn typischen unlöslichen Verbindung von kritischer und intuitiver Erkenntnis, Spekulation, rhetorischer Brillanz und emotionaler Erregung sagte er in seiner Antwort auf Millers Rede: „Der Geist des ganzen Vertrages wird sein, wie es dem französischen Charakter und der ganzen französischen Erziehungsweise entspricht, der wir jetzt unterliegen, nach dem Gedanken: ‚Ihr laßt den Armen schuldig werden; dann überlaßt ihr ihn der Pein!' Man läßt den betreffenden schuldig werden, indem man ihm Dinge aufbürdet, die er nicht leisten kann, und wenn er schuldig geworden ist, dann packt man ihn immer von neuem mit den Zangen an. Das ist die Waffenstillstandspolitik gewesen, und unsere Unterhändler haben dem nicht sehr große Stärke entgegengesetzt. [...] Was wir werden machen können, das wird eigentlich immer nur sein, daß jeder von uns an den Stellen, die er für ganz unerträglich hält, schreit. [...]
Da wird eine zielbewußte und sehr weitsichtige, mit enormem Fernsichtblick ausgestattete Führung entscheidend sein müssen dafür, was nun wirklich das Wichtige und das Entscheidende ist."

Rathenau hatte schon früher die Ansicht geäußert, daß von allen Zukunftsfragen die wichtigste die Kriegsentschädigung sei. Die große Gefahr für Deutschland sah er völlig abweichend vom üblichen darin, daß die 14 Punkte Wilsons keine noch so hohe Kriegsentschädigung ausschlössen; Deutschland müsse aber schon bei der jährlichen Zahlung von mehreren Milliarden Mark wirtschaftlich vernichtet werden, denn seine Gesamtersparnis betrage nur 5 bis 6 Mrd. Er kam mit einer reichlich summarischen und vordergründigen Rechnung, die den Schaden in Prozenten des Volksvermögens ausdrückte, auf eine deutsche Entschädigungsverpflichtung von 15 bis 20 Mrd. Goldfranken für Belgien und Frankreich zusammen; was darüber hinausging, hielt er für Kriegskosten[31].

Die entscheidenden Punkte der Friedensbedingungen nannte Rathenau jene, welche die Wirtschaft zugrunde richten könnten. Die führenden Vertreter der Wirtschaft betrachteten die Wahrscheinlichkeit, daß die Alliierten die Abtretung wichtiger Gebiete fordern würden, einmütig unter rein wirtschaftlichen Gesichtspunkten[32];

---

[30] Vorsitzender des Vorstands der Badischen Anilin- und Sodafabrik.

[31] Walther Rathenau. Briefe, Bd. 2, S. 86 (16. 12. 1918), 94–95 (24. 12. 1918). Walther Rathenau in Brief und Bild, S. 324–26 (19. 4. 1919). Siehe auch Rathenaus Äußerung zu Dresel; Aufzeichnung Dresels vom 10. 1. 1919, Papers, Paris Peace Conference, Bd. 2, S. 157.

[32] R 13 I/155 (Hauptvorstandssitzung vom 1. 3. 1919); siehe auch die Eingabe des Oberbürgermeisters von Essen, Luther, vom 11. 3. 1919 an die Reichskanzlei im Auftrag eines

der eigentlich nationale Gedanke, die volksmäßige, kulturelle oder historisch gewachsene Zusammengehörigkeit dieser Gebiete mit dem Deutschen Reich spielte in ihrer Argumentation gar keine Rolle. Den als verhängnisvoll erachteten wirtschaftlichen Auswirkungen der Gebietsverluste entsprach die steigende Beunruhigung über die Abschnürung der von den Alliierten besetzten linksrheinischen Gebiete und über das „Loch im Westen" in der Zollgrenze, eine für die wirtschaftliche Stabilisierung sehr große Gefahr[33]. Daß infolgedessen auch die Reparationszahlungen sehr erschwert werden würden, war selbstverständlich allen bewußt. Rathenau teilte diese Betrachtungsweise und vertrat sie während der Sitzung in wortgewaltigen Ausführungen, wobei er – wie vor ihm schon Bosch – auch die krisenhaften Erscheinungen in der von Unruhen, Streiks und Rohstoffmangel erschütterten Wirtschaft in sein düsteres Bild einbezog. Deutschland erkenne nicht, was geschehen sei, „und was geschehen ist, ist so über alle Begriffe furchtbar, daß wir wahrscheinlich in Jahrzehnten noch nicht wissen, was es ist".

Rathenau erwartete nichts von der Einsicht der Wirtschaftsführer Deutschlands; sie würden es als ihre erste Aufgabe betrachten, soweit nur möglich zu den alten Verhältnissen zurückzukehren. Damit meinte er: weg von der von ihm vertretenen Gemeinwirtschaft. Sein Pessimismus machte sich noch in einer anderen Frage während der Sitzung vom 15. März 1919 bemerkbar. Er sah richtig voraus, daß der Friedensvertrag ultimativ vorgelegt werden würde, und er fürchtete, daß man in Weimar dann so schwach sei, ihn zu unterzeichnen. Aus allen Äußerungen Rathenaus in dieser Zeit spricht allerdings auch die Verbitterung eines großen und gedankenreichen Wirtschaftsführers, der isoliert und ohne maßgebenden Einfluß war[34].

Warburg schließlich schlug ein offensiveres Vorgehen vor: Erarbeitung eines eigenen Friedensvorschlags auf der Grundlage der 14 Punkte Wilsons. Das sollte – vor allem in der Frage der Reparationen – genau durchgerechnet und erörtert werden. Er war der optimistischen Überzeugung, daß Deutschland nun auch seine eigenen Vorstellungen vom Frieden darlegen könne, und versprach sich eine besondere Wirkung von dem „Gegensatz zwischen dem, was uns gesagt wird, was wir nicht wissen, und dem, was wir sagen wollen und können". Seiner Auffassung nach – und darin deutete er eine interessante Verhandlungsmöglichkeit an, die sich aber vom Ansatz her, dem Verhandlungswillen der Alliierten, leider als Fehleinschätzung erwies – würden die Entschädigungsforderungen zunächst stark übersetzt sein, um dann nach ehrlicher Darlegung der deutschen Verhältnisse und Möglichkeiten reduziert zu werden. In jedem Falle aber rechnete auch er mit Summen, die so „wahnsinnig groß" seien, „daß wir nur mit einem Vorschlag kommen können, der als Grundlage dienen kann für eine sehr große fundierte Anleihe – wir haben

---

Ausschusses zur Wahrnehmung der Interessen des Rheinisch-westfälischen Industriebezirks (R 43 I/1837).

[33] Siehe Anm. III/32; außerdem Zentralrat, S. 631 (Sitzung vom 13. 2. 1919), und PA, GFV-Protokolle, 12. 3. 1919.

[34] Berglar, S. 48, 53.

das auch schon im Reichsschatzamt wenigstens andeutungsweise besprochen –, indem wir unsere Haupteinnahmen dieser Anleihe verschreiben, und indem wir für diese verschriebenen Sicherheiten eine Administration einsetzen, allerdings eine Administration, die wir selbst verwalten." Hierin ist schon der spätere Widerstand gegen die Reparationskommission des Versailler Vertrags angelegt, die diese deutsche „Administration" unmöglich machte. In dem Vorschlag Warburgs selbst kann man bereits eine Vorüberlegung erblicken zu dem Versuch eines umfassenden und großzügigen deutschen Entschädigungsangebots in Versailles.

Die Beiträge anderer Sachverständiger fielen dagegen deutlich ab. So stellte Direktor Schmitz von der Metallbank einfach die Kreditfrage an den Anfang aller Friedensverhandlungen; dann werde deutlich werden, daß für Einfuhrkredite die meisten Sicherheiten, die Deutschland zu bieten habe, aufgebraucht würden und für Entschädigungszahlungen nichts übrigbliebe[35]. Diese politisch verständnislose Reduzierung der Reparationsfrage auf ein Kreditproblem war ebenso unrealistisch wie einseitig. Mit einer Ausrichtung allein auf das deutsche Interesse war es gegenüber den Forderungen wie auch den tatsächlichen Bedürfnissen der Alliierten, vornehmlich Frankreichs, Belgiens und Großbritanniens nicht getan, so schlüssig auch rein wirtschaftlich der Gedankengang war, daß man aus Deutschlands Wirtschaft keine Entschädigungen herausholen konnte, ohne sie wieder leistungsfähig zu machen.

Der Rest der Besprechung galt den letzten Vorbereitungen. Warburg, Bernstorff, Miller und Hilger, der Generaldirektor der Vereinigten Königs- und Laurahütte, schlugen vor, in kleinen Arbeitsgruppen des engeren Sachverständigen-Gremiums eigene, nicht straff gegliederte Entwürfe einzelner Friedensregelungen für die wichtigsten Probleme auszuarbeiten. Sie konnten sich damit gegen den Widerstand vor allem Rathenaus, aber auch Schmitts, der offensichtlich einen Gegenentwurf zu den erwarteten alliierten Bedingungen verhindern und die restlichen Beratungen der Sachverständigen sehr locker, ohne präzise Festlegungen gestalten wollte, schließlich durchsetzen, nachdem auch Toepffer dafür plädiert hatte, um auf der Eröffnungssitzung der Friedensverhandlungen den Entwürfen der Alliierten eine umfassende Antwort gegenüberstellen zu können. Die Unterlagen zu den einzelnen Problemen sollten „enzyklopädisch" zusammengefaßt werden[36]. Grundsatzreferate der angeregten kleinen Arbeitsgruppen über die wichtigsten Wirtschaftsfragen wurden in der Sitzung vom 29. März 1919 besprochen[37].

---

[35] Siehe dazu den Artikel „Das Problem unserer Versorgung" in der „Deutschen Wirtschaftszeitung – Zentralblatt für Handel, Industrie und Verkehr", Nr. 9 vom 1. 5. 1919: Die Notwendigkeit, Lebensmittel und Rohstoffe einführen zu müssen, und die Unmöglichkeit, dafür bezahlen zu können, kennzeichne die sehr bedrohliche deutsche Wirtschaftslage. Die Sozialisierung, die einen Verzehr von Kapital, nicht dessen Amortisation bedeute, würde keine Abhilfe schaffen, sondern die Lage verschärfen. Große finanzielle Hilfe sei vom Ausland nicht zu erwarten. Nur durch bedeutende Arbeitsleistung könnten die erforderlichen Exportwerte geschaffen werden.

[36] Siehe GFV, Drucksachen.

[37] PA, GFV-Protokolle, 29. 3. 1919; dazu gehört offensichtlich ein Protokollfragment, paginiert S. 42–82.

Insgesamt hielt man an Wilsons Friedensprogramm als Grundlage fest. Allerdings trat Warburg dafür ein, den Namen Wilsons nicht zu erwähnen, sondern alle Alliierten anzusprechen und sich auf die Waffenstillstandsverhandlungen zu berufen[38], und schien im übrigen bereit, u. U. sogar größere Zahlungen anzubieten. Auch Schmitt – und gewiß mancher andere – war sich dessen bewußt, daß die Reparationsforderungen der Alliierten selbst im günstigsten Fall bedeutend höher ausfallen würden, als die Deutschen bisher offiziell zugestehen wollten. Um so auffallender ist, daß die für die Friedensvorbereitungen Verantwortlichen nichts unternahmen, um ein Konzept für mögliche weitere Zugeständnisse auszuarbeiten – z. B. einen umfassenden pauschalen Gegenvorschlag, wie Warburg ihn schon flüchtig angedeutet hatte. Das zeigt aber erneut den von Brockdorff-Rantzau festgelegten Grundsatz an, einen Friedensvertrag, der über die deutsche Auffassung von einem Rechtsfrieden hinausging, abzulehnen oder vor der Entscheidung, ob man den Vertrag unterzeichnen könne, in eingehende Verhandlungen mit den Alliierten auf der Grundlage der deutschen Vorstellungen einzutreten.

3. Der wirtschaftliche Wiederaufstieg Deutschlands – Einigkeit im Ziel, Meinungsverschiedenheiten über den Weg: Privatkapitalismus und Gemeinwirtschaft

Die Regierungsvertreter und Sachverständigen in den Besprechungen der Geschäftsstelle für die Friedensverhandlungen ließen sich nicht nur von der Sorge über die wirtschaftliche Not leiten, sondern wollten auch Voraussetzungen bewahren oder neue schaffen, von denen aus Deutschlands Machtstellung wenigstens auf wirtschaftlichem Gebiet bald wiederhergestellt werden konnte. Und es kam weiter – das war ja sehr verständlich – der Kampf der Unternehmer um ihre wirtschaftliche Zukunft hinzu. Für alle Ziele war die Lösung dieselbe: Deutschlands wirtschaftlicher Wiederaufstieg. Über die Methoden gab es freilich Meinungsverschiedenheiten.

Hinsichtlich der Methode verschrieb sich das Reichswirtschaftsministerium und insbesondere sein Unterstaatssekretär Wichard von Moellendorff der Verwirklichung eines neuen Gedankens: der Gemeinwirtschaft, mit deren Hilfe man unter Vermeidung des reinen Kapitalismus wie des Sozialismus die gesamten Wirtschaftskräfte der Nation zusammenfassen und zum Nutzen des Allgemeinwohls einsetzen wollte. Alle Gewerbezweige sollten in Zweckverbänden zusammengefaßt werden, die zugleich von der staatlichen Gesamtplanung abhängige Zwangsverbände waren: „Selbstverwaltung und Selbstverantwortung der Wirtschafter. Ständige Verfassung

---

[38] Schon am 3. 1. 1919 hatte Warburg in einem Brief an den Unterstaatssekretär im Auswärtigen Amt Langwerth von Simmern („Lieber Freund . . .") mitgeteilt, daß Freunde aus Holland rieten, sich nicht nur an Wilson zu wenden. Auch solle man sich nicht dauernd auf die 14 Punkte berufen, sondern auf die Annahme des Waffenstillstands; PA, WK 30, Bd. 27 (4080/D 923 299–301).

für Expertive und Exekutive. Reichswirtschaftsrat auf fachlicher und bezirklicher Grundlage. Behördenreform im Gegensatz zu Krieg und Revolution. [...] Einfügen der tätigen Initiative in das politische Gemeinschaftsbewußtsein." Der Außenhandel sollte über Außenhandelsstellen geleitet und die „einheimische Selbstversorgung" möglichst weitgehend erreicht werden: Eine „zugunsten der Volksgemeinschaft planmäßig betriebene und gesellschaftlich kontrollierte Volkswirtschaft"[39]. Im Grunde genommen hätte dieser Plan nicht nur einschneidende Veränderungen im wirtschaftlichen und sozialen Gefüge zur Folge gehabt, sondern Moellendorff unternahm damit einen neuen Versuch zur politischen Integration der Wirtschaft und darüber hinaus der Nation.

Das unmittelbare Ziel Moellendorffs im März 1919 war, zunächst die Einfuhr einzuschränken, unter Umständen mit Verboten zu arbeiten und die Devisenordnung aus dem Krieg beizubehalten. Auch er hielt hohe Auslandsanleihen für unvermeidlich, beabsichtigte jedoch unter Umgehung der Privatbanken eine Staatsanleihe aufzulegen. Mit ihrer Hilfe wollte er seine Wirtschaftspläne verwirklichen und Deutschland schließlich auch in den Stand setzen, Reparationen zu zahlen, obwohl die Reparationen in seiner Planung nur am Rande berücksichtigt wurden. Allerdings scheint er schon mit der Abneigung der Alliierten gegen die Gemeinwirtschaft gerechnet zu haben, denn um seinen Plänen während der Friedensverhandlungen auch die rechtliche Stütze zu geben, die in der deutschen Argumentation überhaupt als unentbehrlich erachtet wurde, verfiel er auf den merkwürdigen Gedanken, dem vielbeschworenen Selbstbestimmungsrecht einen neuen Anwendungsbereich zu verschaffen und das Selbstbestimmungsrecht der Volkswirtschaft zu fordern. Das Auswärtige Amt war anderer Ansicht und wollte feste Formulierungen über die Zukunft der deutschen Wirtschaft und Ein- und Ausfuhrverbote vermeiden. Es trat dafür ein, sie der Friedensdelegation vorzubehalten[40].

Die Unternehmer konnten sich, wie zu erwarten war, für die Aussichten, die ihnen Moellendorff eröffnete, nicht erwärmen und setzten sich für die freie Entfaltung der privaten Initiative unter Ausschaltung staatlicher Bevormundung, die in Devisenordnungen und Ein- und Ausfuhrverboten zum Ausdruck kam, mit aller Energie

---

[39] PA, GFV-Protokolle, 17. 3. 1919. BA, Nachlaß Moellendorff 91, Entwurf zu einer Rede am 21. 3. 1919, und Nachlaß Moellendorff 85, Rede vor dem Reichsverband der deutschen Industrie am 12. 6. 1919. Bezeichnend ist in dieser Rede der Rückgriff auf die Schutzzollpolitik Bismarcks und dessen Versuch, einen Reichswirtschaftsrat zu gründen. – Eingehende Darstellung der Gemeinwirtschaftspolitik bei Schieck, der den Ansatzpunkt dazu – neben den Schriften Rathenaus und Moellendorffs – in der Kriegswirtschaft, in der Sorge über einen Wirtschaftskrieg nach dem Kriege und in der Tendenz der Reichsregierung sieht, die Kriegswirtschaft mit ihrem Dirigismus als Übergangswirtschaft beizubehalten und soweit möglich autonom zu gestalten. Siehe auch Elben, S. 84–85. Lückenhaft und zu knapp ist bei Schieck der Abschnitt über die wirtschaftlichen Friedensvorbereitungen (S. 239–42).

[40] Briefe Moellendorffs an das Auswärtige Amt vom 13. und 20. 3. 1919; BA, Nachlaß Le Suire 64.

ein. Höchstens für eine Übergangszeit wurde ein Einfuhrverbot geduldet[41]. Der Verein deutscher Eisen- und Stahlindustrieller ließ in ihm nahestehenden Zeitungen und Zeitschriften ständig gegen Gemeinwirtschaft und Sozialisierung arbeiten[42]. Auf dem Gebiet der finanziellen Friedensvorbereitung trat in erster Linie Warburg als Gegenspieler Moellendorffs hervor. Er betonte, wichtig sei vor allem, was die Alliierten über derartige Pläne dächten. Sie würden, sollte die Entwicklung diese Richtung nehmen, keine Anleihen geben, da die Gemeinwirtschaft weniger zu leisten vermöge. Seiner Ansicht nach konnte Deutschland vor allem auf den Privatkredit nicht verzichten. Der Staatskredit sei unzureichend. Warburg wandte sich mit diesen Äußerungen gegen den Versuch Moellendorffs, im Rahmen der Gemeinwirtschaft auch die Anleihegeschäfte vom Staat durchführen und kontrollieren zu lassen, und führte das Wort zugunsten der freien Entfaltung der Unternehmerinitiative auch auf diesem Gebiet. Nach allen Nachrichten, die er erhalten habe, träten die Vereinigten Staaten und England für freien Handel und Verkehr ein.

Diese Nachrichten trugen ohne Frage zu den übertriebenen Hoffnungen, ja Illusionen bei, die man sich im Interesse des Erstarkens der deutschen Wirtschaft von der Wirtschaftsliberalität der Alliierten nach dem Kriege machte. Andererseits wurden in Deutschland dauernd Befürchtungen wegen eines Wirtschaftskrieges laut. Der Widerspruch läßt sich nur so erklären, daß die deutschen Sachverständigen hofften, die Alliierten angesichts der für fast alle Länder schweren wirtschaftlichen Lage davon überzeugen zu können, daß sie in ihrem eigenen Interesse auf derartige Pläne verzichten und wieder mit Deutschland zusammenarbeiten müßten. Etwas enthusiastisch wollte Warburg die Gegner zu Freunden machen und griff auf den Gedanken zurück, ihnen Investitionen in Deutschland zu ermöglichen. Daraus könne dann eine wirtschaftliche Zusammenarbeit – vor allem mit den Vereinigten Staaten – in Rußland und anderen Ländern erwachsen. Warburg wußte aber, daß alles in erster Linie von der finanziellen Regelung, also der Reparationsfrage abhing[43].

Die Bankiers waren der Auffassung, daß Deutschland bankerott sei, nur zweifelte man, ob es angebracht wäre, dies laut und deutlich zu sagen. In Spa hätten sie

---

[41] Ludwig Roselius aus Bremen, Leiter eines der größten Kaffee-Importhäuser Europas und Gründer der Kaffee-Hag-AG, schrieb am 8. 2. 1919 an Brockdorff-Rantzau, nach seinen Eindrücken seien in den Niederlanden englische, französische und italienische Agenten dabei, den deutschen Markt durch Preisunterbietungen zu gewinnen, während amerikanisches Kapital sich in den Banken festsetze. Als unbedingt notwendige und beste Gegenmaßnahme müsse sofort die völlige Handelsfreiheit wiederhergestellt werden. – Toepffer und Brockdorff-Rantzau legten Wert auf weitere Berichte von Roselius; PA, Handakten Toepffer, Holland (4626/E 203 683–89). – Zum Folgenden siehe PA, GFV-Protokolle, 17. 3. 1919. Auf dieser Sitzung fand eine große Auseinandersetzung zwischen Befürwortern und Gegnern der Gemeinwirtschaft statt, die sich an der Frage der Ein- und Ausfuhrverbote und der Devisenordnung entzündete.

[42] R 13 I/155 (Hauptvorstandssitzung vom 16. 5. 1919). Der Kampf galt undifferenziert der Sozialisierung, der Gemeinwirtschaft, den Arbeiter- und Betriebsräten und den Kommunisten gleichermaßen; siehe BA, R 43 I/1146, 1172; BA, R 13 I/190 (Protokoll ZAG vom 24. 3. 1919), 282. Siehe dazu Kessler, S. 166.

[43] PA, GFV-Protokolle, 17. 3. 1919 (auch für das Folgende).

deshalb schon erklärt, daß Deutschland unbedingt Kredite brauche. Von den Alliierten sei ihnen erwidert worden, erst müsse der Nachweis geliefert werden, daß überhaupt keine Zahlungsmittel zur Verfügung stünden. Das war auch einer der Gründe dafür, weshalb man sich so sehr darauf verlegte, für die Reparationsverhandlungen eine Zahlungsbilanz zu erarbeiten. Aus den Kreisen der Unternehmer wurde dazu erklärt: Erst müsse man wissen, was an Rohstoffen und Lebensmitteln unbedingt nötig sei, dann könne man an die Erarbeitung einer Zahlungsbilanz und schließlich an die Reparationsfrage herangehen. Daraus ergab sich die tatsächlich mit Nachdruck herausgestellte Folgerung, daß erst nach Abschluß des Friedensvertrags, von dem alles abhänge, zu überlegen sei, in welcher Form die Wirtschaft in Deutschland geordnet werden könnte. Die Entscheidung über die Gemeinwirtschaft sollte also in der Schwebe bleiben, bis die wirtschaftlichen Belastungen des Friedensvertrags feststanden. Dann stand zu erwarten, daß die Unternehmer noch unentbehrlicher werden und die Gemeinwirtschaftspläne noch weniger Erfolg haben würden. An den für Deutschland wichtigen Importwaren, so hieß es außerdem, herrsche im Ausland Überfluß, es sei froh, wenn es sie in Deutschland verkaufen könne[44]. Einfuhren förderten deshalb den wirtschaftlichen Wiederaufbau und erleichterten wegen des Verkaufsdrucks bei den Alliierten die finanzielle Regelung, d.h. die Kreditgewährung. „Wir wissen alle", so erklärte Schmitz, „in welcher schlechten Lage die Franzosen sind und daß sie versuchen, alles aus uns herauszuholen. Wir können, glaube ich, nur zu etwas Gutem gelangen, wenn wir mit einem Vorschlag hervortreten, der allen dient. Ich kann mir nur denken, daß die Frage durch eine internationale Regelung der Finanzen und der Devisen erfolgen kann."

Das waren vernünftige Gedanken, die aber nicht die politischen Voraussetzungen und die tiefe Kluft, die noch zwischen den Kriegsgegnern bestand, in Rechnung stellten. Es war eine Illusion zu glauben, die erstrebte wirtschaftliche Verständigung lasse sich so kurz nach dem bis dahin verheerendsten Krieg der Geschichte bei den Friedensverhandlungen schon in die Wege leiten. Diese Hoffnungen zu dämpfen, wäre Aufgabe der Vertreter des Auswärtigen Amts gewesen. Sie unterstützten jedoch die Vorstellungen der Unternehmer, deren Außenhandelsinteressen gerade auch mit Rücksicht auf die Reparationszahlungen in die Friedensvorbereitungen einbezogen wurden.

Seit November 1918 hatte sich allmählich ein Gegensatz zwischen dem Reichswirtschaftsministerium und dem Auswärtigen Amt in der Frage der Ein- und Ausfuhrverbote entwickelt. Die ersten Entwürfe für die wirtschaftlichen Bestimmungen des künftigen Friedensvertrags, die auch in den Rahmen der Völkerbundssatzung aufgenommen werden, also eine möglichst umfassende Geltung unter Einschluß der Neutralen erlangen sollten, stammten aus dem Auswärtigen Amt. Die Streitfrage reichte in die Kriegszeit zurück.

---

[44] Siehe auch die Erläuterungen des Wirklichen Legationsrats Schmitt; PA, GFV-Protokolle, 12. 3. 1919. Außerdem Brockdorff-Rantzau an Scheidemann, Anm. III/26.

Es bestand in der Zielsetzung, nicht in den Methoden, ein gewisser Zusammenhang zwischen den auf einem „Siegfrieden" beruhenden Vorschlägen Helfferichs, der seit Ende 1917 unter der kaiserlichen Regierung für die Friedensvorbereitungen verantwortlich gewesen war und in Anlehnung an das Auswärtige Amt auch bereits eine Zentralstelle zu diesem Zwecke eingerichtet hatte, und einigen Vorstellungen, die sich nach dem deutschen Ersuchen um Waffenstillstand im Reichswirtschaftsamt entwickelten. Helfferich hatte Handelsverträge, Meistbegünstigung, den freien wirtschaftlichen Verkehr als nicht ausreichend erklärt und statt dessen für den möglichst autarken Ausbau der Machtstellung Deutschlands in der Nachkriegszeit gefordert: Regelung des Güteraustauschs unter dem Gesichtspunkt der nationalen Wirtschaft, Sicherstellung der für Deutschland notwendigen Rohstoffe, Handhabung von Ein- und Ausfuhrverboten, Kampf gegen die wirtschaftliche Durchdringung des Weltmarkts durch die Kriegsgegner und Unterbindung aller Versuche, gegen Deutschland einen Wirtschaftskrieg zu führen[45].

Schon damals waren allerdings die Meinungen geteilt. Die wichtige Kriegsrohstoffabteilung im Kriegsamt des preußischen Kriegsministeriums, wo auch Industrielle und Volkswirtschaftler arbeiteten, wollte die deutsche Rohstoffzufuhr durch völlige Handelsfreiheit sichern, ein viel verständigerer Vorschlag, der gleichzeitig geeignet war, einen Wirtschaftskrieg zu verhindern. Bei den Befürchtungen vor ökonomischer Diskriminierung spielten die Beschlüsse der Pariser Wirtschaftskonferenz der Entente-Staaten vom 14. bis 17. Juni 1916 eine beträchtliche Rolle. Vollends nach dem Ersuchen um Waffenstillstand stellten exportorientierte Industrieverbände die Forderung auf, möglichst viele Handelsverträge zu schließen, um Anschluß an den Welthandel zu gewinnen. Der Einfluß der Industrie wuchs, sie wollte angesichts des verlorenen Krieges ihre Interessen unmittelbar vertreten und verlangte die Beteiligung der Wirtschaft bei den Friedensvorbereitungen. Dabei stützte man sich auf Anregungen Solfs. Die Forderung nach reiner Meistbegünstigung für eine Übergangsperiode wurde als nützlich angesehen[46].

Auf dieser Linie lag dann auch der erste Entwurf der „Allgemeinen wirtschaftspolitischen Abmachungen bei den Friedensverhandlungen" des Auswärtigen Amts vom 12. November 1918[47]. Auf der schon erwähnten Ressortsitzung am selben Tag[48] billigte man den Entwurf und faßte entsprechende Beschlüsse, um die notwendigen Voraussetzungen für eine möglichst ungehinderte deutsche Außenwirtschaft festzulegen. Das nächstliegende Ziel war, die Grundsätze eines Welthandelsvertrags im Rahmen des Völkerbunds durchzusetzen, ohne genaue Einzelbestimmungen, da

---

[45] Aufzeichnung von Ende Juli 1918; BA, R 85/890. Das Problem stellte sich schon zu Beginn des Krieges, „geschlossener Handelsstaat" als die eine, „gesicherter Zugang zum Weltmarkt" als die andere Lösung, siehe Zechlin, besonders S. 383—95.

[46] Aufzeichnungen vom 11. 4. und 25. 10. 1918; BA, R 85/890. – Über die Pariser Konferenz und ihre den amerikanischen Interessen zuwiderlaufende Planung einer wirtschaftlichen Blockbildung siehe Parrini, 2. Kapitel.

[47] BA, Nachlaß Le Suire 64; auch für das Folgende.

[48] Siehe Anm. II/28. Ein Exemplar auch in: BA, R 85/890.

in der ersten Nachkriegszeit zu erwarten sei, daß derartige Bestimmungen zu Ungunsten Deutschlands ausfallen würden. Ein besonderer Zweck dabei war, auf diese Art und Weise auch die Vereinigten Staaten für die unbedingte Meistbegünstigung zu gewinnen. Immerhin ergab sich in diesem Fall eine Parallelität der Interessen zwischen Amerikanern und Deutschen; beide verteidigten auf der Friedenskonferenz die Freiheit der Weltwirtschaft, ohne daß sich daraus für die deutsche Delegation Vorteile ergaben.

August Müller und Moellendorff, die Vertreter des Gemeinwirtschaftsgedankens, übernahmen erst kurz nach der Sitzung vom 12. November 1918 die führenden Positionen im Reichswirtschaftsamt. Dann aber wurde der Entwurf dort sogleich einer eingehenden Erörterung unterzogen, bis sich schließlich an der Frage des Ein- und Ausfuhrverbots und der Forderung Moellendorffs, eine Definition der Gemeinwirtschaft zur Klarlegung der deutschen Absichten in den Entwurf aufzunehmen, die Geister schieden. Der Kampf endete mit einem Kompromiß, den das Auswärtige Amt immerhin eingehen konnte: in der abschließenden Stellungnahme wurde auf einen wirtschaftlichen Vertragsentwurf verzichtet, statt dessen die Form einer Denkschrift gewählt, in der Grundsätze formuliert, bindende Festlegungen aber vermieden wurden unter erneuter Betonung des Arguments, daß Einzelbestimmungen vorläufig ungünstig ausfallen würden, und unter Berücksichtigung der Tatsache, daß die innere Wirtschaftsform Deutschlands noch unbestimmt sei. Formal blieb also auch eine gemeinwirtschaftliche Regelung vorbehalten[49].

Abgesehen davon waren sich die Ressorts jedoch angesichts der Nachrichten über wirtschaftliche Kampfmaßnahmen und vor allem angesichts der Notwendigkeit, hohe Reparationssummen aufbringen zu müssen, schon frühzeitig einig geworden über grundsätzliche internationale Kollektivregelungen und über ungehinderte wirtschaftliche Betätigung. Dabei legte man auf die Beteiligung der Neutralen aus dem naheliegenden Grund großen Wert, daß ein nur mit den Siegermächten als Partnern vereinbartes Instrument für Deutschland nachteilig war[50]. In allen wirtschaftlichen Belangen war vom Auswärtigen Amt sehr genau erkannt worden, daß die wirkungsvollen und für Deutschland einzig chancenreichen Vorschläge immer so weltweit und umfassend wie möglich sein mußten – auch mit einem Blick auf die werbende Kraft derartiger Bekundungen.

Die Entwürfe waren nur in einer Hinsicht mit einem kleinen Mangel behaftet. Schon beim Abschluß des Waffenstillstands waren sich die Ressorts darüber im klaren, daß unter der Devise einer neuen Weltoffenheit auch die Meistbegünstigung neuen Wert gewann. Deshalb wurde schon in der Ressortsitzung vom 12. November 1918 festgelegt, daß bei den Friedensverhandlungen entweder die alten Meistbegünstigungsverträge aus der Zeit vor dem Kriege wieder in Kraft gesetzt werden

---

[49] Siehe die Aufzeichnung „Allgemeine wirtschaftspolitische Abmachungen bei den Friedensverhandlungen" vom 20. 4. 1919; PA, Handakten Toepffer 11, Bd. 2. „Richtlinien für die deutschen Friedensunterhändler", letzte Fassung; Akten der Reichskanzlei, S. 193–204.

[50] Siehe Anm. III/48.

sollten oder die unbedingte Meistbegünstigung für 10 Jahre durchgesetzt werden müßte. In einer frühen Ausfertigung der „Richtlinien für die deutschen Friedensunterhändler" vom November oder Dezember 1918 war schlicht von allgemeiner Meistbegünstigung die Rede[51]. Die Forderung nach Meistbegünstigung wurde, wenn auch mit anderer Formulierung, Bestandteil der endgültigen Fassung der Richtlinien. Trotzdem war sie nicht das eigentliche Ziel; sie sollte nur die Voraussetzung sein für eine günstige Handelsbilanz, deren Überschüsse zur Zahlung von Reparationen und zur wirtschaftlichen Erholung Deutschlands dienen würden, ebenso wie der nützliche Vorschlag, daß die vom Krieg betroffenen Länder einander bestimmte, innerhalb von 10 Jahren rückzahlbare Wirtschaftsdarlehen gewähren sollten. Schmitt stellte in der Besprechung vom 12. März 1919 fest, was die Meistbegünstigung angehe, „so müssen wir sie für eine Reihe von Jahren haben; ob wir hier 10 Jahre oder 25 Jahre oder eine andere Zahl nehmen wollen, das hängt im wesentlichen davon ab, wie lange wir brauchen, bis wir wieder genügend erstarkt sind, um eine Differenzierung in anderen Ländern notfalls ertragen zu können". Später hieß es noch deutlicher, daß im Falle des deutschen Erstarkens die unbedingte Meistbegünstigung mißlich sei[52].

Der Handelspolitischen Abteilung des Auswärtigen Amts erschien der Völkerbundsentwurf Wilsons als Mittel der Alliierten, den Wirtschaftskrieg gegen Deutschland fortzusetzen, der ja unter dem Blockaderegime bereits geführt wurde und die deutsche Industrie in große Bedrängnis brachte. Ganz offenkundig gab es eine bedenkliche Lücke in der Völkerbundssatzung. Sie trug der krisenhaften Situation der Weltwirtschaft nach dem Kriege in keiner Weise Rechnung. Gerade im Hinblick auf die Reparationen wies Schmitt deshalb auf die neue, sich für Deutschland ergebende Möglichkeit hin, dem Völkerbund eine andere Basis zu geben[53]. Die sehr schwierige finanzielle Lage „der Mehrzahl unserer Feinde und der Neutralen drängt auf internationale Regelung aller Kriegsverpflichtungen. [...] Damit würde eine erste wirtschaftliche Basis für den Völkerbund geschaffen werden, ohne die er ein mehr oder weniger ideologisches Gebilde bleibt, und es würde ein Weg gebahnt werden für die Beseitigung der getrennten Wirtschaftsimperien und die Herbeiführung einer Wirtschaftsverflechtung und weltwirtschaftlichen Arbeitsteilung, in denen unser künftiges Interesse liegt[54]". In diesen Sätzen hatte er die deutschen Ziele wie auch die – volkswirtschaftlich betrachtet – wirkungsvollen Mittel einer Behebung der Notlage nach dem Kriege auf eine kurze Formel gebracht. Es war ein guter und zukunftweisender Gedanke, die Ideen des Völkerbundes mit neuen Wegen zur Regelung der großen internationalen Wirtschafts- und Finanzfragen zu

---

[51] PA, GFV, A 152.

[52] PA, GFV-Protokolle, 12. 3. 1919. Aufzeichnung vom 20. 4. 1919; PA, Handakten Toepffer 11, Bd. 2.

[53] Materialien, betr. die Friedensverhandlungen, 2. Beiheft: Die Pariser Völkerbundsakte vom 14. Februar 1919 und die Gegenvorschläge der deutschen Regierung für die Einrichtung eines Völkerbunds, Charlottenburg 1920, S. 10–12.

[54] PA, GFV-Protokolle, 12. 3. 1919.

verbinden. Die Überzeugung herrschte allgemein vor, daß die scharfe Anspannung der überlegenen deutschen Wirtschaftskraft zur Abtragung der Reparationsverpflichtungen schließlich nach der Befreiung von allen Lasten eine ungemein starke Stellung in der Weltwirtschaft zum Lohn haben werde.

Noch weiter mit den Vorschlägen zur Internationalisierung der Finanz- und Wirtschaftsfragen ging Warburg, der in diesem Zusammenhang sogar die territorialen Fragen lösen wollte, indem er der wirtschaftlichen Einheit zwischen Deutschland und den abzutretenden deutschen Gebieten gegenüber der nationalen und politischen Einheit den Vorrang gab: „Wie weit kann man politisch etwas abtreten, ohne daß man wirtschaftlich gezwungen ist, auf Beziehungen zu verzichten, die man gehabt hat, solange man politisch gemeinsam war. Das ist überhaupt die ganze Frage, die uns vorgelegt wird, und das ist das Rätsel, das zu lösen ist. Diese Richtung ist vereinbar mit dem wirklichen Völkerbundsgedanken. Das heißt: die nationale Linie ist schließlich nur für kulturelle, für sogenannte nationale Richtungen noch maßgebend; für wirtschaftliche Fragen aber, die schließlich der Ausgangspunkt für alle Kriege – zum Teil wenigstens – gewesen sind, darf es künftig nicht mehr solche Schranken geben, wie es bisher gegeben hat, und das bringt uns zur Lösung bei Polen, Schlesien und auch Schleswig, kurz von einer ganzen Reihe von Fragen, in denen wir doch nicht nur Übergangsbestimmungen haben bloß für die nächsten Jahre, damit die Kreise nicht allzu sehr leiden, sondern dauernd die wirtschaftlichen Beziehungen herzustellen suchen, auch zwischen Ländern, die jetzt voneinander getrennt sind, ohne daß sie allzu sehr fühlen, daß sie politisch nicht mehr demselben Verband angehören[55]." Den Nachteil, der durch Gebietsabtretungen und neugeschaffene Staaten den europäischen Wirtschaftsverbindungen zugefügt wurde, haben später vor allem die Nationalökonomen John Maynard Keynes und Gustav Cassel mit Nachdruck hervorgehoben[56].

In dem Vorrang der wirtschaftlichen Zusammengehörigkeit vor der nationalen Zugehörigkeit bestimmter Gebiete sah der immer ideenreiche Warburg eine grundsätzlich neue Entwicklung für die Nachkriegszeit. Zunächst jedoch sollte Deutschland davon profitieren. Seine Vorstellungen gingen allerdings weit über die eng begrenzten Voraussetzungen der Friedensverhandlungen hinaus, und der Gedanke, Deutschland müsse die wirtschaftliche Zusammengehörigkeit mit seinen abgetretenen Gebieten durch Staatsverträge zu sichern versuchen, war vollkommen unrealistisch. Neben der Überwindung der Wirtschaftsgrenzen schlug er als weiteren zukunftweisenden Beitrag zur Internationalisierung der Nachkriegsprobleme vor, durch den Völkerbund eine Art Clearing-Bank einzurichten, um die internationalen Währungs- und Zahlungsbilanzverhältnisse wiederherzustellen. Auch der Wirkliche Legationsrat Schmitt bewegte sich auf diesem Gebiet in ähnlich fortschrittlichen Gedankengängen. Schon in seiner Aufzeichnung von Anfang März 1919 hatte er als weitere Möglichkeit zur Internationalisierung der finanziellen Nachkriegspro-

---

[55] PA, GFV-Protokollmaterial, 15. 3. 1919.
[56] Wüest, S. 67–69.

bleme folgende Überlegung angestellt: „Würden die aus dem Weltkrieg hervorgegangenen Anleihen von allen Staaten gemeinsam verbürgt oder würde darüber hinaus der Völkerbund als solcher als Kreditnehmer auftreten, so würde ein neues, absolut sicheres internationales Papier geschaffen, das weit billiger zu begeben und überall zu handeln wäre[57]."

Wenig später bezog sich Direktor Schmitz Anfang April 1919 ausdrücklich auf Warburgs Ausführungen über eine internationale Finanzgemeinschaft und hob vor allem die Teilnahme der Vereinigten Staaten als unentbehrlich hervor. Er erkannte sehr gut, was auf Europa und vor allem Deutschland ohne eine großzügige amerikanische Beteiligung zukam, und hielt es für unerläßlich, daß die Vereinigten Staaten Anleihen zu ganz niedrigen Zinssätzen gewähren oder einen Teil der Kriegskosten – über die eigenen hinaus – übernehmen müßten, sonst wäre bald eine Verschuldung ohne Grenzen die Folge[58].

Auch die große Auslandsanleihe, deren Notwendigkeit für Schuldentilgung und Reparationszahlungen Warburg vom rein wirtschaftlichen Standpunkt zwingend nachwies, sollte möglichst über den Völkerbund zustande kommen, und zwar eine Anleihe in fremder Währung für die Schulden bei den Neutralen und eine Markanleihe für die Reparationen, da die Währungsverhältnisse nicht vorhersehbar seien und Deutschland keine unerfüllbaren Zahlungsmodalitäten eingehen dürfe. Das bedeutete Zahlung der Reparationen in Mark statt Devisen und einen weiteren Versuch, internationale Regelungen der Finanzprobleme zu erreichen[59].

Tatsächlich lag in der internationalen Regelung aller wirtschaftlichen und finanziellen Fragen, in der weitestgehenden Handelsfreiheit und dem Abbau aller Diskriminierungen nach dem Verlust des Krieges die einzige Chance für die deutsche Wirtschaft, die Mittel für die Reparationsleistungen zu verdienen und Deutschlands Wiederaufstieg zu erreichen. Deshalb war wohl allen Beteiligten klar, daß die Zeit für die Unternehmer und den privatwirtschaftlichen Kapitalismus und gegen die Gemeinwirtschaft arbeitete, deren Schicksal sich allerdings nicht auf Grund der wirtschaftlichen Friedensvorstellungen, sondern auf Grund der innenpolitischen Entwicklung erfüllte, die einschneidende wirtschaftliche oder soziale Änderungen nicht mehr zuließ.

Über allgemeine Erklärungen hinaus gab es aber auch schon konkrete Pläne für gemeinsame wirtschaftliche Zielsetzungen mit anderen Ländern. Im Sinne der programmatischen Äußerungen Brockdorff-Rantzaus und der traditionellen Zielsetzung wurde die wirtschaftliche Wiederherstellung und Durchdringung Rußlands

---

[57] PA, GFV-Protokolle, 27. 3. 1919. Schmitts Aufzeichnung von Anfang März 1919: PA, GFV, A 152.

[58] PA, GFV-Protokolle, 2. 4. 1919.

[59] PA, GFV-Protokolle, 27. 3. 1919. Warburgs Ausführungen lag der Gedanke zugrunde, daß Deutschland sich zunächst erholen müsse, bevor es Reparationen zahlen könne. Die Forderung, daß das deutsche Eigentum im Ausland unangetastet bleiben müsse, erhob er offensichtlich sowohl wegen des Außenhandels wie auch wegen der Erlangung von Auslandsanleihen. Er wies auch darauf hin, daß Deutschland abrüsten werde, aber wegen der finanziellen Belastung ein Söldnerheer ablehnen müsse.

in internationaler Zusammenarbeit – vornehmlich dachte man an die Vereinigten Staaten als finanzkräftigen Partner – als Ziel aufgestellt und damit die Forderung auf Autonomie des Baltikums, Turkestans und Georgiens verbunden. Bei den Friedensverhandlungen sollte zunächst die Festlegung des Interesses aller Großmächte am raschen wirtschaftlichen Wiederaufbau Rußlands erreicht werden. Angesichts der drohenden Absperrung von den überseeischen Märkten wurde die Unentbehrlichkeit des russischen und nachdrücklich auch die des südosteuropäischen Marktes für Deutschland betont. Durch Handelsbilanzüberschüsse in diesen Gebieten sollte ein guter Teil der für das Wiedererstarken Deutschlands und die Bezahlung von Reparationen und Auslandsschulden erforderlichen Mittel aufgebracht werden[60].

In dem reaktionsschnellen Umschalten von dem im Ersten Weltkrieg verfolgten Ziel, Absatzmärkte und Rohstoffquellen durch mittelbare oder unmittelbare Herrschaft zu sichern[61], zu dem Programm, mit Hilfe des weltweiten Abbaus von Handelsschranken den Zugang zu den Rohstoffen wie zu den Märkten zu öffnen – womit man der amerikanischen Politik der „Offenen Tür" sehr nahe kam – bewiesen die Unternehmer eine erstaunliche Elastizität, die in einem gewissen Grade auch Ausdruck des Opportunismus war. Vom Staat verlangten sie vor allem optimale wirtschaftspolitische Unterstützung. Blieben sie in ihrer Bewegungsfreiheit ungehindert, war ihnen die Frage, ob sie in einer Monarchie oder in einer Republik lebten, zweitrangig. Für sie änderte sich nach 1918 nicht viel. Die ihnen gemäße Wirtschafts- und Gesellschaftsstruktur blieb erhalten und so konnten auch sie sich leicht „auf den Boden der Tatsachen" stellen, während ihr politischer Einfluß in der Weimarer Republik sogar wuchs. Selbst das Nationale war, nachdem das Deutsche Reich seine Großmachtstellung verloren hatte, kein absoluter Wert mehr; die Unternehmer drängten nach internationalen wirtschaftlichen Zusammenschlüssen, die ihnen die nationale Macht ersetzen und die sie selbst beeinflussen konnten, und gerade die konservative und teilweise nationalistisch eingestellte Schwerindustrie war die erste, die enge Zusammenarbeit mit der Schwerindustrie des „Erbfeindes" Frankreich suchte und erreichte.

Waren die führenden Wirtschaftskreise schon auf Grund der Notlage Deutschlands und der Aufgaben, die sich daraus ergaben und die sie in erster Linie zu lösen hatten, zu gesteigerter Bedeutung gelangt, so trug dazu noch eine andere Tatsache bei. Sie waren diejenige Gruppe innerhalb der deutschen Führungsschicht, die, während die politische Führung und das Militär die völlige Niederlage erfuhren, noch sozusagen unbesiegt war und auf erstaunliche Leistungen im Weltkrieg zurückblicken konnte. Und sie äußerte sich auch dementsprechend. Einen ihrer herausragenden Vertreter besaß diese Gruppe in Max Warburg. Er war der Ansicht, daß die Politiker, die Militärs und die Bürokratie in eine Sackgasse geraten seien und es deshalb an der Zeit wäre, Praktikern die wirtschafts- und finanzpolitischen Entscheidungen anzuvertrauen. Und in diesen Kreisen bestand die feste Hoffnung, mit den entspre-

---

[60] PA, GFV-Protokolle, 24. und 25. 3. 1919.

[61] So auch der Staatssekretär des Reichsmarineamts, Tirpitz; siehe Zechlin, S. 383.

chenden Kreisen der Siegermächte bald in Detailverhandlungen eintreten zu können, die allein von wirtschaftlichen Zielsetzungen bestimmt wären[62], und aus den Friedensverhandlungen auf diesem Wege einen ersten Ansatz zu erneuter Zusammenarbeit zu machen. Man war, wie u.a. Warburg später eingestand, mit dieser Auffassung einer völligen Verkennung der politischen Lage und einer ungeheuren Illusion erlegen.

4. Die deutsche Diplomatie und die Vorbereitungen auf die Friedensverhandlungen

Eine ganz andere Ebene der Friedensvorbereitung blieb bisher unberücksichtigt, die Diplomatie. In Anbetracht der schwierigen Situation hätte es für Deutschland nahegelegen, die Möglichkeiten zu sondieren, mit den Kriegsgegnern in unmittelbaren Kontakt zu kommen und vielleicht sogar in einzelnen Punkten vorweg eine Verständigung zu erreichen. Diese Aufgabe war äußerst schwer, aber nicht unlösbar, sofern bei der Gegenseite ein gewisses Interesse daran erkennbar wurde. Da sich die Reichsregierung immer noch im Kriegszustand mit den Alliierten befand und deswegen jeder offizielle diplomatische Kontakt fehlte, boten sich bald bei den deutschen Vertretungen im neutralen Europa alle möglichen privaten Mittelspersonen an. Mit Recht ging man darauf nicht ein. Etwas anderes aber war es, wenn Brockdorff-Rantzau sich von vornherein darauf festlegte, mit keiner Macht vor den Friedensverhandlungen irgendwelche Abmachungen zu treffen. Er wollte damit jeden Verdacht, daß Deutschland unter den Siegermächten Uneinigkeit zu stiften beabsichtige, ausschalten.

Das war zweifellos zunächst seine Absicht, gab jedoch über den eigentlichen Grund für seine Haltung keine Auskunft. In einem Exposé vom 21. Januar 1919 stellte Brockdorff-Rantzau fest, er glaube nicht, „daß die Koalition unserer Gegner jetzt gesprengt werden kann. Es liegen vielmehr Anzeichen dafür vor, daß unsere Feinde, insbesondere Frankreich, England und Amerika, nach dem Kriege den wirtschaftlichen Kampf gegen uns fortzusetzen beabsichtigen. [...] Es kann keinem Zweifel unterliegen, daß Amerika nach diesem unheilvollen Kriege diejenige Macht ist, die am meisten gewonnen hat, und daß es in der Welt die führende Rolle spielen wird. [...] Wir müssen daher suchen, unsere Politik so einzurichten, daß wir Amerika in seinem eigenen Interesse allmählich auf unsere Seite führen. Amerika hat unbedingt ein Interesse daran, sowohl wegen seines Verhältnisses zu England wie mit Rücksicht auf Rußland, Deutschland nicht vernichtet zu sehen [...].“ Deshalb sei er der Ansicht, „daß wir alles daran setzen müssen, wirtschaftlich und politisch möglichst schnell zu erstarken, um Amerika zu überzeugen, daß wir leistungsfähig sind“. Ein neuerstandenes Deutsches Reich als Partner der Vereinig-

---

[62] Siehe die Sitzung vom 30. 1. 1919 (oben S. 81) und die Kabinettssitzung vom 13. 1. 1919 (Quellen, 6/II, S. 213–14).

ten Staaten in Europa – die von Bernstorff festgelegte Politik blieb also weiterhin maßgebend, wenn auch die Einseitigkeit Solfs, der sich nur nach Wilson ausrichten wollte, unter Brockdorff-Rantzau nicht fortgesetzt wurde[63].

Die Vereinigten Staaten als führende Weltmacht – das Friedensprogramm Wilsons als das einzige, das einen Rechtsfrieden in Aussicht stellte: beides zusammen bestimmte die Leitlinie der deutschen Außenpolitik, und darin liegt die Ursache für die strikte Zurückhaltung Brockdorff-Rantzaus gegenüber Verhandlungen mit einzelnen Mächten. Bei dieser Voraussetzung war das Risiko des Verdachts, die Alliierten spalten, also aus rein taktischen Erwägungen heraus vorgehen zu wollen, viel zu groß. Der deutsche Rechtsstandpunkt sollte glaubhaft und eindringlich zutage treten, ohne von taktischen Manövern verdunkelt zu werden. Die Amerikaner sollten auch einen ehrlichen Partner für ihre Friedenspolitik erhalten und durften durch Separatverhandlungen nicht verärgert werden, ebensowenig wie Frankreich und England Anlaß zur Klage über deutsche diplomatische Doppelzüngigkeit erhalten sollten. Darüber hinaus wirkte sich offensichtlich der Gedanke nachhaltig aus, daß Deutschland nur einen Frieden nach seinen Vorstellungen unterzeichnen sollte und Anknüpfungen mit einzelnen Mächten demgegenüber Kompromisse und infolgedessen weitergehende, als untragbar empfundene Zugeständnisse unvermeidlich machen würden. Damit war der Zustand der Unbeweglichkeit, der mit der starren Ausrichtung auf das Wilson-Programm und auf das, was man als Deutschlands Rechtsansprüche definierte, in den grundsätzlichen Fragen schon bestand, auch auf dem Gebiet der Diplomatie erreicht. Alles war auf die Begegnung, ja Konfrontation mit den Alliierten bei der Friedenskonferenz abgestellt; dort sollten alle Entscheidungen in einer umfassenden Auseinandersetzung fallen, dort auch die Front der Gegner zerbrechen, und zwar sofern sie nicht bereit waren, einen Frieden im Rahmen der deutschen Vorstellungen zu schließen. Dann sollte die Weigerung Deutschlands, einen „Gewaltfrieden“ zu unterzeichnen, oder der Verlauf mündlicher Verhandlungen die Spannungen unter den Alliierten offenbar werden lassen. Diese Haltung wurde auch vom Kabinett gebilligt, als Scheidemann im März 1919 erklärte, der Völkerbund werde die Richtlinie der deutschen Außenpolitik sein, welche keine Orientierung gegen irgendeine Macht habe und sich nicht dem Verdacht aussetzen dürfe, die Spaltung der Alliierten hervorrufen zu wollen. Es solle mit einem Frieden ohne Hinterhältigkeit und „Mentalreservatio“ ein neuer Anfang gemacht werden. Der Entwurf dieser Erklärung entsprach der Diktion nach ganz den Gedankengängen Brockdorff-Rantzaus[64]. Deutschland aber konnte gar nicht der Partner der Vereinigten Staaten sein, sie hatten sich mit ihren Verbündeten auseinanderzusetzen. Wilson steckte innen- und außenpolitisch in den größten Schwierigkeiten, und in den Vereinigten Staaten gewann allmählich jene Richtung an Boden, die sich von der Verwicklung in die politischen Probleme Europas fern-

---

[63] Quellen, 6/II, 298–99. – Schwabe, S. 246–48.

[64] Presseerklärung Scheidemanns vom 22. 3. 1919; Akten der Reichskanzlei, S. 92–95.

hielt und zur Politik des nationalen Egoismus überwechselte[65]. Deutschland war das – vielleicht zu große – Objekt der Versailler Verhandlungen und nicht dazu ausersehen, die von Brockdorff-Rantzau so heiß ersehnte Position des selbständigen Verhandlungspartners einzunehmen oder gar in eine engere Beziehung zu Amerika zu treten.

Brockdorff-Rantzau war sich ebenso wie Bernstorff, Ministerialdirektor Simons, der Leiter der Rechtsabteilung im Auswärtigen Amt und spätere Außenminister, und andere darüber im klaren, daß ein ultimativer Diktatfrieden zu erwarten sei[66]. Er meinte, vielleicht werde es nicht einmal Verhandlungen geben, und fuhr in irritierender Unlogik fort, daß nur ein Frieden gemäß dem Wilson-Programm in Frage käme und die Alliierten von Deutschlands Recht überzeugt werden müßten[67]. Wie konnte das ohne Verhandlungen geschehen? Wie sollte das möglich sein, wenn zugleich Kontakte und Abmachungen vor Beginn der Verhandlungen abgelehnt wurden? Brockdorff-Rantzau hatte anscheinend nur die eine Hoffnung, durch die konsequente Weigerung, unerfüllbare Bedingungen anzunehmen, und die gleichzeitige Vorlage von überzeugenden Gegenentwürfen die Verhandlungen zu erzwingen.

Gerade mit Rücksicht auf diese Haltung ist es die Frage wert, ob überhaupt eine Kontaktaufnahme und Verständigung über finanzielle oder wirtschaftliche Einzelfragen mit einer der Siegermächte möglich war. Im Falle Frankreichs, des Hauptgegners, war die Herstellung von Kontakten gewiß am schwierigsten. Das Auswärtige Amt schenkte der französischen Haltung besondere Aufmerksamkeit, so vor allem der Nachricht, daß Frankreich unsicher sei, weil es sein Kriegsziel, Elsaß-Lothringen, nur durch seine Hegemonie in Europa halten könne und zum Völkerbund als Garanten wenig Zutrauen habe. Man hörte im Auswärtigen Amt von der Besorgnis über einen deutschen Revanchekrieg. Bei anderer Gelegenheit wurde darauf hingewiesen, daß der französische Argwohn dem Pangermanismus gelte. In jedem Falle sah man als Resultat eine Verhärtung der französischen Position und eine Verschärfung der Friedensbedingungen voraus. Ganz deutlich wurde dies für den wirtschaftlichen Bereich nach Mitteilungen des österreichischen Ministerialdirektors Schüller von Anfang März 1919 über seine Eindrücke aus Paris, wo er über Lebensmittelfragen verhandelt hatte. Er bestätigte frühere Nachrichten: Frankreich wolle mit Hilfe der Blockade seine sämtlichen Bedingungen durchsetzen, Deutschland „bis zum letzten Groschen und zur letzten Maschine" ausplündern und seine Wirtschaft nicht eher wieder aufleben lassen, bis Frankreich selbst entschädigt sei und einen wirtschaftlichen Vorsprung habe. Die Entschädigung müßte notfalls von den anderen Mächten, insbesondere den Vereinigten Staaten und England, die gegen exorbitante französische Forderungen aufgetreten seien, mit getra-

---

[65] Angermann, 1. Kapitel. Besonders zu beachten ist die aus der Überproduktion des Krieges sich entwickelnde Nachkriegsrezession und die Verringerung der Absatzmöglichkeiten.

[66] PA, GFV-Protokolle, 30. 1. 1919. Telegramm des Gesandten Freiherr Lucius von Stoedten (Stockholm) vom 22. 2. 1919; PA, WK 30, Bd. 25 (4080/D 922 932).

[67] Aufzeichnung Brockdorff-Rantzaus vom 14. 1. 1919; PA, Nachlaß Brockdorff-Rantzau, Az. 17 (9105/H 234 829–34).

gen werden. Als weiteres Beispiel der feindseligen französischen Politik mußte schließlich das Memorandum eines französischen Diplomaten gelten, der die politische Isolierung Deutschlands durch den Völkerbund als gesichert ansah, sie aber wirtschaftlich ergänzen wollte durch Unterbindung des deutschen Drangs nach Osten. Deutschland verfüge, so hieß es, im Innern über genügend Werte zur Zahlung der Reparationen und brauche keine Märkte; es müsse von vornherein von jedem Wettbewerb ausgeschlossen werden[68]. Auf der anderen Seite sah das Auswärtige Amt in Frankreich seinen Hauptgegner. Der Gesandte Romberg war der Ansicht, „in der jetzigen Situation sei es für uns leichter und richtiger, uns mit England als mit Frankreich zu verständigen. [...] Außerdem sei Frankreich durch seine Rachsucht, seine aufgeregte, habgierige Politik auf dem besten Wege, sich seinen Bundesgenossen unbequem zu machen und bei ihnen in Mißkredit zu kommen; wir hätten jetzt kein Interesse mehr an einer Mäßigung Frankreichs, im Gegenteil, je toller es sich gebärde, um so besser[69]". Unter den führenden deutschen Politikern trat nur Cohen unbeirrbar und mit Energie für eine Politik des Ausgleichs und der Verständigung mit Frankreich ein[70].

Die Nachrichten über Frankreichs Haltung ließen keinerlei Anknüpfungspunkte erkennen. Jedoch wurden sie von den Franzosen selbst geliefert. Im März und April 1919 führte Professor Haguenin in vertraulicher Mission im Auftrag des französischen Außenministeriums – ebenso wie später in Versailles Professor Massigli – Gespräche mit Vertretern des Auswärtigen Amts[71]. Haguenin bestätigte, daß es einen Diktatfrieden geben werde. Er bot an, deutsche Vorschläge zur Regelung der Finanz- und Wirtschaftsprobleme vor Beginn der Friedensverhandlungen an die französische Regierung weiterzuleiten, und stellte die Frage, ob Deutschland bereit wäre, mit Frankreich eine gemeinsame europäische Wirtschaftspolitik zu führen und auf die angestrebte wirtschaftliche Allianz mit den Vereinigten Staaten zu verzichten, falls Frankreich eine Annäherung zum Zwecke gegenseitigen Wiederaufbaus anbiete[72].

---

[68] Telegramm Müllers (Bern) vom 14. und Brief Erzbergers vom 23. 2. 1919; PA, WK 30, Bd. 25 (4080/D 922 941–44 und D 922 972–82). Bericht Graf Wedels (Wien) vom 6. 3. 1919; PA, WK 30, Bd. 28 (4080/D 923 558–61). Berichte Müllers vom 7. und 11. 3. 1919; PA, WK 30, Bd. 30 (4080/D 923 897–920). – Graf Bassewitz (Madrid) telegraphierte am 13. 4. 1919, daß Frankreich sofort eine große Reparationssumme wünsche, da die „Kasse leer" sei. Eine feste Zahlung aber werde erst später von einer Kommission festgelegt. Wedel berichtete am 12. 4. 1919, daß die Lage für Frankreich und England schwierig sei, da ihr Versprechen, Deutschland bezahle den Krieg, nicht eingelöst werden könne. Darauf gründe sich wohl ihr Gedanke, innerhalb von zwei Jahren einen Modus für die Zahlungen zu finden. PA, WK 30, Bd. 37 (4097/D 925 597–99).

[69] Kessler, S. 124.

[70] Zentralrat, S. 754ff. (Sitzung 4. 3. 1919).

[71] Den Hinweis auf den Hintergrund der Gespräche verdanke ich Professor Maurice Baumont.

[72] Aufzeichnungen des Gesandten Graf Oberndorff vom 21. 3. 1919 und des Legationssekretärs Grunelius vom 26. 3. 1919; PA, WK 30 geheim (4099/D 931 055–58 und D 931 079–80). – Der im Auftrag Brockdorff-Rantzaus arbeitende Journalist Max Cahén berich-

Das Auswärtige Amt verhielt sich ablehnend; man sah in dem Angebot allein den Versuch, eine deutsch-amerikanische Annäherung zu verhindern, und auch der Hinweis Haguenins, daß der Frieden hart ausfallen würde, erreichte nicht sein Ziel, die Deutschen zu größerem Entgegenkommen zu bewegen. Das mangelnde Verständnis für den Zusammenhang der schweren wirtschaftlichen Probleme Frankreichs und Deutschlands, die auf beiden Seiten absoluten Vorrang hatten und deshalb nach Haguenins Vorschlag in erster Linie Gegenstand gewisser gemeinsamer Regelungen werden sollten, kam in folgender Antwort des Gesandten Graf Oberndorff zum Ausdruck: „Ich sagte ihm, daß mir der Gedanke einer deutsch-französischen Annäherung sympathisch sei und daß ich es als eine Forderung der Vernunft ansehe, daß die Beziehungen der beiden Nachbarvölker auf gemeinsame Interessen anstelle des jetzt alles beherrschenden Hasses aufbauten. Ein solches Interesse, das Deutsche und Franzosen einigen könnte, bilde gegenwärtig vor allem die bolschewistische Gefahr. Alle Anregungen, um die Annäherung zu fördern, müßten aber von Frankreich ausgehen. Bei der Art, wie Frankreich uns ‚als Besiegten' entgegengetreten sei, seien wir nicht in der Lage, Vorschläge zu machen[73]." Das ist Antidiplomatie und der Verzicht auf Außenpolitik zugunsten eines nationalen Ehrenstandpunkts.
Gewiß waren die taktischen Einwände der Deutschen gegen die in ihrer Bedeutung schwer abzuschätzenden, allgemein gehaltenen französischen Vorschläge, die auch der Sicherung des französischen Übergewichts dienen sollten, beachtenswert, doch hätte es zum mindesten nichts geschadet, wenn der von Haguenin eröffnete Weg dazu benutzt worden wäre, einige der vernünftigen Gedanken über die Entschädigungsfragen und die wirtschaftlichen Notwendigkeiten nach dem Krieg, die während der deutschen Vorbereitungen auf die Friedensverhandlungen entwickelt wurden, den Franzosen von maßgebender Stelle aus vertraulich zur Kenntnis zu bringen. Praktische Lösungsvorschläge für einzelne Reparationsprobleme, z.B. für den Wiederaufbau, waren hierfür ebenfalls sehr geeignet. Dem stand aber auch die deutsche Einstellung entgegen, daß zunächst die Rechtmäßigkeit der gegnerischen Ansprüche überhaupt geprüft werden müsse. Es fehlte eine wirklich politische, d.h. das Interesse der anderen Seite an den deutschen Vorstellungen weckende Haltung bezüglich der Reparationsverpflichtung, weil dauernd die Befürchtung im Vordergrund stand, daß die Basis der Lansing-Note verloren gehen könnte.
Um Haguenin wenigstens etwas Material zu bieten, sollten private Unternehmer in die Bresche springen. Auf Grund einer Beratung im Reichsfinanzministerium, an der auch Toepffer teilnahm, übergab der Direktor der Deutschen Bank Heinemann am 26. März 1919 Haguenin eine Denkschrift. Sie enthielt den Hinweis, daß künftig eine bedeutende Steuerlast deutsche Reparationsleistungen ermöglichen solle. Außerdem aber setzte man eingehend auseinander, warum Deutschland zunächst keine Reparationen leisten könne, und zog den Schluß: „Das Interesse der Entente-

---

tete auch von einer Begegnung zwischen Haguenin und Brockdorff-Rantzau, die einen katastrophalen Verlauf genommen haben soll; Cahén, S. 274, 296–97. Siehe auch Kessler, S. 158–59, 162–63.

[73] Aufzeichnung vom 27. 3. 1919; PA, WK 30 geheim (4099/D 931 077–78).

Regierungen liegt vielmehr in der entgegengesetzten Richtung, denn nur von einem Deutschland, das wieder arbeitsfähig und produktiv wird, können sie überhaupt irgendwelche Leistungen erwarten[74]."

Auch das war nur eine Erläuterung der deutschen Situation, es wurde kein Programm vorgelegt, das die französische Regierung beeindrucken konnte. Ein Nachspiel hatte dieser Kontakt allerdings noch kurz vor der Abreise der Delegation nach Versailles, als Haguenin das Auswärtige Amt beschwor, den zu erwartenden harten Entwurf zum Friedensvertrag nicht in scharfer Form zu beantworten, sondern alles still über sich ergehen zu lassen „in sicherer Voraussicht, daß binnen weniger Jahre sich die politische Konstellation so verändert haben würde, daß an die Revision der Verträge geschritten werden könne". Es sei selbstverständlich, daß das deutsche Volk „auf die Dauer die ihm zugemuteten Lasten nicht werde tragen können". Bei aller taktischen Bedingtheit dieser Demarche und trotz der deutlichen Absicht, die Deutschen zu einer Unterzeichnung ohne Widerstand zu bewegen – auch der Hinweis auf den drohenden Vormarsch französischer Truppen in das Innere des Reiches fehlte nicht –, sind die Äußerungen doch bemerkenswert. Haguenin betonte mehrmals, französische Finanzkreise und das Außenministerium stimmten seinen Ansichten zu. Als Antwort wurde ihm bloß mitgeteilt, Deutschland könne und wolle nur unterzeichnen, was es zu halten in der Lage sei[75].

Graf Kessler notierte unter dem Datum des 25. April 1919 in seinem Tagebuch: „Ich hatte eine lange vertrauliche Besprechung mit Haguenin. Er klagte, daß das Auswärtige Amt ihn ‚nicht richtig benutze', das heißt vernachlässige. Seine Verbindungen in Paris, namentlich mit Poincaré und Clemenceau, hätten ihm erlaubt, uns manchen Dienst zu erweisen, wenn wir uns nur seiner bedient hätten, [...] er hätte Brockdorff-Rantzau eine ganze Anzahl vertraulicher Dinge zu sagen gehabt, aber Rantzau habe ihn seit seiner Rückkehr aus Paris noch nicht empfangen. Auch würde er gern einigen besonders geeigneten Mitgliedern unserer Friedensdelegation Empfehlungen mitgeben, damit sie in Paris private Verbindungen anknüpfen könnten. Aber dazu müsse er doch wissen, wer hinfahre. Bisher habe man es ihm nicht mitgeteilt. Eine finanzielle Annäherung oder Zusammenarbeit Deutschlands und Frankreichs sei durchaus erwünscht. Allerdings stoße sie noch auf große Schwierigkeiten; das Mißtrauen gegen Deutschland und insbesondere gegen deutsche Geschäftsleute sei in der französischen Geschäftswelt sehr groß. Man fürchte sich, von den Deutschen übers Ohr gehauen zu werden. Mißtrauen und Angst vor Deutschlands Stärke sei überhaupt das Kennzeichen der öffentlichen Meinung in Frankreich[76]." Im Mai 1919 äußerte sich Haguenin rückblickend in ähnlicher Weise. Seine Berichte seien an höchster Stelle ohne Beanstandung gelesen worden. Leider habe man ihn in Berlin jedoch nicht unterstützt und von seinem Angebot, Vermittlungsvorschläge als seine persönliche Ansicht weiterzuleiten, keinen Gebrauch ge-

[74] PA, Handakten Toepffer 15 (4628/E 206 352–57).

[75] Aufzeichnung Grunelius' vom 21. 4. 1919; PA, WK 30 geheim (4099/D 931 155–58). Vgl. den Brief von Simons vom 12. 6. 1919 an seine Frau; Luckau, S. 132.

[76] Kessler, S. 179–80.

macht. Er betonte erneut, daß Deutschland und Frankreich wirtschaftlich aufeinander angewiesen seien; er wolle sich künftig um private Wirtschaftsvereinbarungen bemühen[77]. Das war der eigentliche Punkt des gegenseitigen Interesses; hier begannen schon die französischen und deutschen Bemühungen um industrielle Absprachen und Zusammenarbeit – ein hartes Ringen, das in der Weimarer Republik noch eine besondere Bedeutung erhalten sollte.

Nach speziellen Kontakten zu Frankreich, die sehr verschieden von denen der Diplomaten waren, suchten auch die deutschen Industriellen, und zwar ein engeres Zusammengehen im Austausch von deutscher Kohle gegen lothringisches Erz. Ein erster Versuch, darüber eine Vereinbarung zu erzielen, wurde schon am 25. Dezember 1918 mit dem im Rahmen der Ausführung des Waffenstillstandsvertrages abgeschlossenen Luxemburger Abkommen gemacht. Er scheiterte. Auf Grund von Protesten des Verbandes deutscher Eisen- und Stahlindustrieller, daß die Franzosen ihre Verpflichtungen nicht erfüllten, keine Erze lieferten und die ausbedungene Verkehrsfreiheit zwischen rechts- und linksrheinischem Gebiet nicht zuließen, wurde das Abkommen durch eine Note der Reichsregierung vom 24. April 1919 zum 1. Mai gekündigt. Man verhandelte erneut im Rahmen der Friedensverhandlungen in Paris[78]. Bei den Erörterungen auf deutscher Seite über den Austausch von Kohle und Erz wurde als Reparationsleistung auch die Mithilfe beim Wiederaufbau der nordfranzösischen Kohlengruben besprochen. Mehrere Sitzungen in der Geschäftsstelle für die Friedensverhandlungen hatten zum Ergebnis, daß Kohle in jedem Falle nur gegen Versorgung mit französischem Erz geliefert werden sollte. Frankreich sei auf Deutschlands Kohlenlieferungen angewiesen, diesen Vorteil müsse man taktisch ausnutzen und eine abwartende Haltung einnehmen[79]. Solchen Gedankengängen schloß sich auch das Kabinett am 14. April 1919 an, als die Entscheidung gefällt wurde, daß Frankreich, anstatt sich im Saargebiet schadlos zu halten, deutsche Kohlenlieferungen zum Ausgleich für die verminderte Förderung der vom Krieg betroffenen Gruben erhalten sollte[80]. Aber selbst diese Regelung war mit der Forderung nach einer Gegenleistung verbunden, die vor allem in der Lieferung von Minette-Erzen bestehen sollte. Also auch hier war von einem großzügigen Angebot, das eine Verständigung über einen Teilbereich der Reparationen hätte anbahnen können, keine Rede, wenn auch die französischen Erze bezahlt werden mußten, während die deutsche Kohle als Reparation geliefert, die Bergwerke also von der Reichsregierung entschädigt werden sollten.

Auch Kontakte mit England entwickelten sich im März 1919. Der deutsche Ge-

---

77 Am 22. 5. 1919; PA, Nachlaß Brockdorff-Rantzau, Az. 19 (9105/H 235 312–15).

78 Waffenstillstand, Bd. II, S. 233–61, Bd. III, S. 385. Siehe auch BA, R 13 I/155 (Sitzung vom 1. 3. 1919).

79 Dabei wurde deutlich, daß schon gewisse Kontakte zu den Alliierten bestanden und ausgedehnt werden sollten. PA, GFV-Protokolle, 21. 2. 1919, vgl. BA, Nachlaß Le Suire 64. Außerdem PA, GFV-Protokolle, 4. und 21. 3. 1919, und Zentralrat, S. 755 (Cohen in der Sitzung vom 4. 3. 1919).

80 Akten der Reichskanzlei, S. 158–62.

sandte in Bern, Adolf Müller, berichtete am 12. März 1919 über eine Unterredung mit Gibson[81], der von einer Reise nach Paris und London zurückgekehrt war. Gibson habe erklärt, daß die führenden Politiker in England nicht auf Deutschlands Vernichtung, sondern ebenso wie die Vereinigten Staaten auf seine wirtschaftliche Gesundung ausgingen. Die Engländer könnten aber Frankreich nicht im Stich lassen, es müsse völlig wiederhergestellt werden, damit es unter gleichen Bedingungen wie Deutschland in den wirtschaftlichen Wettbewerb eintrete. Zur Feststellung der deutschen Leistungsfähigkeit werde eine englische Sachverständigen-Kommission nach Deutschland reisen[82]. Diese Äußerungen entsprachen ziemlich genau der Haltung, die England in jenen Wochen einnahm. Die britische Regierung war nun doch über die exorbitanten französischen Reparationsforderungen beunruhigt. Ein englischer Agent berichtete, England sehe in Deutschland ein Gegengewicht gegen Frankreich; die deutsche Politik solle sich mehr nach London als nach Washington orientieren. Eine andere Nachricht bestätigte, daß man den französischen Ansprüchen entgegengetreten sei, zuletzt unter Hinweis auf die Verhältnisse in Ungarn. In englischen Kreisen sei man auch besorgt wegen einer möglichen Verbindung Deutschlands mit Rußland[83]. Sichtbarer Ausdruck der englischen Befürchtung, daß Europa in unhaltbare Zustände geraten könne, wenn der Bolschewismus vordringe und wenn von Deutschland zu viel verlangt würde, ist das als eine Art Notbremse gedachte Fontainebleau-Memorandum Lloyd Georges vom 25. März 1919[84], worin unter anderem gesagt wird, die Reparationsforderungen überschritten die deutsche Zahlungsfähigkeit, man müsse mit allmählich steigenden Annuitäten beginnen und bei einem notwendigen Zahlungsaufschub auf Verzinsung verzichten.

---

[81] Thornely Gibson, der Assistent des britischen Militärattachés in Bern.

[82] PA, WK 30, Bd. 29 (4080/D 923 754–55). Schon am 17. 2. 1919 hatte Müller angeregt, das noch bestehende englische Mißtrauen gegen Deutschland durch Einladung einer Beobachter-Kommission zu beseitigen; PA, Handakten Toepffer, Schweiz.

[83] Bericht Maltzans (Den Haag) vom 24. 3. 1919; PA, Abt. I A, England 78. Telegramm Rosens vom 26. 3. 1919; PA, WK 30, Bd. 33 (4091/D 924 602–03). Brief Erzbergers vom 30. 3. 1919, PA, WK 30, Bd. 36 (4097/D 925 435–39). – Neurath berichtete am 25. 2. 1919 aus Kopenhagen, daß die Aufnahme des Waffenstillstands und seiner Verlängerungen durch Deutschland die Stimmung in England verbessert habe und nun von mehreren Seiten auf wirtschaftlich mildere Bedingungen hingewiesen werde; PA, WK 30, Bd. 26 (4080/D 923 192). – Schon Anfang Februar 1919 soll der englische Nachrichtendienst seinen Agenten eine Liste von Fragen betr. Deutschland vorgelegt und ihre Beantwortung hoch dotiert haben, darunter: wie hoch sich das deutsche Volk die Reparationen denke, ob die Regierung Ruhe und Ordnung wahren könne, wie lange die Kornvorräte reichten und ob Sonderverhandlungen mit den Vereinigten Staaten bestünden; preußisches Kriegsministerium an Auswärtiges Amt vom 27. 3. 1919; PA, WK 30, Bd. 33 (4091/D 924 717–18). – General Haking von der englischen Waffenstillstandskommission in Spa erklärte dem Vertreter des Auswärtigen Amts, England wolle Deutschland gegen Frankreich stützen und sich mit ihm arrangieren; PA, Abt. I A, England 78 (Telegramm Lersners vom 28. 3. 1919).

[84] Archiv der Friedensverträge, Bd. 1, S. 68–85 (deutscher und englischer Text). Siehe dazu Mayer, S. 623–32.

Im Auftrage Lloyd Georges trafen Wise[85] und Gibson am 28. März 1919 in Berlin mit dem Unterstaatssekretär im Auswärtigen Amt, Freiherr Langwerth von Simmern, am 30. März mit Brockdorff-Rantzau und am 31. März mit Bernstorff zusammen[86]. Sie sollten sich über die wirtschaftliche und finanzielle Lage in Deutschland unterrichten und erklärten, England wünsche im Interesse beider Länder Deutschlands Wiederaufrichtung und Prosperität. Wise wollte ferner untersuchen, ob Sicherheiten für eine englisch-amerikanische Anleihe vorhanden seien. Das war eine überraschend aussichtsreiche Wendung, vor allem, da es sich auch noch um Markanleihen handeln sollte, genau das, was die deutschen Bankiers sich wünschten. Die beiden Abgesandten erboten sich, alles zu tun, damit sich wieder freundschaftliche Beziehungen zwischen Deutschland und England entwickelten. Brockdorff-Rantzau notierte über das Gespräch u.a.: „Ich bemerkte, in diesem Zusammenhange, ganz vertraulich wolle ich ihm [Wise] sagen, daß ich, wenn ich wirklich aufrichtiges Entgegenkommen und politisches Verstehen für die Gemeinsamkeit deutscher und englischer Interessen finde, jederzeit bereit sei, im Interesse meines Landes dafür zu arbeiten, und daß ich die Politik meines Amtsvorgängers [Solf], sich ausschließlich auf Amerika zu stützen, nicht unbedingt gutheißen könne[87]." Diese Bemerkung habe „sichtlich den größten Eindruck" gemacht. Bald werde vielleicht von seiten Englands und der Vereinigten Staaten Entgegenkommen gezeigt werden. „Jedenfalls wird es unsere Aufgabe sein, in vorsichtiger Ausnutzung

85 Der englische Finanzexperte Fredric Wise – er arbeitete damals vor allem für das Schatzamt und das Ernährungsministerium – reiste im Auftrag der englischen Regierung am 16. 3. 1919 nach Deutschland mit Zwischenstationen auf der Friedenskonferenz und in Bern. Er war zunächst einige Tage in München. Seine Frau brachte sein Tagebuch in einem Privatdruck heraus. Professor Fritz T. Epstein danke ich sehr dafür, daß er mich darauf aufmerksam machte und es mir zur Verfügung stellte. – Wise beschäftigte sich mit den deutschen Exportmöglichkeiten, der Aufhebung der Blockade und Finanzierungsfragen einschließlich einer Befreiung Deutschlands von Zinszahlungen in den ersten Jahren nach dem Krieg. Er war stolz darauf, der erste alliierte Finanzmann zu sein, der seit dem Krieg nach Deutschland kam.

86 Aufzeichnung Langwerths, PA, WK 30 geheim (4099 D 931 081–83). Wise erklärte ihm, er wolle auch Max Warburg sprechen, der in England einen guten Namen habe. Warburg war aber bereits nach La Villette aufgebrochen. – Aufzeichnung Brockdorff-Rantzaus; PA, Nl. Brockdorff-Rantzau, Az. 17 (9105/H 234 929–32). – Bernstorff berichtete, daß Wise ihm erklärt habe: „Wir wissen ganz genau, daß Sie in den nächsten zwei Jahren überhaupt nichts zahlen können." Bernstorff habe das bestätigt, und Wise habe hinzugefügt: „Ja, das wäre vollkommen klar, die einsichtigen Leute drüben wüßten, daß sie zunächst Geld geben müßten, um das Land wiederaufzubauen, und dann müßten wir versuchen, diese Anleihe zu amortisieren." Besprechung mit den Bundesratsbevollmächtigten über den Stand der Vorbereitungen für die Friedensverhandlungen vom 1. 4. 1919; PA, WK 30, Bd. 42 (4097/D 927 804–16).

87 Wise gibt diesen Teil der Unterhaltung in seinem Tagebuch sehr ähnlich wieder: „He stated that he did not carry on the same policy as Solf, his predecessor, who was all for the Americans. ‚Tell Mr. Lloyd George I am not supporting America'. He thanked me for coming, on behalf of his Government, and said that, at the Peace Conference, he was not going to ask for anything but he trusted and hoped the British would look on the human side of anything that might be signed." (S. 35).

der englisch-amerikanischen Rivalität das politisch und wirtschaftlich Erreichbare durchzusetzen."

Über die finanziellen Probleme Deutschlands unterhielt sich Wise vor allem mit Reichsfinanzminister Schiffer, der ihm detailliert die deutschen Anleihewünsche auseinandersetzte. Die Auslandsanleihe werde gebraucht zum Ankauf von Rohstoffen und Lebensmitteln, zur Fundierung der Zahlungsverpflichtungen gegenüber den Neutralen und zur Bevorschussung der Zinsen für die ersten fünf Jahre der Laufzeit. Aus dem Bericht von Wise geht hervor, daß es Schiffer sehr geschickt verstand, dem Engländer die Empfehlung zu entlocken, daß der Zinsen- und Tilgungsdienst Vorrang vor allen übrigen Anleiheverpflichtungen des Reiches haben mußte. Dazu und zur Verpfändung von Reichseigentum war Schiffer selbstverständlich bereit; beides konnte als Präjudiz gegen den Vorrang und den Zugriff der Reparationsgläubiger verwendet werden[88]. Schließlich wurde Wise noch eine Aufzeichnung des leitenden Direktors der Deutschen Bank, Arthur von Gwinner, überreicht, der die schwierigen wirtschaftlichen Verhältnisse kurz erläuterte und eine internationale, von den Großmächten einschließlich Deutschlands garantierte Anleihe über ca. 1 Mrd. Pfund vorschlug, die Deutschland zur Verfügung gestellt werden sollte und innerhalb von 60 Jahren zu tilgen und mit 3½% zu verzinsen wäre. Sonst könne die wirtschaftliche Lage nicht verbessert, die deutsche Währung nicht stabilisiert und später keine Wiedergutmachung geleistet werden; außerdem fehle dann ein sehr wirksames Bindeglied des allgemeinen Friedens[89]. In seinem Abschlußbericht übernahm Wise diesen Plan als seinen eigenen. Er war beeindruckt von den wirtschaftlichen und finanziellen Erfordernissen in Deutschland, von der verhängnisvoll anwachsenden Inflation und der Gefahr des Bolschewismus im Falle des Scheiterns der Regierung Scheidemann. Deshalb forderte er, unverzüglich die Blockade zu beenden, Deutschland eine Auslandsanleihe zu eröffnen, genügend Rohstoffe und Lebensmittel zu liefern, sofort Frieden zu schließen und Ebert und Scheidemann zu stützen.

Obwohl Brockdorff-Rantzau seiner Maxime, keine Sonderverbindungen einzugehen, untreu zu werden schien, blieb doch entscheidend, daß er nicht mit einem beachtlichen Angebot auftrat, sondern nur bereit war, im Falle eines aufrichtigen englischen Entgegenkommens die Politik einer Interessengemeinschaft zwischen beiden Ländern zu fördern. Es ist auf der anderen Seite bemerkenswert, daß Wise in seinem Abschlußbericht die Unterredung mit Schiffer ausführlich wiedergab, über das Gespräch mit Brockdorff-Rantzau jedoch nichts mitteilte. Zwei Wochen später erklärte Brockdorff-Rantzau bei einer anderen Gelegenheit ausdrücklich, mit Rück-

---

[88] Offizieller Bericht von Wise: „Financial and economic situation in Germany" vom 4. 4. 1919; dort nicht enthalten: eine Handels- und Zahlungsbilanz Deutschlands und die Wiedergabe einer eingehenden Unterredung mit Schiffer. Beide Teile des Berichts in: British Library of Political and Economic Science, London School of Economics, A 4 (Box A 1–5). Meinem Kollegen John P. Fox (London) danke ich sehr dafür, daß er mir dieses Material verschaffte.

[89] Vom 2. 4. 1919; PA, Handakten Toepffer 15, Deutschland.

sicht auf die Vereinigten Staaten und die schwierige Position Wilsons müsse jeder Anschein von Sonderabmachungen mit England vermieden werden[90]. Da auch Lloyd George sich weder exponieren konnte noch wollte, sondern zunächst nur Informationen wünschte, um sie gelegentlich zu verwerten, kamen folgenreiche Verhandlungen nicht zustande.

Das englische Interesse blieb aber wach. Eine deutsche Finanzdelegation unter Melchior, die zu Verhandlungen über Finanz- und Wirtschaftsfragen, welche sich aus den Waffenstillstands- und den Lebensmittelvereinbarungen ergeben hatten, aufgefordert worden war und am 1. April 1919 im Schloß La Villette bei Compiègne eintraf, sollte auch Besprechungen über alle wichtigen finanziellen Themen führen. Hierbei war die Möglichkeit gegeben, einige Probleme vor den Friedensverhandlungen zu erörtern und vielleicht praktische Lösungen zu finden. Melchior schien dazu durchaus bereit zu sein, allein die Reichsregierung lehnte jede bindende Übereinkunft ab, die den Friedensregelungen in irgendeiner Form vorgreifen konnte, und berief sich dabei auf schlechte Erfahrungen bei den Waffenstillstandsverhandlungen[91]. Auf einer der Sitzungen der deutschen mit der alliierten Finanzkommission in La Villette ereignete sich folgendes: „Am Schlusse der Sitzung hat der englische Vorsitzende, Mr. Keynes, offenbar in der Empfindung, daß eigentlich bis jetzt wenig Positives erreicht worden sei, uns versichert, daß sie den größten Wunsch hätten, der Volkswirtschaft Deutschlands wieder aufzuhelfen und namentlich unseren Export zu erleichtern.“ Die Deutschen gingen zu direkt vor und wollten „diese wichtige Erklärung in einem festgelegten Wortlaut“ erhalten, was natürlich vergebens war[92].

Lloyd George aber setzte sich weiterhin für maßvolle Friedensbedingungen ein[93], und kurz vor der Aufforderung der Alliierten, eine deutsche Delegation nach Versailles zu schicken, ergab sich für das Auswärtige Amt die Gelegenheit, auf eine konkrete Anfrage eine klare und wirkungsvolle Antwort zu geben. Die englische Gesandtschaft in Den Haag übermittelte der deutschen am 18. April 1919 eine Liste

---

[90] Erlaß an Rosen vom 15. 4. 1919; PA, Abt. I A, England 78. – Über die innenpolitisch schwierige Situation Lloyd Georges und den Einfluß der Kriegsschulden der Entente bei den Vereinigten Staaten auf das Scheitern einer vernünftigeren Reparationslösung siehe Schwabe, S. 506–10. Die Verbindung Reparationen – interalliierte Schulden war allerdings keineswegs „fatal“ (S. 509), sondern hatte volkswirtschaftlich einen begründeten Zusammenhang. Siehe auch Mayer, S. 604ff. und Parrini, S. 66–69.

[91] PA, GFV-Protokolle, 27. 3. 1919.

[92] Mündlicher Bericht des Direktors der Deutschen Bank Stauß; PA, GFV-Protokolle, 9. 4. 1919. – Vgl. Keynes, Melchior, S. 124; dazu Keynes, Writings, S. 416–17.

[93] Rede Lloyd Georges vom 16. 4. 1919; Parliamentary Debates, Bd. 114, Spalte 2936–55. Renner (Den Haag) sagte dazu in seinen Berichten vom 17./18. 4. 1919, Lloyd George habe die „Zeichen der Zeit“ erkannt, er bereite eine Schwenkung seiner Politik vor. Die englische Presse halte die deutsche Kredit- und Finanzfrage für entscheidend; PA, WK 30, Bd. 39 (4097/D 926 061–71). – Renwick warnte im „Daily Chronicle“ vom 7. 4. 1919 im Hinblick auf die Finanzregelung und den Frieden vor der großen Gefahr für Europa; Europa werde den Weg Deutschlands gehen. Bericht Renners vom 9. 4. 1919; PA, WK 30, Bd. 38 (4097/D 925 778–80).

von sechs Fragen zur deutschen Haltung hinsichtlich der Friedensbedingungen. Eine dieser Fragen hing mit den Reparationen zusammen: Ob die Reichsregierung bereit sei, Frankreich für eine bestimmte Anzahl von Jahren die Ausbeutung der Kohlengruben im Saarland einzuräumen. Der deutsche Gesandte Rosen leitete sie am 19. April 1919 an das Auswärtige Amt weiter und riet, die Beantwortung großzügig und möglichst entgegenkommend zu formulieren. Er dachte dabei an den Fall, daß Deutschland trotz seiner verständigungsbereiten Haltung in Versailles unerfüllbare Bedingungen vorgelegt bekäme und sie ablehnen müßte. In dieser Situation sollte eine Anlehnung an die Vereinigten Staaten und England – ausdrücklich nicht an Rußland – vorbereitet sein und vielleicht zu einem Separatfrieden führen: „Inwieweit die amerikanischen Andeutungen, die uns einen Separatfrieden Wilsons in Aussicht stellen, ernst zu nehmen sind, kann ich hier nicht mit Sicherheit beurteilen. Dagegen dürften die Aussichten auf einen Separatfrieden mit Amerika nur steigen, wenn auch England einer direkten Verständigung mit Deutschland sich nicht abgeneigt zeigt[94]."

Das Auswärtige Amt ließ sich mit der Antwort auf den Fragebogen ein wenig Zeit, so daß man nun in der englischen Gesandtschaft Den Haag noch etwas mehr aus sich herausging, offen erklärte, daß man dringend eine deutsche Antwort erwarte, und damit zeigte, worin deren Bedeutung für die englische Regierung zu liegen schien: sie wollte vor dem Eintreffen der deutschen Delegation in Versailles ungefähr über die Grenzen des deutschen Entgegenkommens unterrichtet sein, um dort, sollten die Umstände es erfordern, für ihre maßvolleren Friedensvorstellungen einen deutschen Rückhalt gegenüber den eigenen Verbündeten zu haben. Bemerkenswert wegen des angeschlagenen Tons, wenn auch nicht ohne taktischen Kalkül, war der Hinweis, England habe bis dahin aus „Unsicherheit über die deutschen Absichten" die schroffe Haltung Frankreichs mitgemacht und wolle jetzt eine selbständigere und Deutschland günstigere Richtung einschlagen[95].

Zur gleichen Zeit riet General Haking von der englischen Waffenstillstandskommission dem Vertreter des Auswärtigen Amts in Spa, auf die Einladungsnote Clemenceaus vom 18. April 1919 an die deutsche Delegation damit zu antworten, daß die Reichsregierung nur ein paar jüngere Herren entsenden wolle mit der Vollmacht, den Entwurf des Friedensvertrags entgegenzunehmen; denn die Note lasse offensichtlich keinen Spielraum für dessen Erörterung[96]. Gerade darauf aber legten die Engländer jetzt Wert. Nun gab Brockdorff-Rantzau umgehend Weisung, Rosen möge seine eigene Aufzeichnung, die als Antwort auf die von der englischen Gesandtschaft gestellten Fragen mit ein paar Änderungen vom Auswärtigen Amt akzeptiert wurde, nicht als offizielle Instruktion, sondern als seine persönliche allgemeine Information über die deutschen Friedensvorschläge verwerten. Bezüglich

---

[94] PA, WK 30 geheim (4099/D 931 162–68).

[95] Telegramm Rosens vom 22. 4. 1919; PA, WK 30 geheim (4099/D 931 160).
Telegramm Ow-Wachendorfs vom 19. 4. 1919; PA, WK 30 geheim (4099/D 931 150–51).
Einladungsnote vom 18. und deutsche Antwort vom 19. 4. 1919; Materialien betr. die Friedensverhandlungen, Teil I, Berlin 1919, S. 8–9.

der nordfranzösischen Kohlengruben war man bereit, den Förderausfall durch deutsche Kohlenlieferungen auszugleichen. Hierbei ging es im Grunde schon um die Saarfrage, da die Franzosen das Saargebiet als Ausgleich für den Schaden, der in den nordfranzösischen Kohlengruben angerichtet worden war, ausbeuten wollten. Auf diese Weise erhielten die Engländer einen vagen Anhaltspunkt für die deutsche Position, mehr nicht. Trotzdem kam die Antwort, daß die englische Regierung über die Aufklärung befriedigt sei. Sie wünschte sofort nach Bekanntgabe der Friedensbedingungen zu erfahren, was für Deutschland annehmbar wäre und was nicht. Die Antwort Brockdorff-Rantzaus an Rosen vom 7. Mai 1919 war eine Explosion der Empörung. Rosen sollte dem englischen Gesandten mitteilen, der Vertragsentwurf sei ein Gewaltfrieden und weiche vom Wilson-Programm in allen Punkten ab; seine Annahme bedeute die „völlige Versklavung und Ausschaltung Deutschlands". Schriftliche Verhandlungen seien unmöglich. Rosen möge prüfen, ob der englische Gesandte „ohne amtlichen Auftrag vorgeht und versucht, uns nur auszuholen". Nach dieser brüsken Zurückweisung riß der Kontakt über Den Haag ab[97].
Brockdorff-Rantzau blieb also dem einmal gefaßten Grundsatz treu. Bei dieser starren Einstellung ist allerdings zu berücksichtigen, daß die deutsche Diplomatie im Ausland weithin in Verruf geraten war und spitzfindiger oder gar verschlagener und unaufrichtiger Haltung bezichtigt wurde. Das wußte man im Auswärtigen Amt sehr genau, und auch aus diesem Grunde war es Brockdorff-Rantzaus erklärte Absicht, die Züge eines sich erneuernden Deutschland auch in der Diplomatie zum Ausdruck zu bringen. Er erhob eine klare und ehrliche Diplomatie, die im Ausland Vertrauen schaffen konnte, für die neue Außenpolitik zur Verpflichtung. Es gehört zu seinen Verdiensten als Außenminister, daß es ihm gelang, diesem Grundsatz im Auswärtigen Amt einigermaßen Geltung zu verschaffen. Diplomatie in diesem Sinne zu betreiben, war eine der Voraussetzungen für die Erfolge der deutschen Außenpolitik in der Weimarer Republik und kennzeichnete vor allem die Amtsführung des späteren Staatssekretärs Carl von Schubert.
Lebhaft unterstützt wurde Brockdorff-Rantzau von dem unkonventionellen und einflußreichen Gesandten in Bern, Adolf Müller, Sozialdemokrat und ehemaliger Journalist, der als einer der deutschen Hauptdelegierten für Versailles vorgesehen war, auf seinem Posten in Bern jedoch mehr glaubte leisten zu können. Schon kurz nach seinem Dienstantritt bat er Ende Januar 1919 – und er konnte auf Brockdorff-Rantzaus Zustimmung rechnen – „um [ein] gewisses Maß von Verständnis für die Lage hier und um freundliche Abstellung der Drängeleien der offenbar nach wie vor im alten Geleise fahrenden amtlichen Bürokratie". Im Verlaufe seiner Berichterstattung, die vor allem der Analyse der französischen Haltung und den Nachrichten über die Entwicklung der Verhandlungen in Versailles galt, insbesondere auch in bezug auf die Reparationsfrage, wandte er sich mehrmals gegen jede Art

---

[97] Telegramme Brockdorff-Rantzaus vom 23. 4., Rosens vom 6. 5. und wieder Brockdorff-Rantzaus vom 7. 5. 1919; PA, WK 30 geheim (4099/D 931 161 und D 931 223) und WK 31 geheim, Bd. 1 (4121/D 933 932–33).

der Intrige, darunter die „kleinen Bürokratenscherze [...] aus den alten Klappermaschinen des Auswärtigen Amts", die ihm in Bern anscheinend zu schaffen machten. Er wollte eine Politik „auf Grund ehrlicher Überzeugungen und Absichten und ohne klingenden und intriganten Beigeschmack" vertreten, ohne Drohungen mit dem Bolschewismus u.ä. und ohne die „Kniffe der alten diplomatischen Schule"[98]. Diese Haltung herrschte auch innerhalb der deutschen Friedensdelegation vor und spielte bei der Behandlung des gegnerischen Friedensvertragsentwurfs eine nicht zu unterschätzende Rolle. Der Wille zur Ehrlichkeit, gerade auch in den finanziellen Fragen, trug sehr zu der Einstellung bei, daß die Reichsregierung und die Delegation um der Glaubwürdigkeit Deutschlands willen nichts unterzeichnen dürften, was bei gewissenhafter Prüfung als unerfüllbar sich erweisen sollte.

5. Die letzten Entscheidungen im Kabinett über die Richtlinien für die deutschen Friedensunterhändler

Das Reichskabinett, das in letzter Instanz über die Verhandlungsrichtlinien zu entscheiden hatte, billigte im großen und ganzen, was von den Ressorts in Zusammenarbeit mit den Sachverständigen und den Interessenvertretern vorbereitet worden war. In der wichtigen Kabinettssitzung vom 21. März 1919 fiel die Entscheidung über die grundsätzliche Einstellung der deutschen Delegation in Versailles, die nur noch in einzelnen Punkten modifiziert wurde[99]. Über die Ausgangslage war man sich ziemlich im klaren: „Die Gegner werden den deutschen Unterhändlern einen fertigen Vorfriedensentwurf vorlegen, von dem sie vermutlich erklären werden, daß er nur angenommen oder abgelehnt werden kann. Der Inhalt des Entwurfs wird sich nach allem, was darüber bekannt geworden ist, in wichtigen Punkten von dem ursprünglichen Wilsonschen Programm entfernen." Deshalb schlug das Auswärtige Amt vor: die „deutschen Unterhändler [...] können den Entwurf zur Prüfung entgegennehmen und, sei es noch am Ort der Verhandlungen, sei es nach Rücksprache mit der Reichsregierung, einzelne Gegenvorschläge machen." Diese Methode wurde vom Kabinett gebilligt und in Versailles angewendet. Grundsätzlich blieben Wilson-Programm und Lansing-Note maßgebend, deren umfassende Auslegung durch die Alliierten nach den Vorschlägen des Auswärtigen Amts im Sinne einer sehr begrenzten Reparationspflicht eingeengt werden sollte. Erzberger erklärte auf dieser Kabinettssitzung die Entschädigungsfrage zum wichtigsten Punkt der Friedensverhandlungen – darin stimmte er mit Brockdorff-Rantzau überein – und rechnete mit der Forderung einer Pauschalsumme. In der Hoffnung, daß Deutschland bei einer Spezifizierung der Schäden besser abschneiden werde,

[98] Telegramm Müllers vom 28. 1. 1919; PA, Handakten Toepffer, Schweiz. Briefe Müllers an Brockdorff-Rantzau vom 17. und 29. 3. 1919; PA, WK 30 geheim (4099/D 931 059–65) und Nl. Brockdorff-Rantzau, Az. 21 (9105/H 235 678–81). – Vgl. Keynes, Dr. Melchior, S. 105.

[99] PA, WK 30, Bd. 32 (4080/D 924 225–71); Akten der Reichskanzlei, S. 74–83.

verlangte er jedoch, die Friedensdelegation müsse eine Pauschalsumme vermeiden, und erklärte, „man könnte sich auf den Standpunkt stellen, daß wir vom 12. Dezember 1916, dem Tage unseres Friedensangebots, beziehungsweise vom Tage der Juli-Resolution des Reichstags ab keinen Schaden mehr zu bezahlen brauchten"[100], eine Verkennung der Lage, die kaum faßbar erscheint. Dann verbreitete er sich über die Möglichkeiten zur Einschränkung und Begrenzung der zu ersetzenden Schäden[101]. Das Kabinett beteiligte sich daran mit großer Bereitwilligkeit, nachdem das Auswärtige Amt eine Auseinandersetzung über die Auslegung als zweckmäßigste Taktik für die Delegation in Versailles vorgeschlagen hatte. Daraus entwickelte sich zum ersten Mal im Kabinett eine Diskussion über die Auslegung der Lansing-Note – spät genug. Die plötzlich offenbar werdenden Zweifel an der bis dahin gültigen Auslegung änderten aber nichts an der Richtlinie für die Friedensunterhändler. Reichspostminister Giesberts forderte, daß die Reparationen den Lebensstandard und die sozialen Errungenschaften in Deutschland keinesfalls beeinträchtigen dürften, und seine Bemerkung, 4 Mrd. Mark jährlich seien nicht zu erarbeiten, läßt vermuten, daß man sich schon über die Höhe der Annuitäten Gedanken machte. Einsam und wirkungslos blieb die resignierende Skepsis Bernstorffs im Bewußtsein der tatsächlichen Verhältnisse: die Delegation könne es ruhig versuchen, sie werde aber mit allen Eingrenzungen und Auslegungen nicht durchkommen, Deutschland müsse sämtliche Schäden im besetzten Gebiet und aus dem U-Boot-Krieg ersetzen, denn die Alliierten würden den entscheidenden Satz der Lansing-Note isoliert betrachten. Das war die prägnanteste und genaueste Analyse, die man von der gegnerischen Einstellung geben konnte[102]. Nur Schiffer, vielleicht unter dem Eindruck der Gausschen Deduktionen[103], und Reichsminister David stellten daraufhin die Möglichkeit derartiger umfassender Forderungen in Rechnung, sogar die U-Boot-Schäden; „trotzdem müßte sich Deutschland auf die ihm günstigste Auslegung" berufen. Damit setzte sich eine verhärtete Auffassung durch, die weitere Zugeständnisse ausschloß, und es wurden auch keine Alternativen erarbeitet. Nicht zuletzt aus diesem Grunde brachen dann Spannungen zwischen Friedensdelegation und Kabinett aus, als die Delegation in Versailles zu der Überzeugung kam, daß doch größeres Entgegenkommen angebracht sei. Brockdorff-Rantzau selbst war daran allerdings mitschuldig, da er das Kabinett darauf einzuschwören versucht hatte, weitergehende Forderungen der Alliierten abzulehnen.

---

[100] Er hat diesen unvertretbaren Gedanken nicht weiter verfolgt, ihn aber doch in der Öffentlichkeit geäußert, was vor allem in der englischen Presse einen schlechten Eindruck machte. Siehe die Aufzeichnung Renners (Den Haag) für Brockdorff-Rantzau von Ende März 1919; PA, WK 30, Bd. 34 (4091/D 924 829–33).

[101] Die von Erzberger erwähnte Schadenssumme von 25 Mrd., die von der Reichsentschädigungskommission berechnet worden sei, bedeutete Papiermark.

[102] Auch Ministerialdirektor Simons vom Auswärtigen Amt warnte vor Optimismus, obwohl er andererseits eine wesentliche Herabsetzung der gegnerischen Forderungen im Interesse des deutschen Auslandskredits für unerläßlich hielt und damit auch die Ansicht der Sachverständigen vertrat.

[103] Siehe oben S. 106.

Wie wenig Schiffer an die günstigste Auslegung glaubte, zeigte seine Bemerkung, daß die Berechnungen der Reichsentschädigungskommission nur den Hohn der Feinde herausfordern würden. Er hielt für entscheidend, was Deutschland leisten könne, und meinte, „falls uns zu große Forderungen entgegengestellt würden, müsse man sie ablehnen. Unser Leistungsvermögen gegenüber dem Feinde beginne erst dann, wenn wir unseren Schuldverpflichtungen im Inland und gegenüber den Neutralen nachgekommen seien[104]". Auch Simons stellte die deutsche Zahlungsunfähigkeit in den Vordergrund, schloß aber im Gegensatz zu Schiffer die U-Boot-Schäden aus. Die Stellungnahmen Schiffers und der Vertreter des Auswärtigen Amts machen deutlich, daß sie viel höhere Forderungen erwarteten, lassen aber auch den Schluß zu, daß man die deutsche Auslegung der Lansing-Note nur als erste Verhandlungsposition wertete, um später in mündlichen Verhandlungen Abstriche machen zu können. Ebert fragte schließlich, ohne eine Antwort zu bekommen: „Was ist die äußerste Grenze dessen, was wir tragen können?" Niemand wußte es. Statt einer Antwort bat Brockdorff-Rantzau um die „Ermächtigung zur Erklärung, daß wir sofort abbrechen, wenn Forderungen kommen, die unsere Existenz unterbinden".

In einer Zuversicht ausstrahlenden und in festem Ton gehaltenen Presseerklärung, die für Scheidemann vorbereitet und anscheinend auch verwendet wurde[105], sollte die Öffentlichkeit über einige Ergebnisse der Kabinettsberatungen aufgeklärt werden. Im Interesse der Schaffung einer einheitlichen inneren Front – man kann schon wieder sagen: im Interesse eines „deutschen Friedens" – wurde der propagandistische Effekt so weit getrieben, daß die Entschädigungspflicht auf die von deutscher Seite verschuldeten Zerstörungen und völkerrechtswidrigen Maßnahmen zusammenschrumpfte. Auch die Abtretung rein deutscher Gebiete wurde abgelehnt. „Hier endet nicht nur das Mandat unserer Delegation, sondern auch das jeder Regierung." Bei einer solchen öffentlich geäußerten Einstellung konnte es gar nicht ausbleiben, daß die tatsächlichen Friedensbedingungen schockartig eine ungeheure Erregung in Deutschland auslösten und das Kabinett Scheidemann an den Friedensverhandlungen scheitern mußte. Ganz allgemein breitete sich innerhalb der Reichsregierung seit Ende März ein gewisser schwer zu erklärender Optimismus aus, der schließlich Erzberger einen Monat später zu der Anregung veranlaßte, die Friedensdelegation möge Reparationen nicht in Mark, sondern in französischen Franken festsetzen, denn der Kurs der Mark werde steigen, derjenige des Franken aber fallen. Ähnlich äußerte sich der neue Reichsfinanzminister Dernburg[106]. Man hoffte offenbar, daß sich die französischen Vorstellungen auf der Friedenskonferenz nicht durchsetzen würden.

Brockdorff-Rantzau schnitt, unterstützt von Bernstorff, den engen Zusammenhang zwischen Kriegsschuldfrage und Reparationen an; die Entente werde die Schuld-

---

[104] Schiffer hat nirgends erklärt, die deutsche Zahlungsfähigkeit liege bei 20 Mrd. Goldmark, wie Schwabe, S. 526, behauptet.

[105] Vom 22. 3. 1919; Akten der Reichskanzlei, S. 92–95.

[106] Kabinettssitzung vom 26. 4. 1919; Akten der Reichskanzlei, S. 231, 243.

frage zur Begründung ihrer Ansprüche erörtern, und dann müßte die Delegation dem begegnen können[107]. Nach eingehender Erörterung wies die Reichsregierung in einer an die Regierung Großbritanniens gerichteten Note vom 26. März 1919 die Auffassung zurück, daß „die Verantwortlichkeit Deutschlands für den Krieg längst unzweifelhaft festgestellt" sei, wie es in der britischen Note vom 7. März 1919 geheißen hatte. Deutschland werde nur einen unparteiischen Spruch auf Grund des gesamten Aktenmaterials beider Seiten und der notwendigen Beweisaufnahme mit Hilfe von Zeugen und Urkunden anerkennen. Damit brachte die Reichsregierung die Kriegsschuldfrage erneut zur Debatte, und der Hinweis, daß gerade diejenigen, die über Deutschland richten sollten, „zum Teil gleichfalls der Schuld geziehen" würden, war eine klare Kampfansage. Die Erörterung dieses Problems auf der Friedenskonferenz um der Reparationen willen war damit kaum noch zu umgehen, wenn auch seine Erforschung auf die Zukunft verschoben werden sollte[108].

Die Haltung des Auswärtigen Amts zum Zusammenhang von Reparationen und Kriegsschuldfrage wurde von der großen Mehrheit der Sachverständigen, die schon am 12. März 1919 darüber informiert worden waren, voll unterstützt. Zu ihrem Sprecher machte sich Warburg beim Abschluß eines Referats über die finanzielle Lage Deutschlands in der Sitzung der Geschäftsstelle für die Friedensverhandlungen am 27. März 1919[109]. Seine Äußerungen und die anschließende Auseinandersetzung mit dem sozialdemokratischen Beigeordneten im Reichsfinanzministerium, Eduard Bernstein, sind so symptomatisch für die sich bereits vor Versailles entwickelnde Problematik, Leidenschaftlichkeit und gesellschaftliche Interessengebundenheit der Kriegsschulddebatte, daß es wohl gerechtfertigt ist, sie hier vollständig zu zitieren. Es ist das erste große Duell in der Kriegsschuldfrage. Noch nicht einmal fünf Monate waren seit dem deutschen Zusammenbruch verflossen, und schon erwies sich, daß diejenigen, die in kritischer Betrachtung eine Überprüfung der deutschen Haltung bei Kriegsausbruch vornahmen und versuchten, die deutsche Verantwortung offenzulegen, von vornherein eine fast hoffnungslose Minderheit waren. Dies trat um so deutlicher hervor, als Warburg keineswegs der extremen Rechten zuzurechnen war. Aber abgesehen von dem im Vordergrund stehenden und verständlichen taktischen Interesse der Abwehr unabsehbarer Reparationsforderungen, sind seine Ausführungen durchdrungen und geleitet von einer Krise des nationalen Selbstverständnisses, gegen die er sich auflehnte. Hier der Text:

---

[107] Siehe auch die Debatte in der Kabinettssitzung vom 22. 3. 1919; Akten der Reichskanzlei, S. 85–91.

[108] Ursachen, 3, S. 331–32 (dort angegebene Daten für deutsche Noten, 29. 11. 1918 statt 28. und 30. 3. 1919 statt 26., zu berichtigen). BA, R 43 I/803. Vgl. oben S. 46f. – Dickman macht den Unterschied zwischen „Erörterung" und „Erforschung" der Kriegsschuldfrage nicht klar und zieht deshalb den falschen Schluß, die Reichsregierung habe die Behandlung der Kriegsschuldfrage in Versailles überhaupt vermeiden wollen; siehe oben S. 49.

[109] PA, GFV-Protokolle, 12. und 27. 3. 1919.

„[Warburg:] Unbedingt nötig wird es aber sein – und damit möchte ich schließen –, daß wir, wenn wir unter diesen Voraussetzungen unsere Wirtschaftslage wieder aufbauen wollen, die Schuldfrage am Kriege von vornherein verneinen, was wir mit vollkommenem Recht können. Ich weiß, Sie sind nicht meiner Ansicht, Herr Bernstein. (Heiterkeit.) Die Schuldfrage als solche möchte ich teilen in eine causa proxima und eine causa remota. Über die causa proxima habe ich kein eigenes Urteil, da ich die Weltakten noch nicht kenne. Was die causa remota betrifft, so bin ich aber schon heute der festen Überzeugung, daß Deutschland an dem Kriege nicht mehr Schuld hat als alle anderen Länder (sehr richtig!), diesen Standpunkt müssen wir mit aller Energie verfechten. Denn wenn wir das nicht tun, wird uns die Schuldfrage allein zu Unrecht zugeschoben; wir werden auch finanziell in ungerechter Weise leiden, wenn wir zugeben, daß wir an dieser causa remota die alleinige Schuld tragen. Das ist nicht der Fall. Dagegen sprechen die Verträge, die zwischen Rußland und Frankreich abgeschlossen worden sind, indem den Russen Anleihen gegeben wurden, damit sie rüsten und Bahnen nach dem Westen bauen. Die causa remota betrifft die ganze Welt! In den letzten 200 Jahren, wo England 49 mal, Frankreich 35 mal und Preußen 13 mal Krieg geführt hat, hatte sich die Weltauffassung bis 1914 nicht geändert. Jetzt ex post uns eine Schuld zuschieben zu wollen, weil wir nach dem Kriege hoffen, auf Grund einer anderen Weltauffassung zu leben, ist ein Unrecht, und ich möchte – das ist ja auch der Zweck, weshalb wir uns unterhalten –, daß wir in Privatgesprächen einheitlich nach außen auftreten und die Schuldfrage, soweit die causa remota in Frage kommt, zurückweisen. Sonst können wir unsere Zahlungen gleich einstellen und brauchen nicht zu reisen, denn dann kommen wir mit unseren Gegnern überhaupt nicht zu einem Resultat. (Lebhafte Zustimmung.)

Können wir auf die von mir erwähnten Voraussetzungen rechnen, so sind wir in der Lage, weiter zu leben, als ehrliche Leute unsere Schulden zu zahlen, unsere Verpflichtungen überall zu erfüllen[110]. (Allseitiges lebhaftes Bravo!)

Vorsitzender:[111] [...] Nun hat Herr Bernstein ums Wort gebeten; er will, glaube ich, zur Schuldfrage sprechen. Ich möchte anregen, diese Frage heute als aus dem Kreise dessen, was wir gegenwärtig hier im engeren Kreise verhandelt haben, herausfallend, auszuschließen; ich glaube, es wird noch Gelegenheit genug geben, über diese Frage sich näher zu unterhalten.

Ed[uard] Bernstein: Meine Herren! Ich will Sie mit der Frage der Schuld insofern

[110] Der Präsident des preußischen Staatsministeriums, Hirsch, ersuchte am 11. 4. 1919 die Reichsregierung um eine Kundgebung gegen die deutsche Kriegsschuld noch vor den Friedensverhandlungen, um zu manifestieren, „daß das ganze deutsche Volk es ablehnt, mit der Schuld am Kriege belastet zu werden und aus dieser Beschuldigung entspringende Bedingungen auf sich zu nehmen. Das ändert nichts an der erklärten Bereitschaft, an den 14 Punkten des Präsidenten Wilson festzuhalten und hinsichtlich der Entschädigungen die Folgen des Kriegsausganges auf sich zu nehmen". Akten der Reichskanzlei, S. 189, Anm. 2.

[111] Ministerialdirektor Edler von Stockhammern, Leiter der Handelspolitischen Abteilung des AA.

nicht aufhalten, daß ich irgendwie auf Einzelheiten eingehe, sondern die Frage nur, sagen wir einmal vom taktischen Gesichtspunkt aus, erörtern. Von dem aus, wie ich die Psyche, die Mentalität der Völker kenne, mit denen wir zu tun haben, halte ich ein ganz anderes taktisches Vorgehen für zweckmäßig und zweckdienlich. Was in der weiteren Vergangenheit liegt, das kann man freilich unerörtert lassen. Die Frage ist auch nicht die, ob wir schuldig sind. Ich möchte Sie bitten, das Wort ‚wir' mit großer Vorsicht zu behandeln; es wird in keinem Punkte mehr gesündigt und gefehlt, als mit dem Wort ‚wir'. (Warburg: Unsere Vorgänger!) Ja, das ist die Sache. Deutschland ist heute eine Republik und hat mit dem alten System gebrochen. Es muß doch eines gesagt werden: daß das neue Deutschland nicht mit dem alten Deutschland gleichbedeutend, solidarisch ist; die Solidarität muß abgewiesen werden, und gerade indem man sie abweist, stellt man das neue Deutschland viel sicherer vor dem Ausland, als es bisher der Fall war[112]. Es ist gerade in diesem Punkt – ich kann Sie versichern, ich spreche hier aus guter Kenntnis der Dinge – in der neueren Zeit außerordentlich viel gefehlt worden, weil man sozusagen aus den Gefühlen heraus, denen die Ausführungen des Herrn Vorredners Ausdruck gaben, eine Solidarhaft konstruiert hat, sagen wir zunächst eine moralische, die man aber dann in eine ökonomische umwandelte.
Was vorhergegangen war vor den verhängnisvollen Tagen des Juli/August 1914, mag auf sich beruhen bleiben. Vergessen Sie aber zwei Dinge nicht: in Frankreich waren im Juni die Wahlen gewesen, die eine große Mehrheit für die Erhaltung des Friedens ergeben hatten; es war ein Ministerium Viviani am Ruder, ein entschieden friedensfreundliches Ministerium. Daß in England das Ministerium Asquith-Grey-Lloyd George durchaus friedensfreundlich gesonnen war, das wird niemand bestreiten. Die Möglichkeit, den Krieg zu verhindern, war da. Es sind damals, wie schon bei der Balkan-Konferenz – das werden Sie alle zugeben –, Österreich und Deutschland goldene Brücken gebaut worden, und Sie können die Tatsache nicht aus der Welt schaffen, daß die ersten Kriegserklärungen von Österreich und Deutschland ausgingen, und zwar auf Grund ganz irrealer Tatsachen. Diese Tatsache – nehmen wir nicht einmal das Wort ‚Schuld', sagen wir ‚Verantwortung' –, bestreiten kann sie niemand, und je mehr wir uns auf den Standpunkt dessen stellen und das anerkennen, was wir den Völkern und Staatsmännern drüben nicht ausreden werden, um so eher werden wir sie zu Konzessionen bereit finden, um so mehr zeigen wir, zeigt das neue Deutschland, daß man mit dem alten gebrochen hat. Ich war jetzt 5 Wochen in der Schweiz, und zwar – das will ich im Vertrauen sagen – speziell zu dem Zwecke, zunächst mit Sozialisten, und zwar einflußreichen, und sodann anderen Persönlichkeiten der gegnerischen Länder über die Möglichkeiten einer

[112] Vgl. Holborn, History, Bd. 3, S. 561, der darauf hinweist, daß die Betonung der scharfen Trennung zwischen dem kaiserlichen und dem republikanischen Deutschland ein Fehler war, soweit sie bei der Argumentation um den Frieden verwendet wurde. Tatsächlich konnte dadurch der Verdacht erweckt werden, daß es sich nur um einen Trick handelte, mit dem man einen harten Frieden vermeiden wollte – eine Flucht vor der Verantwortung, die zweifellos mitspielte; was nicht gegen die Ehrlichkeit dieser Trennung spricht.

Verständigung, die Möglichkeiten eines guten Friedens zu sprechen. Als Sozialdemokrat habe ich das Glück – kann ich wohl sagen –, in Frankreich mit Sozialisten der beiden Richtungen befreundet zu sein, der Richtung Thomas-Renaudel und der Richtung R. . ., der Opposition. Das gleiche ist in England der Fall, und da habe ich sehr ernste Gespräche geführt. Aber als ich – und das wird Sie interessieren – in der ersten Woche Februar, am Ende des Internationalen [Sozialisten-]Kongresses, nach Bern kam, da trat auf mich ein Amerikaner zu, den ich schon vor anderhalb Jahren in Stockholm kennengelernt hatte, der ein Sekretär Wilsons war und von Wilson – ich nehme an – den Auftrag hatte, es klingt anmaßend – mit meiner Persönlichkeit zu sprechen; ich weiß auch, was Wilson dazu veranlaßt hat. Und er sagte mir – und das haben mir andere Amerikaner bestätigt – damals, daß Wilsons Position in den Beratungen außerordentlich geschwächt sei durch die Reden und Ernennungen in Deutschland, daß ihm beständig vorgehalten werde: ‚Hier siehst du, es ist ja noch das alte Deutschland; hier lies die Rede, sieh dir diese Ernennung an.‘ Daß das richtig war, wurde durch die Ansprache bestätigt, die Wilson an eine Anzahl von Journalisten hielt, als er nach Amerika zurückreiste, wo er sagte, er habe sich überzeugt, daß das neue Deutschland in gewissen Fragen sich noch gar nicht von dem alten Deutschland unterscheide. Das sind gerade diese Fragen. Ich glaube, daß, wie ja auch im privaten Leben ein ehrliches Bekenntnis der erste Weg zur Verständigung ist, dies auch hier der Fall ist. Ausreden werden Sie es den Leuten nicht. Die Tatsachen liegen offen zutage: die Kriegserklärung an Frankreich unter Hinweis auf Nürnberger Flieger und ähnliche Fiktionen, wo – das wissen die Franzosen sehr gut – sie gezittert haben vor dem Kriege. Es ist Ihnen vielleicht nicht bekannt, daß die sozialistische Kammerfraktion, auch nachdem Jaurès gestorben war, unausgesetzt auf die Regierung eingewirkt hat: ihr dürft den Krieg nicht erklären – obwohl Frankreich durch das Bündnis mit Rußland ja eigentlich dazu verpflichtet war, nachdem der Krieg an Rußland erklärt war. Noch am 3. August nachmittags kamen Renaudel und Genossen wiederum ins Staatsministerium und erklärten Viviani noch einmal: ihr dürft den Krieg nicht erklären; und Viviani versprach ihnen, am Abend die Sache noch einmal mit der Regierung zu besprechen, und da kam eine Stunde später Herr von Schoen und brachte die Kriegserklärung. Glauben Sie doch nicht, daß das irgend jemand den Leuten ausreden wird, ebensowenig wie Sie den Franzosen die Gefühle ausreden können, die sie bei den Zerstörungen erfassen, welche in ihren Industriebezirken im Norden und Nordosten geschehen sind. Und ähnlich stand es ja in England: es war am 2. oder am 1. August – das kann Ihnen Dr. Guttmann von der ‚Frankfurter Zeitung‘ bezeugen – als Lloyd George die Vertreter der Industrie und des Handels zu sich kommen ließ, und mit erdrückender Mehrheit sprachen sie sich gegen den Krieg aus, bis der Einfall in Belgien kam. Diese Kriegserklärung an Frankreich war ja das Entscheidende, denn England wollte Frankreich nicht im Stiche lassen und konnte es auch gar nicht.

Also ich könnte Ihnen nur empfehlen, meine Herren, den Standpunkt nicht zu vertreten. Wir können den Strich gegenüber dem vorigen System nicht dick genug

und nicht deutlich genug machen. Dann wird das neue Deutschland das erreichen, was Sie wünschen. Das erreichen Sie auf andere Weise meiner Ansicht nach nicht. (Sehr richtig!)
Warburg: Ich möchte auf diese Frage nicht weiter eingehen. Es würde viel zu weit führen, und wir können die Frage ja hier nicht klären; dazu sind die prinzipiellen Meinungsverschiedenheiten auch zu groß. Aber ich möchte als Finanzpraktiker und als Bankier, der nun 25 Jahre mit Amerikanern, Engländern und Franzosen wirklich große Anleihen hat abschließen müssen, doch mit ganz wenigen Worten dem entgegentreten, was Herr Bernstein eben gesagt hat: Der Strich zwischen der alten Regierung und der jetzigen muß stark gemacht werden. Er kann wohl von keinem leichter gemacht werden wie von mir, weil ich sowohl vor dem Kriege wie bei Ausbruch des Krieges und während des Krieges, insbesondere bei der Erklärung des U-Boot-Krieges, mich immer z. T. gutachtlich dahin geäußert habe, daß die Wege, die die Regierung geht, falsche sind. Also von der vorigen Regierung abzurücken wird mir außerordentlich leicht. Aber darum handelt es sich nicht. Es handelt sich darum, daß wir diesen Leuten gegenüber – und das ist außerordentlich wichtig, weil wir sonst auf eine sehr schlechte finanzielle Unterhandlungsbasis kommen – mit Stolz erklären: Wir sind in die allgemeine Kriegslage hineingetrieben worden infolge der Verhältnisse, wie sie früher existiert haben; ihr habt uns wirtschaftlich nicht aufkommen lassen (Bernstein: Ach, das reiche Deutschland!), wir haben während der ganzen Zeit uns wirtschaftspolitisch nicht ausdehnen können, sei es in der einen oder andern Weise. Ich kenne die Vorverhandlungen des Kolonialabkommens mit England und weiß, wie schwer es uns gemacht wurde, politisch uns auch nur etwas auszudehnen.
Also wir dürfen nicht dahin kommen und sagen: ‚Wir sind bisher Verbrecher gewesen, von jetzt ab wollen wir aber anders sein'; darüber lachen unsere heutigen Gegner. Ich kann Sie versichern, wenn wir nicht den Standpunkt vertreten, daß Deutschland nicht allein schuld an den ganzen Ante-bellum-Verhältnissen war, dann werden wir keine richtige Verhandlungsbasis bekommen. Wir werden natürlich diese Ansicht in Paris nicht zum Ausdruck bringen; das ist nicht unsere Aufgabe, aber ich habe meine Auffassung von der Schuldfrage im allgemeinen hier doch ganz kurz vertreten wollen."
Schon fast ein Vierteljahr zuvor hatte Warburg begonnen, sich für die propagandistische Untermauerung seiner Auffassung einzusetzen. Er bezeichnete das gerade erschienene Buch „Chauvinismus im Weltkrieg" des Privatdozenten und Herausgebers der „Deutschen Korrespondenz", Martin Hobohm, der in der Kriegszieldiskussion zu den Gemäßigten zählte, als „sehr geeignet nachzuweisen, daß die Schuld am Kriege nicht Deutschland allein trifft". Daraufhin ließ Brockdorff-Rantzau das Buch an die deutschen Auslandsvertretungen verteilen[113]. Warburg ging, wie seine Äußerungen beweisen, bei seiner Stellungnahme davon aus, daß

---

[113] Brief Warburg – Brockdorff-Rantzau vom 5.1.1919; PA, Nl. Brockdorff-Rantzau, Az. 17 (9105/H 234 826).

die Verantwortung für den Krieg die Höhe der Reparationsforderungen enorm steigern würde. Dann nämlich war ja nicht mehr die Lansing-Note, sondern die Kriegsschuld die Grundlage für eine möglicherweise sämtliche Kosten umfassende Bemessung. Ein Trennungsstrich zwischen alter und neuer Reichsregierung half da nichts.

Auch die Oberste Heeresleitung vertrat nachdrücklich die Auffassung, daß als erste deutsche Forderung in Versailles die Klärung der Kriegsschuldfrage verlangt werden müsse. Überhaupt solle man die mühsamen feindlichen Kompromisse durch eigene Forderungen und Vorschläge stören[114]. Ein Geheimbericht der Gesandtschaft Den Haag, der auf Nachrichten aus der amerikanischen Gesandtschaft beruhte, bekräftigte die von der Reichsregierung und vor allem von Brockdorff-Rantzau eingenommene Haltung: Die Alliierten wollten mit einem harten Friedensentwurf testen, wieviel Unannehmbares Deutschland akzeptieren werde. Wilson werde die deutsche Weigerung, übertriebene Forderungen hinzunehmen, beim endgültigen Vertrag, der einen Frieden gemäß seinen Intentionen bringen müsse, berücksichtigen. Keinesfalls dürfe die Frage der Kriegsschuld unterschätzt werden; sie sei für die Amerikaner wichtiger als alles andere und werde u. U. in der einleitenden Klausel des Friedensvertragsentwurfs auftauchen. Deutschland müsse dagegen etwas unternehmen. Die amerikanische Regierung sei nicht von der deutschen Alleinschuld überzeugt, aber nur die deutsche Weigerung, sie anzuerkennen, könne Wilson dazu veranlassen, diese Frage anzuschneiden[115]. Wenige Tage später, am 20. April 1919, schrieb Scheidemann dem preußischen Ministerpräsidenten, daß der Leiter der deutschen Delegation sofort bei Beginn der Friedensverhandlungen zur Schuldfrage Stellung nehmen müsse, weil die Kriegsschuld die Grundlage für alle Forderungen der Alliierten abgebe[116]. Diese Äußerung gibt weiteren Aufschluß über die Motive für das Verhalten Brockdorff-Rantzaus, als er am 7. Mai 1919 in Versailles im Anschluß an die Überreichung des Friedensvertrags-Entwurfs seine bekannte Rede hielt.

Einen Tag nach den umfassenden Kabinettserörterungen über die Vorarbeiten für den Friedensschluß faßte Unterstaatssekretär Schroeder in der Kabinettssitzung vom 22. März 1919 die Auffassung des Reichsfinanzministeriums zur Reparationsfrage, ohne auf Widerspruch zu stoßen, thesenartig zusammen: 1. Die lange Dauer des Waffenstillstands bezwecke Deutschlands Ruin; trotzdem sei es bereit, die übernommenen Lasten zu tragen. 2. Unbedingt notwendig sei die Schuldentilgung im neutralen Ausland und im Innern. Damit sollte festgelegt werden, daß die Reparationsleistungen keinen Vorrang genießen könnten. 3. Auch bei äußerster Anspannung der Steuern sei mehr, als in den Wilsonschen Punkten gefordert werde, nicht zu leisten. Das müsse nachgewiesen werden. Deutschland wolle seine Verpflichtun-

---

114 Phelps, S. 616–25.

115 Vom 15. 4. 1919; PA, WK 30 geheim (4099/D 931 146–48). Dies ist nur ein Beispiel für die vielen Aufforderungen aus dem feindlichen und neutralen Ausland, Deutschland möge gegenüber ungerechtfertigten Forderungen hart bleiben.

116 Akten der Reichskanzlei, S. 189f. Vgl. Anm. III/110.

gen ehrlich erfüllen, aber auch weiterleben. 4. Man könne unmöglich in Devisen zahlen, deshalb würden Naturalleistungen und die Verwendung einer Auslandsanleihe angeboten. 5. Besondere staatliche Einnahmequellen könnten für die Annuitäten, nicht für den Gesamtbetrag der Reparationen, als Sicherheit verpfändet werden; eine Finanzkontrolle werde, solange man den Verpflichtungen nachkomme, abgelehnt[117]. Diese Stellungnahme blieb für das Reichsfinanzministerium maßgebend und kam auch in der endgültigen Fassung der Richtlinien der Friedensunterhändler zum Ausdruck. In der konkreten Zusammenfassung der deutschen Reparationspolitik für die Friedensverhandlungen erweist sich, daß die zaghaften Ansätze zu einem großzügigeren deutschen Reparationsangebot, die bei den Verhandlungen der Geschäftsstelle für die Friedensverhandlungen aufgetaucht waren, hinter den bürokratisch-ministeriellen Richtlinien zurückstehen mußten. Aus vielen bereits erörterten Einzelpunkten zog das Reichskabinett nun eine Summe, formulierte eine Verhandlungsgrundlage und wendete diese Grundlage auch sofort an, und zwar gerade in Kontakten mit den Amerikanern, denen man nun fortgesetzt das Wilson-Programm vorhielt.

Am 28. März 1919 erhielten Brockdorff-Rantzau und Erzberger den Auftrag, über den bestehenden Kontakt zwischen dem Bankangestellten Walter Loeb, Mitglied des Arbeiter- und Soldatenrats Frankfurt, und dem amerikanischen Obersten Arthur L. Conger, Chef des Nachrichtenwesens bei General Pershing, den Amerikanern jene Punkte, in denen Deutschland nicht nachgeben könne, mitzuteilen. Loeb übergab Conger eine Stellungnahme Erzbergers, die tatsächlich Wilson, Lansing, House u. a. erreichte. Darin heißt es: „Punkt 6: In Übereinstimmung mit Punkt 3[118] der 14 Punkte wird Deutschland keine wirtschaftlichen Beschränkungen irgendwelcher Art annehmen und die Errichtung einer Gleichheit der Handelsbeziehungen unter den Nationen verlangen, ‚die dem Frieden beistimmen und sich zu seiner Erhaltung vereinigen‘." Als Reparationsleistung bot Erzberger die Wiederherstellung Belgiens und Nordfrankreichs durch deutsche Arbeit und deutsches Material an. In Punkt 11 schließlich erklärte er, daß Deutschland amerikanische Kredite zu erhalten wünsche, deren Zinsen für 10 Jahre gleich mitgeliehen werden sollten. Außerdem regte er eine deutsch-amerikanische Übereinkunft hinsichtlich der Haltung gegenüber Rußland an. Eine Ausweitung der Entschädigungspflicht über jene für die besetzten Gebiete hinaus wurde abgelehnt[119].

---

[117] Akten der Reichskanzlei, S. 84f.

[118] „Beseitigung aller wirtschaftlichen Schranken soweit möglich, und Entwicklung gleicher Handelsbeziehungen unter allen Nationen, die dem Frieden zustimmen und sich zu seiner Aufrechterhaltung zusammenschließen." Waffenstillstand, Bd. I, S. 3.

[119] Kabinettssitzung vom 28. 3. 1919: Akten der Reichskanzlei, S. 109–16. Loeb an Brockdorff-Rantzau, 31. 3. 1919; PA, WK 30 geheim (4099/D 931 095–106). Der abschriftlich dort wiedergegebene Text der Stellungnahme Erzbergers gibt dessen Äußerung zur Abgrenzung der Reparationen entstellt wieder. Vgl. Fritz T. Epstein, S. 422–24. Dort mehr über die Kontakte mit Conger; siehe außerdem vor allem Schwabe, S. 281ff. und 533–39.

Im Entwurf für eine Instruktion Erzbergers an Loeb vom 14. April 1919, den Brockdorff-Rantzau korrigierte und den sein persönlicher Referent, Legationsrat Roediger, mit dem Vermerk versah, daß er vorläufig nicht abgegangen sei, hieß es zu diesem Punkt noch einmal ganz dezidiert und unzutreffend, aber in der Furcht vor unabsehbaren Erweiterungen der Reparationspflicht: „Keiner der Wilsonschen Punkte hat vor Abschluß des Waffenstillstandes seitens sämtlicher Alliierter eine so klare und erschöpfende Umschreibung und Auslegung gefunden, wie die Frage der Entschädigung in den besetzten Gebieten, und das ist durch die Note von Lansing vom 5. November 1918 geschehen. Diese Note ist die völkerrechtlich gültige Grundlage des Waffenstillstands und des Friedens. Deutschland kann daher gerade in diesem Punkte unter keinen Umständen von der getroffenen Verabredung zurücktreten, da hierdurch die ganze Grundlage des Friedens ins Wanken kommen könnte. Eine Entschädigung für den Unterseebootkrieg kann daher nicht zugestanden werden[120]."

Conger wies wiederholt nachdrücklich, wenn auch vergebens darauf hin, daß Deutschland die U-Boot-Schäden anerkennen müsse, und machte einmal die sehr treffende Bemerkung, Deutschland vergesse bei seiner Interpretation der Wilson-Punkte, daß es den Krieg verloren habe[121]. Die Kontakte mit Conger waren im übrigen verschieden von den Sondierungen der Engländer und Franzosen. Sie beschäftigten zwar das Kabinett, es wurden schließlich aber nur Informationen ausgetauscht. Der Gesandte Haniel von Haimhausen als Vertreter des Auswärtigen Amts warnte in der Kabinettssitzung vom 14. April 1919 vor einer quasi offiziellen Stellungnahme zur Frage des U-Boot-Krieges, da Conger die Deutschen vielleicht nur ausholen wolle, und riet sehr von voreiligen Zugeständnissen ab. Das Kabinett schloß sich dieser Ansicht an. Die Linie Brockdorff-Rantzaus hatte sich endgültig durchgesetzt[122]. Allerdings spielte dabei auch der nicht unberechtigte Verdacht eine Rolle, daß Conger nur die Akzeptierung der alliierten Friedensbedingungen vorbereiten und fördern wollte.

---

[120] PA, WK 30 geheim (4099/D 931 124–28).

[121] Berichte Loebs vom 8. und 14. 4. 1919; PA, WK 30 geheim (4099/D 931 111–16 und D 931 131–36); außerdem vom 10. 3. 1919; WK 30, Bd. 30 (4080/D 923 827–34). Conger berichtete u. a., in Paris sei eine Reparationssumme von 60 Mrd. Goldmark im Gespräch.

[122] Akten der Reichskanzlei, S. 159f. Telegramm Haniels vom 15. 4. 1919; PA, WK 30 geheim (4099/D 931 129–30). Dem Beschluß, daß keine Antwort ohne Stellungnahme Brockdorff-Rantzaus über Loeb an Conger gelangen und man auf dessen Vorschläge nicht eingehen sollte, widersprach nur Erzberger. Er wollte offensichtlich die Möglichkeit offenhalten, die Erwägungen der Alliierten noch zu beeinflussen. Später schrieb er dazu einleuchtend: „Ich habe umgekehrt immer den Standpunkt vertreten, daß, wenn die Alliierten in Paris erst in mühsamer Arbeit sich auf bestimmte Vorschläge geeinigt hätten, es in höchstem Grad unwahrscheinlich sei, deutschen Vorstellungen überhaupt noch Aussicht auf weitergehende Berücksichtigung zu verschaffen. Die Entwicklung hat mir recht gegeben." Die Reichsregierung hätte zu den wichtigsten Problemen schon frühzeitig Vorschläge überreichen sollen. Erzberger, S. 367.

Die sechs deutschen Hauptdelegierten für die Friedenskonferenz waren Brockdorff-Rantzau, Reichsjustizminister Landsberg, Reichspostminister Giesberts, der Präsident der Preußischen Landesversammlung und Vorsitzende des Zentralrats Leinert, der pazifistische Völkerrechtler Professor Schücking und der Bankier Melchior. Kurz vor ihrer Abreise am 27. April 1919 nach Versailles erhielten die „Richtlinien für die deutschen Friedensunterhändler" die endgültige Formulierung[123]. In ihnen wurde hinsichtlich der Reparationen und anderer Wirtschaftsfragen festgelegt: Da die Lansing-Note sich nur auf die besetzten Gebiete beziehe, lehne die Reichsregierung „jede Ersatzleistung für Schäden, die feindlichem Staatseigentum zugefügt, sowie für Schäden, die außerhalb besetzter Gebiete entstanden sind, grundsätzlich" ab. Sollte sie gezwungen werden, diesen Standpunkt aufzugeben, beabsichtigte sie, Gegenforderungen geltend zu machen. „Unter allen Umständen muß Ersatz für solche Schäden abgelehnt werden, die durch U-Boot-Kreuzerkrieg entstanden oder bewaffneten sowie in Convoy oder abgeblendet fahrenden Schiffen zugefügt worden sind[124]." Von den Alliierten sollten genaue Schadensaufstellungen verlangt werden. Eine explizite Auseinandersetzung mit der Forderung der Alliierten, daß Deutschland auch für Pensionen, Unterstützungen und Zuwendungen vor allem an Kriegshinterbliebene aufzukommen habe, erfolgte nicht, obwohl diese Forderungen, die den bedeutendsten Teil der Reparationssume ausmachen sollten, den Deutschen bekannt geworden waren[125].

Als Entschädigungsleistungen durfte die Friedensdelegation anbieten: Wiederaufbau in den besetzten Gebieten durch deutsche Unternehmer, Sachlieferungen, Abtretung von Forderungen an deutsche Verbündete und Barzahlungen – mit möglichst langen Fristen – aus einer Anleihe. In bezug auf die langen Fristen hatte Erzberger schon am 21. März 1919 im Kabinett die allgemeine Erwartung so ausgedrückt: Man habe auf diese Weise die „Chance, daß nach vielen Jahren [eine] Änderung sich von selbst ergibt"[126]. In den „Richtlinien" heißt es weiter: „Für

---

[123] Kabinettssitzungen vom 17. und 21. 4. 1919; Akten der Reichskanzlei, S. 179–82, 191–204.

[124] Das heißt, für den U-Boot-Krieg nach den Regeln des Kreuzerkriegs.

[125] Haniel in seinem Referat vom 15. 4. 1919 vor dem Ausschuß für die Friedensverhandlungen der Nationalversammlung, Luckau, S. 187: „[...] the enemy press has recently been reducing its originally very high reparation figures, and now speaks only of a total of from 50 to 60 billions. According to the latest news, these reparations are classified as follows: For damages and losses resulting from (1) military actions, including submarine warfare; (2) losses by Allied citizens due to their having been deprived of the use of their property; (3) the deportation of laborers and other labor losses; (4) theft and illegal requisitioning; (5) indemnities for civilian deaths; (6) pensions made necessary by the war. The demand that Germany meet the actual war costs has obviously been given up by all Allied governments, as irreconcilable with Wilson's Fourteen Points. No detailed plans would seem to have been made which cover the mode of making reparation payments." Hierin zeigt sich zugleich die optimistische Haltung des Auswärtigen Amts vor der Abreise der Friedensdelegation nach Versailles. – Von 60 Mrd. Goldmark hatte Conger gesprochen. Bericht Loebs vom 8. 4. 1919; PA, WK 30 geheim (4099/D 931 111–16).

[126] Akten der Reichskanzlei, S. 78.

die Zinsen- und Tilgungsraten der Anleihen zur Bezahlung der Entschädigung und der notwendigen Rohstoffe könnten besondere Einnahmezweige verpfändet werden, z.B. Zölle, Tabaksteuer, Branntweinmonopol, Verkehrsabgaben. Es darf aber keine Einmischung in die deutsche Verwaltung dieser Abgaben zugestanden werden, solange wir unsere Zahlungsverpflichtungen erfüllen." Aus dieser Bestimmung entwickelte sich in Versailles die heftige Ablehnung einer Reparationskommission nach alliierten Vorstellungen. Ausländische Eingriffe sollten unbedingt verhindert werden, ebenso ein Vorrang der Reparationszahlung vor der Verzinsung und Tilgung von äußeren und inneren Anleihen. Die Reichsregierung war bereit, die Steuern „bis zum äußersten anzuspannen. Voraussetzung dafür ist selbstverständlich die Ermöglichung seiner [Deutschlands] wirtschaftlichen Gesundung". Im übrigen sollten die auf Grund des Waffenstillstandsvertrages erfolgten Restitutionen und Ablieferungen, auch von Kriegsmaterial, auf die Reparationsschuld in Anrechnung gebracht werden. „Im Streitfall hat über Höhe der Forderungen internationales Schiedsgericht zu entscheiden." In ausdrücklichem Zusammenhang mit den Reparationen sollte jeder Versuch einer einseitigen Belastung Deutschlands mit der Kriegsschuld zurückgewiesen und ihre Erforschung der Zukunft vorbehalten bleiben. Das entsprach im großen und ganzen dem Ergebnis der Vorarbeiten. Nur ein Punkt, der in Versailles Bedeutung erlangte, fehlte: das Angebot, daß die Alliierten als Entschädigung auch Beteiligungen an der deutschen Industrie erhalten sollten. Dieser Plan war noch nicht eingehend und abschließend erörtert worden.

In wirtschaftspolitischer Hinsicht hatte man sich auf „Bestimmungen allgemeinen Inhalts" geeinigt. Der erste Grundsatz lautete: „Der Verkehr Deutschlands mit dem Ausland muß sofort und in vollem Umfang wieder aufgenommen werden. Der Wirtschaftskrieg in jeder Form muß beseitigt werden." Die Delegation sollte der Vorstellung Wilsons über den „freien, gleichberechtigten Verkehr der Völker ohne ökonomische Barrieren [...] zum Durchbruch" verhelfen. Einen formalen Erfolg errang das Reichswirtschaftsministerium, das die Aufnahme eines Absatzes über das „wirtschaftliche Selbstbestimmungsrecht im Innern" und über die Freiheit, die Gemeinwirtschaft in Deutschland einzuführen, durchsetzte. Außerdem sollte die Delegation die zusätzlichen Belastungen durch die Besatzungskosten verhindern und auf für die deutsche Wirtschaft gefährliche Zollregelungen im besetzten Gebiet achten.

Im übrigen stand dieser Teil der Richtlinien unter dem Grundsatz, „für Deutschland die Möglichkeit zu schaffen, seine Produktivität und seinen Export in kurzem auf das Höchstmaß zu steigern", die Voraussetzung des Wiederaufstiegs. Deshalb sollte die Delegation u.a. eintreten für freie Konkurrenz in der Rohstoffbeschaffung, für den Grundsatz der „offenen Tür", für die Wiederherstellung der Handelsverträge aus der Zeit vor dem Krieg „mit kurzem Kündigungsrecht etwaiger darin enthaltener Tarifbindungen" oder, sollte das unmöglich sein, für die Vereinbarung der Meistbegünstigung „unter genauer Präzisierung ihres Umfangs" und schließlich für die Möglichkeit, Ein- und Ausfuhrverbote insbesondere „zur Sicherung der Übergangszeit zu erlassen". Die Tendenz zur vorsichtigen Behandlung der Meistbegünstigung hatte sich durchgesetzt. Diese Richtlinien waren das Instrumentarium für eine Exportoffensive. Man beabsichtigte im Grunde, Reparationen als Nebenprodukt eines gewaltigen wirtschaftlichen Wachstums nach Überwindung einer schweren Übergangszeit zu leisten.

In Anlehnung an die Richtlinien legte die Rechtskommission der deutschen Friedensdelegation am 2. und 3. Mai 1919 in Versailles „Grundsätze für die Entschädigung" vor[127], um die juristische Seite der Frage, insbesondere die Auslegung der Lansing-Note vom 5. November 1918, im einzelnen genauer auszuführen. Einige Feststellungen sind erwähnenswert, zunächst die, daß die Frage der Völkerrechtswidrigkeit als Grundlage der Ersatzpflicht von den Alliierten nicht angeführt worden sei und deshalb ausscheide. Darauf legte die Reichsregierung ja Wert, weil sie auf diese Weise einer Erörterung des U-Boot-Krieges ausweichen konnte[128]. Die deutsche Haltung war allerdings schwankend; gerade nach Bekanntgabe der Friedensbedingungen am 7. Mai 1919 wurde auch argumentiert, man sei nur zu Schadensersatz infolge völkerrechtswidriger Handlungen verpflichtet. Das augenfällige Beispiel sind die deutschen Gegenvorschläge vom 29. Mai 1919.

Mit Bezug auf die Zahlung wurde festgestellt, daß Deutschland sich zu „sofortiger Abschlagzahlung" bereit erkläre. Im übrigen sollte von den Alliierten verlangt werden, eine Maximalsumme zu nennen; „die endgültige Feststellung der Schadenssumme soll durch internationale Untersuchungskommissionen auf Grund der Ermittlung aller Einzelfälle getroffen werden". Der Vorschlag, eine Maximalsumme zu nennen und die genaue Fixierung weiteren Untersuchungen vorzubehalten, war der Regelung, welche die Alliierten am 7. Mai 1919 in ihrem Friedensvertragsentwurf vorlegten, ähnlich. Es war unmöglich, sofort eine endgültige feste Summe zu nennen, wenn die Alliierten jeden Schaden, was immer man auch darin einschloß, ersetzt haben und nicht eine der deutschen Wirtschaftskraft angemessene reduzierte Pauschalsumme verlangen wollten. Im übrigen kam diese Formulierung, vor allem die „sofortige Abschlagszahlung", den Alliierten weiter entgegen als in den „Richtlinien". Für den Ausfall der nordfranzösischen Kohlenbezirke sollte Frankreich möglichst schnell in Form von deutschen Kohlenlieferungen Ersatz erhalten. Man stellte hier etwas mehr, als man es bis dahin getan hatte, die schwierige Lage unmittelbar nach dem Kriege in Rechnung. Im ganzen gesehen beruhten aber die Richtlinien und Grundsätze auf der unrealistischen Vorstellung, daß in Versailles die gegenseitigen Interessen eingehend geklärt und ausgehandelt werden würden. In seiner Rede vor der Nationalversammlung hatte Brockdorff-Rantzau am 10. April 1919 selbstbewußt erklärt, es sei völlig unmöglich, nach einer Lösung für die schwerwiegenden finanziellen Fragen des Friedens zu suchen, ohne Deutschland an den Verhandlungen zu beteiligen und deutschen Sachverstand zu Rate zu ziehen[129].

---

[127] PA, Handakten Ministerialdirektor Simons 2.
[128] Siehe dazu schon: PA, GFV-Protokolle, 24. 3. 1919.
[129] Verhandlungen der Deutschen Nationalversammlung, Bd. 327, S. 932.

In einer der letzten gemeinsamen Sitzungen von Kabinett und Delegation[130] war die Reparationsfrage das Hauptthema. Als Erzberger erneut forderte, in Versailles so viel wie möglich von der Entschädigungspflicht abzuhandeln, kündigte sich in der Erwiderung Melchiors jene einsichtigere und großzügigere Haltung an, die in der Friedensdelegation für die Behandlung des Reparationsproblems maßgebend wurde. Melchior erklärte, daß der Gegner aus politischen Erwägungen sehr hohe Forderungen stellen werde und Deutschland darauf Rücksicht nehmen müsse. Zahlungen könnten zwar erst nach einer wirtschaftlichen Erholungsfrist von einigen Jahren geleistet werden, man sollte aber grundsätzlich zu finanziellen Opfern bereit sein, um größere territoriale Abtretungen zu verhindern. Melchior dachte dabei vor allem an die dauernde Erhaltung der Wirtschaftskraft Oberschlesiens und des Saarlands für Deutschland. Das Kabinett stimmte diesem Gedankengang zu.
Vornehmlich Reichsfinanzminister Bernhard Dernburg, der Nachfolger des am 11. April 1919 zurückgetretenen Eugen Schiffer, sprach in ähnlichem Sinne. Die damals tatsächlich bestehende Zahlungsunfähigkeit[131] ließ er als einzige deutsche Antwort auf die alliierten Forderungen nicht gelten; man müsse sie zwar durch das vorhandene absolut stichhaltige Material belegen, damit über die Finanzlage nicht der Eindruck „deutscher Unzuverlässigkeit" erneuert werde, aber angesichts der schweren Lage Frankreichs, seiner hohen Schulden und der teilweise vernichteten Industrie müsse Deutschland großzügige Angebote machen. Dazu fehlten aber die Vorbereitungen. Dernburg mußte auf ein Haushaltsdefizit von 4¼ bis 5 Mrd. Mark verweisen[132]. Tatsächlich war es aus innenpolitischen Gründen weder gelungen, den Haushalt auszugleichen und den Geldumlauf zu verringern, noch die schon vorhandenen Pläne für neue Steuern und für eine Steuerreform zu verwirklichen. Da außerdem die Reichsregierung kein Wirtschaftskonzept besaß und statt dessen im Kabinett der Kampf zwischen den Verfechtern der kapitalistischen Privatwirtschaft und der Gemeinwirtschaft seinem Höhepunkt entgegenging, war sie für Erörterungen über die Aufbringung der Reparationen kaum gerüstet und stand mit ziemlich leeren Händen da. Auch dies war eine Folge jener Politik, die fast

---

[130] Vom 26. 4. 1919; Akten der Reichskanzlei, S. 229–33.

[131] Siehe dazu auch Bernstorff: „Es haben außerordentlich viel Sitzungen mit den ersten Bankiers Deutschlands stattgefunden, und eigentlich habe ich aus diesen Sitzungen den Eindruck gewonnen, daß wir überhaupt nichts zahlen können." Unterstaatssekretär Busch vom preußischen Finanzministerium antwortete: „Ja, ich gehöre der preußischen Finanzverwaltung an und bin derselben Meinung. Ich glaube, wir können es noch besser beurteilen als die Bankiers in diesem Falle." Besprechung mit den Bundesratsbevollmächtigten über den Stand der Vorbereitungen für die Friedensverhandlungen vom 1. 4. 1919; PA, WK 30, Bd. 42 (4097/D 927 804–16).

[132] Dazu eingehend Schieck, S. 219–25. – Ein schweizerischer Bankier stellte fest, daß in Deutschland vor allem der Notenumlauf erheblich verringert werden müsse. Das hätte eine große Wirkung auf den Wert der Mark. Dann müsse eine Konsolidierung der Wechselzirkulation stattfinden. Die Wirkung werde sich in einer Hebung des deutschen Kredits im Ausland zeigen. Briefauszug vom 22. 3. 1919; PA, Deutsche Friedensdelegation Versailles, Finanzdelegation Villette (4664/E 218 168–70).

ausschließlich darauf ausging, die gegnerischen Forderungen möglichst stark zu verringern, aber wenig Mühe darauf verwandte, die eigenen Möglichkeiten zur Überwindung der Schwierigkeiten, die der Weltkrieg gebracht hatte, auszuschöpfen.

Dernburg war im Grunde hilflos. Er sah nur die finanzielle Ausweglosigkeit, falls die Alliierten kein Einsehen hatten, und tat nichts weiter, als festzustellen: „Wir können es [das Geld für die Reparationen] nicht auf den Tisch legen, meine Herren, wir haben es nicht. Die Entente wird das Deutsche Reich ruinieren können, wenn sie uns heute trotz unseres guten Willens bei unserem Unvermögen zu großen Dingen zwingt. Sie wird ein vertragstreues, ordentliches und auf seine finanzielle Gesundung bedachtes Volk als einen guten Schuldner ansehen können, wenn sie ein paar Jahre Geduld hat, bis wir dazu kommen, unsere Verpflichtungen zu erfüllen. Die 5–6 Monate Waffenstillstand haben uns mehr an nationalem Wohlstand und nationaler Widerstandskraft, an Organisation unserer nationalen Wirtschaft gekostet, als mehrere Jahre Krieg." Da keinerlei Devisen mehr vorhanden seien, müsse die Friedensdelegation aus Paris „mindestens die Zusicherung einer gewaltigen, vielleicht im Minimum 25–30 Milliarden umfassenden Goldanleihe mitbringen". Große Anleihen waren auch die einzige Lösung, die er für das Anfangsstadium hoher Reparationsleistungen anbot. Eine andere Lösung wurde allerdings später auch nach dem Dawes-Plan nicht verwirklicht. Es war ein fast unbegreiflicher Optimismus, anzunehmen, daß die Dinge sich bei den Friedensverhandlungen so entwickeln würden, wie sie in „normalen Zeiten" für Deutschland wünschenswert und vielleicht wirtschaftlich vernünftig gewesen wären.

Dernburg suchte die Hilfe im Ausland bei den feindlichen Großmächten oder schob die Verantwortung seinen Kollegen zu: „Da müssen die anderen Ämter, das Reichswirtschaftsministerium und das Reichsarbeitsministerium, hauptsächlich helfen. Ich kann die Finanzen des Deutschen Reiches nicht machen, ich muß Zensiten haben, von denen ich das Geld bekomme. Angekurbelt kann nur werden von der Seite der beiden Herren." Dagegen konnte Reichswirtschaftsminister Wissell seinem Kollegen bald darauf einen schwerwiegenden Vorwurf machen. Er schrieb am 13. Mai 1919 an Scheidemann und Dernburg, es sei wirtschaftspolitisch dringend notwendig, über die künftigen Reichs- und Staatsfinanzen Klarheit zu haben. „Was die im Friedensvertrag zu übernehmenden Lasten anlangt, so wäre gerade im Hinblick auf diese erwünscht gewesen, das allgemeine Finanzprogramm schon schärfer umrissen zu sehen, um die Grenze der finanziellen Leistungsfähigkeit abschätzen zu können[133]." Aber hier kam für Dernburg der schon erwähnte Kalkül herein; erst sollte die Reparationsfrage im Sinne der deutschen Vorstellungen geregelt werden, damit der Neubeginn eine gute Grundlage habe, sonst galt: „Etwas, was wir nicht leisten können, werde ich nicht unterschreiben[134]." Er antwortete deshalb Wissell am 21. Mai 1919: „Die Aufstellung eines finanziellen

[133] R 43 I/2354.
[134] Akten der Reichskanzlei, S. 243 (Kabinettssitzung 26. 4. 1919).

und steuerlichen Gesamtprogramms wird erst dann zum Abschluß gebracht werden können, wenn die durch den Frieden bedingte Belastung einigermaßen zu übersehen ist und wenn die Grundlagen unseres zukünftigen Wirtschaftslebens gegeben sein werden[135]." Einen vorläufigen Finanzplan, der dann nach dem Friedensschluß vielleicht hätte revidiert werden müssen, bei den Friedensverhandlungen aber u. U. hätte von Nutzen sein können, weigerte er sich aufzustellen. Dernburg konnte der scheidenden Delegation nur ein vernünftiges Programm für die Zukunft, aber keine sofort vorzuweisende Leistung mit auf den Weg geben: Schaffung eines modernen und straffen Steuersystems, Regulierung des Banknotenumlaufs zur Eindämmung der Inflation, Wiedergesundung der deutschen Wirtschaft auf privater Grundlage – erst dann sei Deutschland in der Lage, auch hohe Reparationen zu übernehmen. Ganz offensichtlich überwog im Kabinett wie bei den Sachverständigen die Absicht, zuerst die wirtschaftlichen Grundlagen des deutschen Wiederaufstiegs sicherzustellen und die Reparationsverpflichtungen weitgehend zu begrenzen, ehe man bereit war, sich auf Entschädigungszahlungen festlegen zu lassen. Zu diesem Zweck war das Kabinett entschlossen, Friedensbedingungen, die damit unvereinbar waren, abzulehnen.

---

[135] R 43 I/2354.

IV. DIE BEHANDLUNG DES REPARATIONSPROBLEMS DURCH DIE FRIEDENSDELEGATION UND DIE REICHSREGIERUNG WÄHREND DES NOTENWECHSELS IN VERSAILLES

1. Die Entgegennahme der alliierten Friedensbedingungen und die ersten deutschen Reaktionen

Am 7. Mai 1919 im Trianon-Palast in Versailles – der einzige Tag, an dem Deutschland und seine Kriegsgegner während der Verhandlungen sich trafen – nahm Brockdorff-Rantzau den Entwurf des Friedensvertrags entgegen, hielt er, ein persönlich Getroffener, seine umstrittene Rede[1] und verlor den Tag. Die maßlose Enttäuschung und Empörung über die Friedensbedingungen hatte eingesetzt und zog immer weitere Kreise in Deutschland. Es schien unfaßbar, daß man sich tatsächlich nicht scheute, in dieser Weise mit Deutschland umzugehen. Die meisten Menschen, gerade in den politischen und wirtschaftlichen Führungsgruppen, hatten trotz vieler schlimmer Nachrichten über die zu erwartenden Bedingungen in der Illusion gelebt, daß schließlich die Gegner doch gar nicht anders könnten, als in Deutschland immer noch einen Partner zu erblicken, mit dem man sich auf einer annehmbaren Basis zu einigen vermochte. Die Reichsregierung war trotz Niederlage und innerer wie äußerer Schwäche mit dem Bewußtsein einer gleichberechtigten Großmacht in die Friedensverhandlungen eingetreten. Als die Wirklichkeit anders aussah, fühlte man sich zum Objekt herabgewürdigt und gedemütigt – das unheilvolle Wort von der „Schmach von Versailles" wurde sehr schnell zur Reaktion vieler. Kaum etwas war geschehen, um die Bevölkerung auf die unentrinnbaren Folgen der Niederlage vorzubereiten, überall war fast ausschließlich von dem für Deutschland allein akzeptablen Rechtsfrieden auf der Grundlage des Wilsonschen Programms, den die Sieger zu schließen verpflichtet seien, die Rede gewesen[2]. Die große Gefahr für die eigene Position wurde nicht in den Macht- und Sicherheitsinteressen der Entente und in den sehr unterschiedlichen Auslegungsmöglichkeiten gesehen, welche die Punkte Wilsons und die Lansing-Note vom 5. November 1918 zuließen, sondern in der Belastung Deutschlands mit der Schuld am Ausbruch des Weltkrieges, die einen Straffrieden mit unerträglichen Bedingungen rechtfertigen konnte.

Da es im Reichskabinett so beschlossen war und er selber es vor allem so wollte, brachte Brockdorff-Rantzau sofort in seiner ersten und einzigen Rede an die Sieger die Kriegsschuld zur Sprache – der größte Fehler, den er in Versailles beging, denn er forderte die maßlose und unkluge Erwiderung der Alliierten[3] geradezu heraus. Danach war die Kluft in der Kriegsschuldfrage nicht mehr zu überbrücken. Es trat

[1] Brockdorff-Rantzau, Dokumente, S. 70–73.

[2] Zur übertriebenen Auslegung des Wilson-Programms im deutschen Sinn sehr gut Holborn, History of Germany, III, S. 560/61. Zur Problematik der deutschen Einstellung zu Wilson allgemein: Fraenkel.

[3] Ultimatum, vor allem die Mantelnote vom 16. 6. 1919.

wieder der Hang zur extremen Politik, die vor dem Krieg und während seines Verlaufs einen so unheilvoll bestimmenden Einfluß auf die deutschen Entscheidungen genommen hatte, hervor und wurde befriedigt: eine Sache so und nur so zu Ende zu führen, wie man sie sich ausgedacht hatte, oder aber in stolzer Haltung zu scheitern. Das politische Programm Brockdorff-Rantzaus und das dahinterstehende politische Ethos einer neuen, an Wilson orientierten Völkerverständigung verdienen Achtung, der Weg jedoch, auf dem er es in die Wirklichkeit umsetzen wollte, fordert schärfste Kritik. Es ist bemerkenswert, wie sehr das Trauma des Versailles-Erlebnisses über Jahrzehnte hinweg wirksam blieb und Brockdorff-Rantzau mit seinem provozierenden Auftreten und seiner so unangebrachten Rede wohl heute noch vielen die Möglichkeit verschafft, sich mit seiner, deutsche Erniedrigung vergeltenden stolzen Haltung innerlich zu identifizieren: „Es blieb ihm nur übrig, die Bedingungen der Sieger entgegenzunehmen. Er tat es in einer Weise, die der Empörung über die schmähliche Behandlung eines im Kampfe unterlegenen Volkes und die persönliche Demütigung seiner bevollmächtigten Vertreter in monumentaler Weise Ausdruck verlieh." Dies wurde im September 1968 gesagt[4].

Da Reichsregierung und Delegation die Reparationsfrage als die wichtigste ansahen und von ihrer engen Verknüpfung mit der Schuld am Ausbruch des Weltkriegs ausgingen, beherrschten beide Themen die Rede Brockdorff-Rantzaus. Er machte zur Entschädigung zwei allgemein gehaltene Angebote: Deutschlands unmittelbare Beteiligung am Wiederaufbau Belgiens und Nordfrankreichs bei „geschäftlicher Verständigung" über die besten Methoden, und eine Prüfung durch Sachverständige, wie Deutschland Reparationen zahlen könnte, ohne wirtschaftlich zusammenzubrechen.

Weil die deutsche Bevölkerung unzureichend über die zu erwartenden hohen Forderungen der Sieger und die Ohnmacht der Reichsregierung, sich dem zu widersetzen, unterrichtet worden war und selbst innerhalb der Regierung, bei den Politikern und unter den Sachverständigen die meisten sich Illusionen über den Friedensvertrag hingegeben hatten, waren die Friedensbedingungen niederschmetternd und riefen Empörung hervor. Die „Frankfurter Zeitung" schrieb am 8. Mai 1919 über den Vertrag: „Das Ganze ist eine einzige lange Umschreibung des Wortes ‚écrasez l'infâme', auf Deutschland angewendet. In diesem Schriftstück erreicht der Wahn des erobernden Materialismus, der das menschliche Geschöpf als Objekt der Ausbeutung ansieht, seinen Gipfel. Weiter kann es nicht mehr gehen und wenn dieser Entwurf oder ein ihm ähnlicher durchgeführt werden sollte, so ist es Zeit, an der Zukunft der Menschheit zu verzweifeln. Nichts kann darauf kommen als die völlige Vergiftung zunächst der europäischen Welt, sei es, daß sich der hier angesammelte Krankheitsstoff in neuen noch furchtbareren Kriegen entlädt, sei es, daß anarchische Umwälzungen, gegen die der bisherige Bolschewismus Kinderspiel ist, stattfinden. Diese werden dann gewiß nicht an den Grenzen des verstümmelten

---

[4] Auswärtiges Amt, Gedenkfeier für Brockdorff-Rantzau, Ansprache Duckwitz, S. 11. Auf diese Rede bezieht sich auch Fred Luchsinger. Auch er spricht vom „abgründigen Versailles-Trauma" Brockdorff-Rantzaus.

Deutschland stehen bleiben[5]." Der Kommentator war sich wohl kaum dessen bewußt, daß seine in der ersten Erregung niedergeschriebenen Zeilen nicht nur eine journalistische Übertreibung waren, sondern tatsächlich eine furchtbar ernste Entwicklungsmöglichkeit kennzeichneten, an der allerdings keineswegs der Versailler Vertrag in erster Linie schuld war.

Während die „Frankfurter" und andere Zeitungen sich noch mit dem erschreckenden Ausblick auf Deutschlands Zukunft beschäftigten, hatte einer der einflußreichsten Wirtschaftsverbände, der Verein der Eisen- und Stahlindustriellen, schon einen Schuldigen für den deutschen Zusammenbruch und sein Ergebnis, den Versailler Vertrag, gefunden: die Demokratie. Der Vorsitzende des Vereins, Justizrat Wilhelm Meyer, sagte auf der Sitzung des Hauptvorstands vom 16. Mai 1919 in seiner einleitenden Erklärung: „Als im November v. J. das Volk seine Geschicke selbst in die Hand genommen hat, wußten wir, daß dies keinen guten Ausgang nehmen könnte. Das Rückgrat unseres Staates wurde gebrochen, das Heer seiner Stärke beraubt. Damit haben wir uns selbst entmannt. Was kommen mußte, ist eingetreten. Die Feinde wagen es, uns Friedensbedingungen zu unterbreiten in einer Ungeheuerlichkeit, die sich wohl niemand von uns vorgestellt hatte." Das war die Selbstdarstellung der Schwerindustriellen – Einsichtige, die vergeblich vor den demokratischen Neuerungen gewarnt hätten und nun auch noch die Leidtragenden seien: „Das deutsche Volk hat es anders gewollt. Die Folgen müssen wir tragen[6]." Mit dieser Geschichtslüge, die ja nicht irgendeine private Meinung war, sondern die Manifestierung der Ansichten einer der wichtigsten gesellschaftlichen Gruppen der Weimarer Republik, halfen sie, jene Katastrophe herbeizuführen, über welche die „Frankfurter Zeitung" geschrieben hatte. Eine andere Lösung als das „Unannehmbar", das vor allem den Reparationen galt, hatten sie allerdings nicht.

Alle Hoffnungen und Erwägungen zur Frage der Wiedergutmachung zerrannen, weil der Artikel 231 Deutschland zur Erstattung sämtlicher Schadensforderungen der Alliierten verpflichtete[7]. Er wirkte als Bestätigung der deutschen These, daß alle Forderungen auf die Schuld Deutschlands am Kriege gestützt werden sollten. Mit diesem Artikel machten die Verfasser des Vertrages einen ihrer schwersten Fehler. Sie kannten die aufgebrachte Stimmung in Deutschland gegenüber der Kriegsschuldfrage und wußten, daß die deutsche Delegation darauf mit Nachdruck eingehen würde, trotzdem fügten sie den Artikel ein – vielleicht sogar gerade deshalb, um die deutsche Argumentation von der Unhaltbarkeit der alliierten Reparationsvorstellungen weg auf ein Gebiet zu locken, in dem nun einmal keine der Siegermächte etwas nachgeben konnte: der Verantwortung für den Krieg.

Zur praktischen Durchführung der Reparationsleistungen wurde in Artikel 232 dann die Einschränkung gemacht, daß Deutschland nicht in der Lage sei, alle Verluste zu ersetzen, und deshalb die Schäden der Zivilbevölkerung der Siegermächte wiedergutzumachen habe, einschließlich Pensionen und ähnlicher Leistungen an Kriegshinterbliebene und einschließlich der Verluste an Handelsschiffen. Den Alliierten gelang es nicht, eine endgültige Reparationssumme festzulegen. Die Reichs-

[5] Der große Krieg, S. 10374. [6] BA, R 13 I/93. [7] Siehe dazu oben S. 46 und 50.

regierung sollte jedoch vorab eine Zahlungsverpflichtung für die ungeheure Summe von 100 Mrd. Goldmark übernehmen. Davon waren 20 Mrd. bis zum 1. Mai 1921 fällig. Auf diese Summe sollten die Ablieferungen gemäß den Waffenstillstandsverträgen – ausgenommen militärisches Material – und die auszuliefernde Handelsflotte angerechnet werden. Ein weiterer Teil der Summe sollte durch Sachlieferungen beglichen und zur Erstattung der Kosten für die alliierte Besatzungsarmee oder zur Bezahlung der von den Alliierten als notwendig erachteten deutschen Einfuhr von Lebensmitteln und Rohstoffen verwendet werden. Von den restlichen 80 Mrd. sollten zunächst ab 1. Mai 1921 40 Mrd. verzinst und getilgt werden, die übrigen 40 Mrd. erst dann, wenn die Bezahlung der ersten Summen abgeschlossen war. Hierin lag für die Zukunft der Ansatzpunkt einer für Deutschland günstigen Entwicklung, der weder damals noch in der Forschung genügend beachtet wurde. Bis nämlich für die zweiten 40 Mrd. Zinsen und Tilgung zu leisten waren, mußten viele Jahre vergehen, in denen sich die politischen Verhältnisse und die Beziehungen der Kriegsgegner erheblich verbessern und die Zahlungsverpflichtungen sich verringern oder erledigen konnten. Die Alliierten unternahmen aber nichts, was auf die Absicht, eine solche Entwicklung später einzuleiten, schließen ließ. Mit welchen Gefühlen man sich tatsächlich gegenüberstand, macht die Bemerkung des Unterstaatssekretärs Schroeder deutlich, der nur auf den Widerspruch hinwies, daß Deutschland, wenn es die ersten 60 Mrd. gut geleistet habe, zur Strafe für sein Wohlverhalten weitere 40 Mrd. auferlegt bekomme. Das müsse eigentlich dazu reizen, weniger zu leisten. Unübersehbar werde die Last außerdem durch die Besatzungskosten[8]. Schließlich wies Schroeder noch Reparationen für Rußland[9] und Polen zurück.

---

[8] Bericht des Unterstaatssekretärs im Reichsfinanzministerium, Schroeder, vom 10. 5. 1919 aus Versailles; BA, R 2/2546. Daß man sich aber wenigstens bei Abfassung der deutschen Gegenvorschläge nicht völlig darüber im unklaren war, welche Bedeutung der Aufschub der zweiten 40 Mrd. in eine ferne Zukunft haben konnte, geht aus folgenden Sätzen hervor: „Wenn die Berechnung nach dem oben geschilderten Grundsatz erfolgen soll, würde offenbar eine geradezu phantastische Gesamtziffer in Aussicht stehen, eine Belastung, an deren Abtragung auch in Generationen härtester Arbeit nie gedacht werden kann. Die Alliierten und Assoziierten Regierungen sind sich über diese Tatsachen offenbar selbst klar, sonst würden sie nicht schon für die Ausgabe der letzten 40 von den genannten 100 Milliarden Mark Schatzscheinen den erwähnten Vorbehalt gemacht haben. Worüber sie sich aber anscheinend nicht klar sind, ist dieses: Wenn sie Deutschland mit einer Schuldsumme belasten, die ihm jede Zukunftsmöglichkeit nimmt, wenn infolgedessen jede Besserung der deutschen Wirtschaftslage, die das deutsche Volk durch angestrengten Fleiß und durch spartanische Sparsamkeit erreichen könnte, lediglich dazu führen würde, daß nur noch größere Zahlungen zur Abtragung dieser Schuld uns auferlegt würden, so müßten jede Schaffensfreude, jede Arbeitslust, jeder Unternehmermut für alle Zeiten in Deutschland zugrunde gehen." Materialien, Teil 3, S. 120.

[9] Artikel 116, 3. Absatz des Versailler Vertrags: „Die alliierten und assoziierten Mächte behalten Rußland ausdrücklich das Recht vor, von Deutschland alle Entschädigungen und Wiedergutmachungen zu verlangen, die auf den Grundsätzen des gegenwärtigen Vertrages beruhen." Mit dieser Bestimmung beabsichtigten Clemenceau und Lloyd George angesichts der von ihnen erwarteten wirtschaftlichen Auseinandersetzungen nach

Bei derartig hohen Summen spielten die Zinsen eine entscheidende Rolle; sie konnten, wenn sich die Reparationszahlungen über mehrere Jahrzehnte hinzogen, schließlich so überhandnehmen, daß die Entschädigungssumme selbst kaum noch zu tilgen war. Außerdem war es bei den einschneidenden, volkswirtschaftlich unsinnigen Forderungen notwendig, Deutschland alle Möglichkeiten zur Entschädigungsleistung zu öffnen, d.h. aber im Grunde, es zur größten Wirtschaftsmacht Europas zu machen.

Die alliierten Friedensbedingungen erlegten Deutschland noch eine Reihe weiterer Verpflichtungen auf, die sich gerade in den schwierigen ersten Jahren wirtschaftlich lähmend auswirken mußten. Vor allem wurde ihm für fünf Jahre die Meistbegünstigung verweigert, die es seinerseits jedoch den Siegern zu gewähren hatte. Auch sonst richteten sich die Alliierten darauf ein, Deutschland den Zugang zu ihren Märkten zu erschweren. Die endgültigen Wiedergutmachungsforderungen sollte die Reparationskommission feststellen. Ihre weitgehenden Befugnisse erregten ganz besonders Widerstand und Mißtrauen der Deutschen.

Zu den allgemeinen Verpflichtungen traten noch eine Reihe finanzieller Nebenlasten[10], z.B. die Kosten für die Reparationskommission und ähnliche Einrichtungen, Entschädigungen aus einzurichtenden Ausgleichsverfahren, die Liquidierung des staatlichen und privaten deutschen Eigentums in den Ländern der Alliierten, für das die Reichsregierung Ersatz leisten mußte, u.a.m. Außerdem mußte die Reichsregierung mit der Anmeldung von Ansprüchen der Neutralen für Schäden rechnen, die ihnen durch den deutschen U-Boot-Krieg zugefügt worden waren[11]. Einen Ansatz zu einer gewissen positiven Entwicklung boten nur die Bestimmungen, daß Deutschland einen Teil seiner Verpflichtungen in Form von Sachlieferungen begleichen konnte und außerdem beim Wiederaufbau der zerstörten Gebiete durch Lieferungen und Arbeiten unmittelbar beteiligt werden sollte.

Die scharfe Ablehnung des Friedensvertragsentwurfs und die großen Befürchtungen für die Zukunft lassen sich besser verstehen, wenn man die Erfahrungen mit den Waffenstillstandsverhandlungen berücksichtigt. Die Reichsregierung wie die Friedensdelegation standen ganz unter dem Eindruck, daß die Waffenstillstandsvereinbarungen immer extensiv und zu Deutschlands Ungunsten ausgelegt, bei den Verlängerungen immer weitere Bedingungen gestellt und Strafleistungen gefordert worden waren auf Grund von Bestimmungen, die Deutschland zum Teil unmöglich hatte erfüllen können[12]. Unter dem Gesichtspunkt dieser späteren Verschärfungen

---

dem Krieg, einen Keil zwischen Deutschland und Rußland zu treiben und Deutschland daran zu hindern, die russische Wirtschaft zu beherrschen. Siehe dazu vor allem Linke, S. 50–54. Außerdem hielt man sich die Bündnischance mit einem gegenrevolutionären Rußland offen.

[10] Wüest, S. 70–81.

[11] Siehe dazu die Aufzeichnung über eine Ressortbesprechung im AA am 20. 5. 1919; PA, WK 31, Bd. 3 (4121/D 931 833–44); BA, R 2/2581.

[12] Das wurde vielfach geäußert, siehe u.a. PA, GFV-Protokolle, 15. und 27. 3. 1919; auch auf amerikanischer Seite, siehe Schwabe, S. 381. Siehe auch Renouvin, S. 289, und K. Epstein, S. 331–37.

prüften die deutschen Vertreter die Friedensbedingungen und fanden sie vernichtend. Es war tatsächlich so, daß die Bedingungen, wortgetreu und in einer jeweils dem Sieger günstigen Auslegung durchgeführt, Deutschland eine schlimme Zukunft verschaffen mußten. Nur aus der Sorge vor solchen Auswirkungen des Friedensvertrages lassen sich Erklärungen wie jene völlig übertriebene Note über die wirtschaftlichen Folgen der gegnerischen Friedensvorschläge für die deutsche Bevölkerung vom 13. Mai 1919 verstehen[13].

Die Nachwirkungen der Waffenstillstandsverhandlungen zeigten sich auch sogleich bei der Erörterung der Friedensbedingungen in der Geschäftsstelle für die Friedensverhandlungen. Die wirtschaftspolitische Arbeitskommission[14] wandte sich nachdrücklich dagegen, daß die endgültige Reparationssumme erst am 1. Mai 1921 feststehen sollte; sie forderte die Nennung eines Höchstbetrags auf der Grundlage des Notenwechsels vor dem Waffenstillstand, damit man eine feste Rechnung aufmachen könne. Sonst sei die notwendige Folge, daß die Alliierten immer neue Forderungen stellen würden, sobald man die alten erfüllt hätte. Diese skeptische und pessimistische Beurteilung der späteren Interpretation des Friedensvertrags, die Ansicht, daß nach seiner Unterzeichnung kein Raum für einen neuen Anfang, sondern nur für eine bedrückende Zukunft bliebe, hatte ebenfalls Einfluß auf das deutsche Bestreben, die Abweichungen des Vertrags von der vereinbarten Grundlage des Wilson-Programms und der Lansing-Note vom 5. November 1918 herauszustellen und die Unrechtmäßigkeit vieler Forderungen zu betonen. Das tiefe Mißtrauen gegenüber den Absichten der Alliierten gerade auf wirtschaftlichem Gebiet war allerdings nicht nur eine Folge der Waffenstillstandsverhandlungen. Schon auf Grund der Beschlüsse der Pariser Wirtschaftskonferenz vom 14. bis 17. Juni 1916 rechneten die Vertreter der Reichsregierung wie auch die Sachverständigen mit einem Wirtschaftskrieg gegen Deutschland[15]. Auch das ist eine der Voraussetzungen für die deutsche Reaktion auf die Friedensbedingungen, die in vielen Passagen wie die Eröffnung dieses Wirtschaftskrieges wirken mußten und infolgedessen hohe Reparationsleistungen aussichtslos erscheinen ließen.

2. Die Erarbeitung der deutschen Gegenvorschläge in der Reparationsfrage

Die Erarbeitung einer deutschen Gegenposition zu den im Vordergrund des Interesses stehenden finanziellen und wirtschaftlichen Bedingungen konzentrierte sich auf vier Grundgedanken, die allerdings nicht in ein straffes, nach ihrer Bedeutung und den verhandlungstaktischen Erfordernissen abgestuftes Verhältnis zueinander ge-

---

[13] Materialien, Teil 1, S. 29–31. – Schon Viktor Schiff bezeichnete das dort entworfene düstere Bild deutscher Massenverelendung als Übertreibung; Schiff, S. 66.

[14] „Bericht der wirtschaftspolitischen Arbeitskommission über die Bestimmungen betr. den Wiederaufbau der zerstörten Gebiete"; BA, Nachlaß Le Suire, 60.

[15] Referat Schmitz' vom 29. 3. 1919; BA, Nachlaß Moellendorff 86.

bracht, sondern jeweils ziemlich unabhängig verfolgt wurden, weil zwischen der Reichsregierung und der Delegation sich Differenzen über das Vorgehen ergaben und weil außerdem eine gespaltene Zuständigkeit in der Reparationsfrage bestand. Wie erwähnt, war ja Erzberger für den Bereich des Wiederaufbaus der zerstörten Gebiete in Nordfrankreich und Belgien, das Auswärtige Amt hingegen für die Friedensverhandlungen insgesamt zuständig, und das sich immer weiter verschlechternde persönliche Verhältnis zwischen Erzberger und Brockdorff-Rantzau wirkte sich auch hier aus und machte eine Zusammenarbeit fast unmöglich[16]. Die vier Grundgedanken, die auf deutscher Seite die Ansatzpunkte bei der Suche nach einer Lösung des Reparationsproblems bildeten, einander teilweise widersprachen und doch alle in die Gegenvorschläge aufgenommen wurden, lassen sich so bezeichnen: Ein umfassendes und großzügiges finanzielles Gegenangebot zu den Reparationsforderungen der Alliierten; unmittelbare deutsche Ersatzleistung durch Wiederaufbau in großem Maßstab; Möglichkeit der Beteiligung der Siegermächte an der deutschen Industrie als Teil der Entschädigung; und schließlich die Herabsetzung der alliierten Forderungen sowohl dadurch, daß man sie an den von Deutschland akzeptierten Verpflichtungen maß, als auch durch Nachweis der deutschen Zahlungsunfähigkeit und der Notwendigkeit wirtschaftlicher Erholung. In diesen vier Punkten wurden zum ersten Mal unterschiedliche Konzeptionen klar erkennbar, die während der deutschen Friedensvorbereitungen zunächst ohne sich zu stören im Stadium der Planung als verschiedene, sich ergänzende Ansätze hatten gelten können. Durch die Vorlage des Friedensvertragsentwurfs mußte die Unverbindlichkeit aufhören und gegenüber einer nun ganz konkret gewordenen Situation eine klare Entscheidung, die mit einer schweren Verantwortung belastet war, über die weitere Haltung zur Reparationsfrage gefällt werden.

a) Versuch zur Reduzierung der Reparationen durch den Nachweis der Unrechtmäßigkeit der Forderungen und ihrer wirtschaftlichen Unerfüllbarkeit

Der Nachweis, daß eine Reduzierung der Reparationsforderungen unumgänglich sei, beschäftigte vor allem die Ressorts und die Sachverständigen in Berlin. Dabei wurde jeder einzelne Artikel des Friedensvertragsentwurfs einer kritischen Prüfung unterzogen und vor allem die Verpflichtung zum Ersatz von Pensionen und ähnlichen Leistungen vollständig abgelehnt[17]. Die Ergebnisse orientierten sich an der engsten Auslegung der deutschen Verpflichtungen nach dem Wilson-Programm und der Lansing-Note vom 5. November 1918 – trotz einiger skeptischer Stimmen. Sie entsprachen unverändert der Stellungnahme Schroeders in der Kabinettssitzung vom 22. März 1919[18] und fanden zum Schaden des Ganzen detailliert Aufnahme in die deutschen Gegenvorschläge.

---

[16] K. Epstein, Kapitel 12. [17] Anlage I, §§ 4–7 zu Artikel 232.

[18] Siehe S. 152 f. – Man berief sich dabei auf das französische Entschädigungsgesetz vom Juli 1916 und seine Feststellung, die Schäden müßten „certains, matériels et directs" sein. Siehe die Drucksache 25, GFV, „Das französische Gesetz über die Wiedergutmachung von Kriegsschäden als Material für die Friedensverhandlungen".

Schon in der Fragestellung, welche die Analyse der Reparationsbedingungen leitete, kam dieser bürokratische Geist zum Ausdruck. Hier fehlte tatsächlich ein verantwortungsbewußter politischer Kompromißwille. Einer Aufforderung des Reichsfinanzministeriums vom 13. Mai 1919 folgend, äußerten sich die zuständigen Ressorts des Reichs und Preußens sowie die Reichsbank zu der Frage, inwieweit der Vertragsentwurf den 14 Punkten und der Lansing-Note widerspreche. Damit wurde eine erneute Debatte über diese Note ausgelöst. Die bemerkenswerteste der abgegebenen Stellungnahmen, die der Reichsbank vom 15. Mai 1919, war eingehend und folgerichtig in der Argumentation, jedoch ohne jedes politische Fingerspitzengefühl, indem sie sich sogar nach der Bekanntgabe der alliierten Bedingungen noch auf eine Auslegung versteifte, die vom Text her umstritten war, von der aber die Reichsregierung spätestens seit den Äußerungen des amerikanischen Obersten Conger wußte, daß sie nicht zutraf. Wenn man davon ausgeht, daß in strittigen Fällen Auslegungsfragen zwischen Staaten Machtfragen sind, waren die Bemühungen der Reichsbank, zu beweisen, daß die Lansing-Note nur im Zusammenhang mit den 14 Punkten zu lesen sei, völlig vergebens. Bei der unrealistischen Fragestellung des Reichsfinanzministeriums konnte allerdings kaum etwas anderes herauskommen. Es ging gar nicht nur darum, die Ersatzleistung für Schäden aus dem U-Boot-Krieg abzulehnen, sondern entscheidend war die Position, die bezogen wurde und die darauf hinauslief, daß die Alliierten die deutschen Maximalforderungen anerkennen müßten: „Sollte es nicht gelingen, die von der deutschen Regierung vertretene Auslegung zur Anerkennung zu bringen, so würde eine Bezugnahme auf das Wilsonsche Programm überhaupt für uns an praktischem Wert sehr verlieren[19]."

Dieses Auseinanderklaffen der deutschen und der alliierten Forderungen war das wirklich Gefährliche, denn es konnte nur mit dem Abbruch der Verhandlungen oder der deutschen Kapitulation enden. Man brachte es also nicht einmal über sich, eine den Alliierten entgegenkommende und textlich ebensogut mögliche Auslegung der Lansing-Note zu akzeptieren, die für Deutschland immer noch erhebliche Vorteile gebracht hätte. Selbst diese Einstellung hätte allerdings nichts genutzt; die Frage war, ob das Vorgehen, jede Abweichung vom Wilson-Programm und von der Lansing-Note zu registrieren, überhaupt irgendeinen Erfolg haben konnte – außer dem einen, die Alliierten gründlich zu verärgern. Der Nachweis, daß die Alliierten die Vereinbarungen vor dem Waffenstillstand gebrochen hatten, ließ sich leicht führen, aber das nützte ja nichts, solange es keine Instanz gab, die sich von der Fülle und dem Gewicht der Abweichungen beeindrucken ließ. Die Deutschen taten aber so, als gäbe es sie: sei es die öffentliche Meinung der Welt oder seien es die „Völker" gegenüber ihren Regierungen, einzelne alliierte Staatsmänner oder eine der feindlichen Großmächte, die ihre speziellen Interessen bei zu harten Friedensbedingungen bedroht sah.

[19] BA, R 2/2580. – Die Behauptung Schwabes, S. 395, daß sich die deutsche Friedensplanung nur noch in der Theorie an den 14 Punkten orientiert habe, läßt sich weder für die Reparationsfrage noch sonst aufrechterhalten.

Am 13. und 14. Mai 1919 fanden im Reichsfinanzministerium die Besprechungen über die finanziellen Friedensbedingungen statt[20]. In ihrem Verlauf lebte ungeachtet der inzwischen völlig veränderten Lage der Gegensatz zwischen der Errechnung von Einzelschäden und dem Angebot einer Pauschalsumme, die ein solch kleinliches Vorgehen erübrigen sollte, wieder auf – wie Anfang März 1919. Die Vertreter des Reichsfinanzministeriums einschließlich Dernburgs wollten auf der Grundlage der für Deutschland günstigsten Auslegung der Lansing-Note eine Stellungnahme erarbeiten, aus der die Diskrepanz zu den Friedensbedingungen im einzelnen klar ersichtlich war und die als Einleitung einer detaillierten Schadensermittlung gelten konnte. Alle Ressortvertreter traten dafür ein – mit der einen Ausnahme des Geheimen Oberfinanzrats Ryll vom preußischen Finanzministerium, der verlangte, man solle alle diese Einzelerörterungen beiseite lassen und vernünftigerweise die deutsche Leistungsfähigkeit zum Ausgangspunkt der weiteren Erörterungen machen. Direktor Henry Nathan (Dresdner Bank) unterstützte vorbehaltlos das Reichsfinanzministerium, während die übrigen Bankiers, besonders Ratjen, Salomonsohn und Schwabach, dafür eintraten, die Lösung auf dem Wege einer pauschalen Reparationssumme zu suchen, um die nur negative Linie zu verlassen. Als Salomonsohn sogar vorschlug, nach einer wirtschaftlichen Erholungspause vom 1. Januar 1926 an 60 Mrd. Goldmark zu zahlen, war die Ablehnung des Reichsfinanzministeriums so entschieden, daß dieser Passus sogar aus der endgültigen Fassung des Protokolls verschwand. Schwabach stand insofern zwischen den Fronten, als auch er nur die im einzelnen festzustellenden Schäden ersetzen wollte, die von deutscher Seite angerichtet worden waren. Er war der entschiedenste Verfechter jener Richtung, die im Sinne einer Art Wiederaufnahme des ganzen Verfahrens die Delegation mit dem nötigen Material dafür versorgen wollte, daß der „Vertrag in den Papierkorb gehört", eine völlig unrealistische Vorstellung. Sein Zweifel, ob der Gegner sich auf eine Pauschalsumme und damit auf die Lösung des Reparationsproblems durch ein gigantisches Kreditgeschäft einlasse, zeugte allerdings von tieferer Einsicht, als die meisten anderen Bankiers zeigten. Dieses Nebeneinander von unrealistischen und sehr treffenden Stellungnahmen brachte die durch die deutsche Niederlage verursachte innere Unentschiedenheit und Labilität in allen Fragen, die mit dem Frieden und der künftigen Stellung Deutschlands zusammenhingen, zum Ausdruck.

Die Ablehnung des Vertrags forderte neben Schwabach auch Nathan. Als Begründung nannten beide, daß Deutschland nichts oder nur wenig an Reparationen leisten könne. Maßvoll verhielt sich Salomonsohn, der verlangte, die Finanzexperten müßten gegenüber den Alliierten den Nachweis führen, daß die Erfüllung aller Forderungen Deutschlands Leistungsfähigkeit übersteige. Gegen die Ablehnung des Vertrags nahm der Hauptvertreter des Reichsfinanzministeriums, der Wirkliche Geheime Oberregierungsrat Dombois, Stellung. Er zog sich ausdrücklich darauf zurück, daß dies eine politische Frage sei, die nicht behandelt werden könne, und

---

[20] BA, R 2/2547.

bestand immer wieder darauf, zu den Einzelerörterungen der Friedensbedingungen zurückzukehren. Das bedeutete aber, daß man entgegen den bis dahin üblichen Gepflogenheiten die Finanzsachverständigen zu bloßen Experten für finanzielle Detailfragen degradieren wollte. Darüber hinaus aber vertrat auch Dernburg dieses auf engen Sachverstand begrenzte, unpolitische Vorgehen als Richtlinie, obwohl er als Minister die großen politischen Gesichtspunkte hätte vertreten müssen. Er nahm übrigens an den Besprechungen für kurze Zeit teil – vielleicht nur, um im rechten Moment sein Postulat vorzutragen. Wahrscheinlich aber wußte er selbst keinen anderen Ausweg. Die Krönung von allem und der sichtbare Ausdruck dessen, daß man das Pferd beim Schwanze aufzäumte, war Dombois' Feststellung: „Voraussetzung bildet immer, daß der Vertrag überhaupt eine für uns annehmbare Gestalt gewinnen wird. Müßte er, weil dieses Ziel nicht erreicht wurde, abgelehnt werden, so erledigt sich von selbst die Frage der Finanzierung[21]." Für die Arbeit, festzustellen, „was wir zu leisten haben und wie", war also ein den deutschen Vorstellungen entsprechender Friedensvertrag zur Voraussetzung gemacht worden. Die Voraussetzung bestand also nicht in dem Bemühen, durch Kompromisse und Konzessionen überhaupt erst eine erträgliche Regelung zu erreichen. Das Reichsfinanzministerium suchte mit allen Konsequenzen seinen Standpunkt durchzusetzen, daß die deutsche Verhandlungsposition feststehe und nicht mehr geändert werden dürfe.

Als Reparationsleistung besonders für die erste Nachkriegszeit wurde in erster Linie der Wiederaufbau der zerstörten Gebiete Nordfrankreichs und Belgiens angeboten. Die alliierte Reparationskommission und unbeschränkte Zahlungsverpflichtungen lehnten die Teilnehmer der Sitzung ab. Weiter kam bei der Debatte über die Abwicklung der Entschädigungsleistung sofort wieder das Verlangen der Bankiers zur Sprache, daß die inneren Kriegsanleihen, der „Blutkreislauf in unserem Wirtschaftskörper", nicht notleidend werden dürften und Vorrang haben müßten. Schließlich lieferte Direktor Mankiewitz (Deutsche Bank) zur Frage, wie die Reichsregierung nun weiter vorgehen sollte, noch einen Beitrag, welcher der weitblickendste und vernünftigste während der Besprechungen war. Mankiewitz hielt es für falsch, schon bei den Friedensverhandlungen von der Finanzierung – auch der Reparationen – durch Auslandsanleihen anzufangen, „da wir uns dadurch in die Karten sehen lassen". Die Deutschen seien selbst noch im ungewissen darüber, was sie machen wollten, und sollten erst einmal abwarten, was genau gefordert werde. Der von den Alliierten verlangte General-Bond – die Obligationen, die Deutschland für die Reparationssumme von vorerst 100 Mrd. Goldmark zu hinterlegen habe – sei unerläßlich. Er sei aber nur ein Stück Papier, „solange wir nicht festgestellt haben, was wir eigentlich leisten können. Uns jetzt festzulegen, wäre höchst gefährlich". Endlich einmal wollte ein Experte keine bestimmte künftige Leistungsfähigkeit Deutschlands beweisen, sondern erklärte, daß man zunächst noch gar kein Urteil darüber fällen könne. Außerdem boten seine Äußerungen eine neue Konzeption an, denn sie enthielten die Verschiebung der eigentlichen Reparationsverhandlungen mit

---

[21] Sitzung vom 14. 5. 1919; BA, R 2/2547.

den Alliierten im einzelnen auf einen späteren Zeitpunkt, in einer wahrscheinlich günstigeren Atmosphäre. Darauf ging nur niemand ein.
Einig war man sich aber darin, daß die Abbürdung der Reparationslasten in einem möglichst langen Zeitraum erfolgen müsse, die von den Alliierten genannte Frist von 30 Jahren wurde akzeptiert, ebenso, daß die endgültige Summe bis zum 1. Mai 1921 festgesetzt werden sollte. Außerdem sollte eine dem Zugriff der Reparationskommission entzogene Schuldentilgungskasse aus Zöllen und einigen indirekten Steuern geschaffen werden. Die daraus abgeführten Beträge dürften im Jahr aber nicht mehr als einen bestimmten – noch offenen – Prozentsatz der Reichseinnahmen betragen. Als weiteres Pfandobjekt kamen die Kolonien in Frage; noch Ende April war sogar der Gedanke aufgetaucht, sie direkt als Reparationszahlung dem Gegner zu übereignen[22]. Das stieß auf Warburgs Widerspruch, der eine besondere Schwäche für die Kolonien entwickelte und immer argwöhnte, daß die Priorität der Reparationsforderungen zugestanden und damit die deutsche Kreditwürdigkeit vermindert werden könnte. Er regte deshalb an, die Kolonien als Sicherheit zu verwenden, jedoch nicht für die Wiedergutmachung, sondern für seine Anleihepläne[23]. Im übrigen war man einmütig der Ansicht, daß sämtliche Beschränkungen und Diskriminierungen des deutschen Außenhandels fallen müßten und eine nachhaltige Ankurbelung der deutschen Wirtschaft durch langfristige Kredite und Versorgung mit Rohstoffen und Lebensmitteln unumgänglich sei[24].
Es war in Anbetracht der gegnerischen Haltung durchaus unangemessen und unrealistisch, wenn Dernburg zusammenfassend erklärte, daß die Reichsregierung mit zähem Festhalten an dem deutschen Standpunkt bessere Bedingungen hoffe durchsetzen zu können. Er wies auf die reduzierte deutsche Leistungsfähigkeit hin, falls größere Gebietsabtretungen gefordert würden, lehnte die Reparationskommission wegen der Gefahr ihres übermächtigen Einflusses in Deutschland ab – eine Ansicht, die überall geteilt wurde – und forderte eine deutsch-alliierte Kommission zur Schadenfestsetzung sowie eine anteilige Übernahme der Reichsschulden in den abzutretenden Gebieten durch die neue Staatsgewalt[25]. Außerdem hob er die Gefahr unbegrenzter Forderungen der Alliierten hervor, insbesondere auch durch die Besatzungskosten. Sollte sich über die Reparationsbedingungen keine Einigung erzielen lassen, so müsse ein internationales Schiedsgericht entscheiden. Dernburgs Angebot zur Prüfung der deutschen Leistungsfähigkeit umfaßte nur eine alle fünf Jahre unter deutscher Beteiligung festzulegende Annuität, die einen bestimmten

[22] Kabinettssitzung vom 21. 3. 1919; PA, WK 30, Bd. 32 (4080/D 924 225–53). Aufzeichnung des Legationssekretärs Boettinger in Versailles vom 28. 4. 1919; PA, Nl. Haniel, 3 (L 738/L 223 515–16).

[23] Bericht Schroeders vom 13. 5. 1919 aus Versailles; BA, R 2/2547.

[24] Siehe auch die „Zusammenfassung der Ergebnisse der Sitzungen vom 13. und 14. 5. 1919" und die zusammenfassende Stellungnahme vom 16. 5. 1919; BA, Nl. Saemisch 94; BA, R 43 I/2.

[25] Von den Alliierten nur für die Schulden bis zum Kriegsausbruch zugestanden, während die Reichsregierung gerade auf die Kriegszeit Wert legte, in der die Reichsschulden erst ihre schwindelerregende Höhe erreichten.

Prozentsatz der Reichs- und Staatseinnahmen nicht überschreiten dürfte. Mit Rücksicht auf die katastrophale finanzielle Lage der Reichsregierung sträubte sich das Reichsfinanzministerium gegen jede Barverpflichtung.

b) Reparationsleistung durch Wiederaufbau

Über die Leistungen eines Teils der Reparationen durch deutsche Hilfe beim Wiederaufbau war man sich weitgehend einig. Der Plan spielte in allen Erwägungen eine Rolle. Für die Vorarbeiten waren die von Erzberger geleitete Waffenstillstandskommission und das Reichsarbeitsministerium zuständig. Erzberger sah in der deutschen Wiederaufbauleistung einen der wichtigsten Beiträge zur Reparationszahlung überhaupt. Er hatte sich gerade deswegen die Vorbereitung dieses Teils der Friedensverhandlungen übertragen lassen und innerhalb der Waffenstillstandskommission ein besonderes Referat „Wiederaufbau der zerstörten Gebiete Belgiens und Nordfrankreichs" eingerichtet[26]. Für die notwendige Organisation dieses Vorhabens sollte der Reparationskommission, wie sie der alliierte Friedensvertrags-Entwurf vorsah, unbedingt eine gleichberechtigte deutsche Gegenkommission mit einer Abteilung für den Wiederaufbau zur Seite gestellt werden. Für die Leitung der Kommission, so erklärte das genannte Referat, komme nur eine Persönlichkeit in Frage, die „mit den weitgehendsten Befugnissen ausgestattet sein wird, um alle gemeinschaftlichen Beschlüsse der Wiedergutmachungskommission, bzw. solche, die gegebenenfalls nach einem Schiedsspruch des Völkerbundes zustande gekommen sind, in Deutschland zur Durchführung zu bringen". Es zeigte sich hier auf deutscher Seite wieder eine deutliche Tendenz, die Reparationsfrage in einen größeren internationalen, nicht auf die Siegermächte beschränkten Rahmen zu bringen. Außerdem ist an diesen Äußerungen noch bemerkenswert, daß mit der so umschriebenen Persönlichkeit ganz offensichtlich Erzberger gemeint war. Sie lassen die Bereitschaft Erzbergers erkennen, in seiner unermüdlichen Verantwortungsfreude hiermit nach den Verhandlungen über den Waffenstillstand erneut eine überaus schwere und undankbare, mit neuen Anfeindungen verbundene Aufgabe zu übernehmen.

Die Gründe, welche die Waffenstillstandskommission zugunsten einer Reparationsleistung durch Wiederaufbau anführte, waren einleuchtend. Die Reichsregierung konnte Barzahlungen verringern und Entschädigungsforderungen, die weit über den Selbstkosten für den Wiederaufbau lagen, umgehen, indem sie Arbeitsaufträge an deutsche Baufirmen vergab und sich zu Materiallieferungen verpflichtete. Das war zugleich ein dringend notwendiger Schritt zur Stabilisierung der deutschen Währung. Schließlich wurde der Wiederaufbau auch als wirksamer Beitrag zur Lösung der wirtschaftlichen und innenpolitischen Probleme dargestellt: „Der große volkswirtschaftliche Vorteil, den Deutschland aus dem Unglück der Verpflichtung

---

[26] Brief Pfuelfs (Leiter des genannten – XIII. – Referats) an Meinel (Reichswirtschaftsministerium) vom 15. 5. 1919 und Aufzeichnung des Referats XIII, Meinel am selben Tag übergeben; BA, Nl. Le Suire 60.

des Wiederaufbaues genießt, ist, daß bei rationeller Verteilung aller in Betracht kommenden Aufträge die deutsche Industrie volle Beschäftigung findet und daß dadurch die innenpolitischen Verhältnisse gesunden können, wenn der deutsche Arbeiter ernstlich produktive Arbeit leisten will[27]."

Unter den Erwägungen waren auch zwei, die ohne Zweifel geeignet waren, eine Normalisierung der Beziehungen Deutschlands zu Frankreich und Belgien zu fördern: Einmal der Gedanke, daß die deutsche Bauindustrie, die weiter entwickelt war als die französische oder belgische, den Wiederaufbau in kürzerer Frist durchführen und damit die aufwühlenden Zeugnisse furchtbarer Zerstörung schneller beseitigen konnte; und zum anderen die Kontakte zu den französischen und belgischen Gewerkschaften, von denen man die wirksamste Unterstützung erhoffte. Arbeitgeber und Arbeitnehmer waren mit den Wiederaufbauplänen einverstanden, hatten allerdings untereinander einige Schwierigkeiten[28]. Die Unternehmer argwöhnten, daß die Gewerkschaften den deutschen Arbeitern in Nordfrankreich und Belgien größere Rechte sichern wollten, als sie in ihrer Heimat hätten, was wiederum nicht ohne Rückwirkungen auf die Arbeitsbedingungen in Deutschland bleiben werde. Die Arbeitgeber stöhnten ohnehin schon über zu große Zugeständnisse an die Arbeitnehmer, und nun sollten die Gewerkschaften an der Regelung aller Einzelheiten der Arbeitsbedingungen in Nordfrankreich und Belgien ebenso wie an der gesamten Planung beteiligt werden. Darin lag tatsächlich ein Problem: Die Reichsregierung mußte, auch mit Rücksicht auf die Reparationen, das gefährliche Ansteigen der Preise und Löhne beenden. Die befürchteten Rückwirkungen auf die deutschen Arbeitsverhältnisse aber konnten diesem Bestreben einen schweren Stoß versetzen. Das Dilemma war dem Kabinett schon hinreichend bekannt. Jede arbeiterfreundliche Regierung mußte in den Zwiespalt zwischen der Erhaltung der sozialen Errungenschaften für die Arbeiter und deren notwendiger Einschränkung zwecks Erwirtschaftung hoher Reparationszahlungen geraten. Mußte die Regierung also einerseits Rücksicht auf die Gewerkschaften nehmen, so wurde ihr andrerseits auch von den Unternehmern das Recht zur Einflußnahme bestritten. Diese wollten möglichst keine Reichsministerien in die eigentliche Durchführung des Wiederaufbaus eingeschaltet sehen; die Reichsregierung sollte sich praktisch auf die Verhandlungen mit Frankreich und Belgien und die Bezahlung der Unternehmer beschränken.

Trotzdem hielt die Regierung an dem Plan der Reparationsleistungen durch Wiederaufbau fest und fügte ihn in die deutschen Gegenvorschläge ein. Und wenigstens in diesem Punkt konnte sie die prinzipielle Zustimmung der Alliierten erlangen.

Dieses Einverständnis wirkte durchaus anregend. Charakteristisch dafür ist eine spätere Denkschrift Julius Bergers, des Sprechers der deutschen Bauunternehmer,

---

[27] Mitteilungen des Referats Wiederaufbau der zerstörten Gebiete Belgiens und Nordfrankreichs, Nr. 10 vom 17. 4. 1919, siehe auch Nr. 16 vom 23. 4. 1919; BA, Nl. Le Suire 60.

[28] „Protokoll über die Besprechung im Reichsarbeitsministerium mit Vertretern der Arbeitgeber und Arbeitnehmer betr. Wiederaufbau der zerstörten Gebiete Belgiens und Nordfrankreichs" vom 2. 5. 1919; BA, Nl. Le Suire 60.

vom 7. Juli 1919 für die Reichskanzlei[29]. Er wies darauf hin, daß Deutschlands größtes Interesse darin liege, alle für den Wiederaufbau erforderlichen Maßnahmen zu treffen und in einer Zentralstelle zusammenzufassen. Er drängte auf Ernennung einer deutschen Kommission, die sich so schnell wie möglich mit den Sachverständigen der Entente in Verbindung setzen müsse. Berger zollte der Tätigkeit Erzbergers als Vorsitzenden der Waffenstillstandskommission rückhaltlos Lob – ein Urteil von sachverständiger Seite, das schon wegen seines Gegensatzes zu den gleichzeitigen und späteren wohlfeilen Verunglimpfungen Erzbergers Erwähnung verdient. Darüber hinaus bedauerte er es lebhaft, daß Erzberger die Leitung des Wiederaufbaus nicht mehr in der Hand hatte, da er Reichsfinanzminister geworden war. Berger warf der Reichsregierung vor, daß infolge dieses Wechsels und organisatorischer Änderungen ein Stillstand eintrete gerade in dem Augenblick, wo sich die Entente vernünftigen Plänen und raschem, zielbewußtem Vorgehen nicht entziehen würde. Erzberger habe die wirtschaftlichen Vorteile des Wiederaufbaus für Deutschland erkannt: die Verringerung der Arbeitslosigkeit angesichts der Rückkehr von 800000 Kriegsgefangenen, die Einschränkung unwirtschaftlicher Notstandsarbeiten und die Ersparnis an Reparationszahlungen. Schließlich wies er darauf hin, daß Arbeiter und Gerät sowie ein erheblicher Teil der Rohstoffe vorhanden seien und Deutschland die größte und erfahrenste Bauindustrie habe. Noch im März 1919 hatten die Unternehmer die Lage nicht so günstig gesehen. Wahrscheinlich war der inzwischen vollzogene Friedensschluß mit seinen schweren wirtschaftlichen Bedingungen für die große Bereitschaft zur Ausführung des Wiederaufbaus mit verantwortlich. Ohne Zweifel lag hier ein sinnvoller und erfolgversprechender Ansatzpunkt für erhebliche Reparationsleistungen.

c) Reparationsleistung durch alliierte Beteiligung an der deutschen Industrie

Auch die Überlegung, Firmen aus den Ländern der Reparationsgläubiger an der deutschen Industrie zu beteiligen, galt der Verringerung der Barzahlungen für die Reparationen. Das hatte außerdem den Vorteil einer engen Verflechtung der Interessen der betroffenen deutschen Unternehmer mit den Interessen der sich beteiligenden Länder, die sich zugunsten eines der wichtigsten deutschen Ziele auswirken mußte, des wirtschaftlichen Wiedererstarkens.

Der Gedanke einer Beteiligung der Siegermächte an der deutschen Industrie war im Auswärtigen Amt bereits in Erwägung gezogen worden. Die erste Anwendungsmöglichkeit bot der Plan Arnold Rechbergs, eine gegenseitige Vertrustung der englischen und deutschen Industrie durchzuführen. Rechberg, wohlhabender Sohn eines Tuchfabrikanten, Publizist und Bildhauer, hatte diesen Plan schon vor dem Ersten Weltkrieg entwickelt und ihm angesichts des verlorenen Krieges eine neue Fassung gegeben, die den Engländern auch politische Vorteile ermöglichte[30]. Er trug sein Projekt Anfang März 1919 dem Gesandten Rosen in Den Haag vor und

[29] BA, R 43 I/342.

[30] Über Rechberg siehe von Vietsch, Rechberg. Er bringt jedoch nichts über die hier behandelte Episode.

erklärte, er habe es bereits mit den Northcliffe-Korrespondenten Delmer und Tower besprochen. Delmer hatte Rechbergs Plan am 6. Januar 1919 Lloyd George übermittelt[31].

Man begegnet hier einem weiteren phantasievollen Beitrag zu der Frage, wie die Härte der wirtschaftlichen und finanziellen Friedensbedingungen am besten zu vermeiden sei, ein Beitrag, der seine besondere Note durch die Verbindung mit militärischen Regelungen und dem Problem Ostdeutschlands erhielt. Die Zugeständnisse an England, die Rechberg im Einverständnis mit General von Seeckt anregte, hielt Rosen für viel zu weitgehend: Deutschland solle auf große Kriegsschiffe verzichten und besondere Sicherheiten gegen einen Angriff auf England mit Unterseebooten geben. Dafür müsse England die Sicherung der deutschen überseeischen Interessen übernehmen. Die weiteren militärischen Bestimmungen verraten einen Zusammenhang mit den variantenreichen Plänen einer Verlagerung des Schwergewichts der deutschen Macht nach Osten[32]: „2. Soll das wiederhergestellte deutsche Heer die Vertretung der englischen militärischen Interessen auf dem Kontinent und besonders in Rußland übernehmen. 3. Die Stärke dieses Heeres soll von England festgesetzt werden. Die Verteilung des deutschen Heeres soll derartig sein, daß die Hauptkräfte sich stets im Osten von Berlin aufhalten und nur schwache Kräfte in den westlichen deutschen Provinzen. Einen Angriff Frankreichs auf Deutschland soll dann England verhindern.“ Deutschland sollte dafür seine Ostgebiete behalten, mit Rohstoffen versorgt werden und Beschäftigung für seine Arbeiter bekommen. Übrigens dachte auch Rechberg, wie er in einer kurzen Erläuterung seines Plans ausführte, an eine wirtschaftliche Erschließung Rußlands, nur daß bei ihm die Engländer die Stelle der Amerikaner in ähnlichen deutschen Projekten einnahmen[33].

Rosen lehnte den Plan wirtschaftlich nicht von vornherein ab, warnte aber vor der Förderung „rein kapitalistischer Sonderinteressen, die dem Staatsinteresse entgegenlaufen“ und hob schließlich noch die Rücksicht auf die Vereinigten Staaten hervor. Seiner Ansicht nach könne Deutschland die enge Verbindung mit England nur dann suchen, wenn von den Vereinigten Staaten nichts mehr zu erhoffen sei. „Hier gewinnen maßgebende Kreise mehr und mehr den Eindruck, daß aus allen Verheißungen [Wilsons] nichts herauskommen werde. Sollte dies auch Eurer Exzellenz [Brockdorff-Rantzaus] Auffassung sein, dann dürfte die Rücksicht auf Wilson uns nicht abhalten, mit den Engländern anzuknüpfen.“

---

[31] Bericht Rosens vom 4. 3. 1919; PA, WK 30 geheim (4099/D 931 033–43). – Am 25. 2. 1919 berichtete Mutius (Kristiania), ein Mitglied der englischen Gesandtschaft habe ihn auf die Sorge der britischen Industrie vor der deutschen Konkurrenz hingewiesen, die schwere Friedensbedingungen zur Folge haben werde; PA, WK 30, Bd. 26 (4080/D 923 189). Langwerth erfaßte den Zusammenhang genau, als er seinem Vetter Brockdorff-Rantzau den Bericht mit dem Vermerk vorlegte: „Wenn das stimmt, könnte der Rechbergsche Plan an Bedeutung gewinnen.“

[32] Siehe dazu Schulze, S. 123–63.

[33] Ohne Datum und Unterschrift, offenbar vom Februar 1919; PA, Abt. I A, England 78.

Unterstaatssekretär Toepffer nahm in einer Aufzeichnung von Mitte März 1919 gegen Rechbergs Plan Stellung[34]; er hielt die Rücksicht auf die Vereinigten Staaten für absolut vorrangig, hatte aber auch wirtschaftliche Bedenken: die deutsche Industrie verhalte sich ablehnend, Deutschland sei für England kein geeigneter Partner mehr und außerdem wolle sich die Reichsregierung in der einen oder anderen Form den Weg zu einem Sozialisierungsprogramm offenhalten.

Nachdem Brockdorff-Rantzau sich entschlossen hatte, auf die geschilderten Besprechungen mit Wise und Gibson nicht weiter einzugehen, lehnte er in einem Erlaß an Rosen vom 15. April 1919 auch die Weiterverfolgung des Rechbergschen Plans endgültig ab[35]. Wie nicht anders zu erwarten, war für ihn in erster Linie die Rücksicht auf die Vereinigten Staaten maßgebend. Er verdeutlichte das noch mit dem Hinweis, daß die an sich schon schwierige Position Wilsons nicht noch weiter gefährdet werden dürfe, und sah in der Haltung des Präsidenten das entscheidende Gegengewicht gegen die französischen Forderungen. Brockdorff-Rantzau war um so zurückhaltender, als der amerikanische Verdacht auf deutsche Sonderabmachungen schon geweckt worden war. Er erinnerte Rosen ausdrücklich daran; denn die Meldung, daß dieser Verdacht bereits um sich greife, war aus Den Haag gekommen, von Bernstorff mit der Bemerkung quittiert: „leider nicht ganz unwahr[36]!" Bernstorff war bei seiner außenpolitischen Einstellung zweifellos der nachhaltigste Befürworter der Rücksichtnahme auf die Vereinigten Staaten gewesen.

Die Rechberg-Episode war für das Auswärtige Amt wegen der Möglichkeit von Interesse, einen Schutz der deutschen Produktionskraft vor den Auswirkungen der Friedensbedingungen überhaupt zu erhalten, nicht aber in erster Linie wegen der Möglichkeit, auf diese Weise Reparationen zu leisten. Wendete man aber den Grundgedanken der ausländischen Beteiligung an der deutschen Industrie auf ein gewisses allgemeines Problem – die Reparationen – an und löste ihn damit aus der speziellen Verbindung mit einer Option für irgendeine der großen Siegermächte, so fielen die Bedenken weg, ohne daß man der Vorteile verlustig ging[37]. Unter diesen Voraussetzungen ließ sich die Industrie auf Erörterungen über die Durchführung ausländischer Beteiligungen ein.

Auch hier veranlaßten die am 7. Mai 1919 übergebenen allgemeinen Friedensbedingungen beschleunigte Beratungen und Entscheidungen. Zunächst wurde der Gedanke in einem Teilangebot verwirklicht, in der Saar-Note vom 16. Mai 1919[38]. Die Vorgeschichte dieser Note ist zugleich ein Abschnitt deutsch-französischer Kontakte in Versailles. Der Chefredakteur der „Vossischen Zeitung", Redlich, der mit

[34] PA, Abt. I A, England 78.

[35] PA, Abt. I A, England 78.

[36] Telegramm Maltzans vom 28. 3. 1919; PA, WK 30, Bd. 33 (4091/D 924 683–85).

[37] Rechberg sah den Zusammenhang noch enger, als er am 13. 6. 1919 an Scheidemann schrieb, Brockdorff-Rantzau habe seinen Plan in der Reparationsfrage verwertet; BA, R 43 I/4 (3617/D 799 496–98).

[38] Materialien, Teil 2, S. 5–7, ablehnende Antwortnote der Alliierten vom 25. 5. 1919: S. 32–34.

der Delegation nach Versailles gekommen war und als Freund Frankreichs galt, hatte auf Grund seiner Gespräche mit René Massigli[39] den Delegierten schon vor der Übergabe der Friedensbedingungen geraten, jede Betonung des deutschen Rechtsstandpunktes zu unterlassen[40]. Massigli habe ihm gesagt, je weniger sich die Delegation zu den Grundsätzen des Entwurfs äußerte, desto mehr Entgegenkommen könne sie bei präzisen praktischen Vorschlägen erwarten. Das war einleuchtend, denn die Alliierten konnten in Einzelfragen eher nachgeben als eingestehen, daß ihre Grundsätze falsch seien. Diesem Rat folgte Brockdorff-Rantzau zwar keineswegs, ganz im Gegenteil, aber ein paar praktische Vorschläge wurden gemacht, der wichtigste in der Saarfrage. Die Anregung kam von Massigli, der darüber sowohl mit Redlich als auch mit dem Gesandten Oberndorff und sogar mit Ministerialdirektor Simons, dem Generalkommissar der deutschen Delegation, sprach[41]. Diesem erklärte er, die Saarfrage sei die wichtigste praktische Frage zwischen Frankreich und Deutschland; die französische Regierung erwarte zur Änderung ihrer Bedingungen weitgehende deutsche Ersatzvorschläge. Das stimmte mit der englischen Anfrage von Mitte April 1919 überein, wie Deutschland sich, ohne das Saargebiet abzutreten, den Ausgleich des Förderausfalls der zerstörten nordfranzösischen Kohlengruben denke. Massigli erklärte Simons: „Hier müsse man versuchen, der französischen Volkswirtschaft die nötige Sicherheit für den Ersatz der verlorenen Kohlenförderung ihres nordfranzösischen Kohlengrubenreviers dadurch zu geben, daß man die französischen und deutschen Interessenten gegenseitig an den bergmännischen und industriellen Unternehmungen der in Frage stehenden Gebiete beteilige." Massigli betonte, daß der wirtschaftliche Vorteil für Frankreich dabei größer sei als bei der Regelung in den Friedensbedingungen. Wichtig sei es, mündliche Verhandlungen, und zwar nicht der Regierungsvertreter, sondern der Sachverständigen zustande zu bringen.

Diese Anregung gab der Delegation einen starken Impuls, den Plan der industriellen Beteiligung voranzutreiben, obwohl Simons bemerkte, er glaube nicht, daß Massigli einen bestimmten Auftrag gehabt habe. Außerdem nahm Brockdorff-Rantzau einen ersten Hoffnungsschimmer für mündliche Verhandlungen wahr[42].

In der Note Brockdorff-Rantzaus an Clemenceau vom 16. Mai 1919 suchte nun die Delegation das Saargebiet, das die Franzosen 15 Jahre lang wirtschaftlich ausbeuten wollten, für Deutschland zu retten und schlug anstelle der zeitweisen Abtrennung Kohlenlieferungen und eine Beteiligung der geschädigten französischen Bergwerksunternehmungen an deutschen Bergwerken vor. Die Absicht war, das französische

39 René Massigli, Professor, Attaché beim Sekretariat der Friedenskonferenz.

40 Aufzeichnung Redlichs über Gespräche mit Massigli zwischen dem 2. und 20. 5. 1919; PA, Handakten Ministerialdirektor Simons' 4.

41 Aufzeichnung Oberndorffs vom 14. 5. 1919; PA, Deutsche Friedensdelegation Versailles, Pol. 13, Bd. 2 (4663/E 215 637–39). Aufzeichnung Simons' vom 12. 5. 1919; PA, Handakten Ministerialdirektor Simons' 4.

42 Telegramm an die Reichsregierung vom 15. 5. 1919; PA, Deutsche Friedensdelegation Versailles, Pol. 13, Bd. 2 (4663/E 215 663–65).

Interesse an der wirtschaftlichen Existenz Deutschlands zu wecken, die Beteiligung jedoch in Grenzen zu halten[43]. Über die Gründe, warum die Vorschläge dann abgelehnt wurden, schwieg Massigli. Redlich teilte nur die Andeutung mit, die Engländer seien mißtrauisch geworden.

Kurz nach Abgang der Note vom 16. Mai 1919 wurde der Gedanke als umfassender Plan erörtert. Vertreter der Reichsregierung, der Friedensdelegation und der Industriellen trafen sich am 18. Mai 1919 in Spa[44]. Reichswirtschaftsminister Wissell erklärte auf dieser Sitzung, er halte eine Beteiligung der Alliierten an der gesamten deutschen Industrie für erwünscht, und betonte, daß ein Angebot in großem Stil notwendig sei. Direktor Beukenberg (Phoenix-Gesellschaft für Bergwerk und Hüttenbetrieb), der für die Delegation sprach, stellte zunächst fest – und damit widerlegte er in diesem wichtigen Punkt die Taktik Brockdorff-Rantzaus, durch eine Fülle von Einzelnoten die alliierte Position stellenweise zu erschüttern –: „Man ist sich in Versailles klar darüber, daß man in wirtschaftlicher Beziehung mit einzelnen Noten nicht weiterkommt." Die alliierte Beteiligung an der deutschen Industrie sollte, so habe man beschlossen, als Beitrag zur Reparationsleistung angeboten werden. Obwohl Industrielle aus dem Reich – vor allem Paul Reusch, der Generaldirektor der Gutehoffnungshütte – die Beteiligung auf Kohle und Erz beschränken wollten, setzte sich die Auffassung der Vertreter der Delegation durch, in das Angebot auch die Fertigungsindustrie einzubeziehen. Carl Duisberg, Direktor der Farbenwerke Bayer, unterstützte die Wissellsche Forderung eines großzügigen Angebots; es müsse gemacht werden, um eine grundsätzliche Änderung, nicht nur Milderung des Friedensvertrags zu erreichen. Ginge der Gegner darauf nicht ein, so könne man ihm „die Verantwortung für eine Ablehnung zuschieben. Die an sich schon bestehende Uneinigkeit unserer Gegner würde außerdem noch durch unseren Vorschlag gefördert; denn bei der Frage der Beteiligung werden die verschiedenartigen Interessen unserer Gegner aneinandergeraten". Der rein wirtschaftliche Gesichtspunkt trübte den Blick für das Ausmaß an Abneigung und Mißtrauen, das bei den Gegnern vorherrschte. Das gemeinsame Interesse der Sieger gegenüber Deutschland war so stark, daß es vergebens blieb, auf Grund solcher Vorschläge eine Aufsplitterung der gegnerischen Einheitsfront zu erhoffen.

Andererseits kam man auf dieser Sitzung zu weitreichenden und wertvollen Vorschlägen: Duisberg wollte auch Fabrikationsgeheimnisse und Lizenzen anbieten, und Felix Deutsch von der AEG unterstützte ihn, als er die „geistige Arbeit" und Verfahrenstechnik einbezog. Also wurde beschlossen, ein großzügiges Angebot der Beteiligung zu machen, allerdings ohne die Majorisierung der deutschen Verwaltung zu erlauben. Die Reichsregierung wollte im einzelnen keine Bedenken gegen Verhandlungen mit den interessierten Kreisen in den Ländern der Alliierten von Werk zu Werk oder von Industriebezirk zu Industriebezirk erheben. Allerdings kam von

---

[43] Besprechung in der Geschäftsstelle für die Friedensverhandlungen am 20. 5. 1919; BA, Nl. Le Suire 64.

[44] BA, Nl. Le Suire 113.

der Schwerindustrie die bekannte Forderung, bei dieser Gelegenheit auch eine Beteiligung an den französischen Erzen zu wahren, und zwar das deutsche Eigentum an den lothringischen Gruben ganz, an denen im übrigen Frankreich bis zur Hälfte[45]. Sie erreichte ihr Ziel insoweit, als in die deutschen Gegenvorschläge vom 29. Mai 1919 zu den alliierten Friedensbedingungen folgender Absatz aufgenommen wurde: „Die deutsche Delegation muß aber an die vorstehende Erklärung die Bedingung knüpfen, daß den deutschen Hüttenwerken im Austausch gegen diese Kohlen- und Kokslieferungen ihr Bedarf an Minette aus Lothringen und Frankreich geliefert wird. Die Bezüge des Jahres 1913 müßten hier als Grundlage gelten, soweit nicht als Austausch von Koks und Minette durch besondere Vereinbarungen oder Beziehungen zwischen den beiderseitigen Werken eine selbständige Regelung stattfindet[46]."

Am 19. Mai 1919 versuchten in Versailles der Industrielle Hermann Röchling aus Völklingen, der Direktor der Deutschen Bank von Stauß und Redlich bei einer geheimen Besprechung, Massigli den Plan des Wiederaufbaus durch Industriebeteiligung zu erläutern[47]. Es war ein Fehlschlag; Massigli antwortete, die Stimmung sei umgeschlagen und die französische Sympathie für den Grundgedanken nicht mehr vorhanden. Bemerkenswert ist im Gegensatz dazu die Stellungnahme des Elektro-Industriellen Friedrich Carl von Siemens, daß nur bei Frankreich ein Interesse an einer blühenden deutschen Industrie vorausgesetzt werden könne; Frankreich sei an den Einkünften interessiert, dort sollte man deshalb große Beteiligungsangebote als Kompensation für territoriale Forderungen machen. Er hielt nur den Zeitpunkt für die Fühlungnahme einzelner Industrien noch für verfrüht[48].

Nichtsdestoweniger hielt man an dem Plan fest, war sich aber noch mehr darüber klar geworden, daß nur umfassende Angebote wirksam sein konnten und die straffe Zusammenfassung der einzelnen deutschen Industriezweige vorausgehen mußte. Selbstverständlich dachten die Unternehmer dabei nicht an Zwangsverbände im Sinne der Gemeinwirtschaft, sondern an den Ausbau ihrer bestehenden Verbände, der Kartellierung und ähnlicher auf Institutionen oder Absprachen gegründeter Vereinbarungen. Das Ziel war hierbei auch, den Verlust Oberschlesiens und des Saargebiets zu vermeiden. Die ausländische Beteiligung sollte andererseits auch die Belieferung mit Rohstoffen und den Wiederaufbau des industriellen Lebens in Deutschland ermöglichen.

Die Frage der ausländischen Kapitalbeteiligung warf allerdings im Kabinett Schwierigkeiten auf; sie wurde von dem Kampf um Moellendorffs und Wissells Konzeption

---

[45] Über die Besorgnisse der deutschen Eisenindustrie, beim Verlust Lothringens konkurrenzunfähig zu werden, siehe die mit viel statistischem Material angereicherte umfangreiche Aufzeichnung August Thyssens vom 20. 5. 1919; PA, Handakten Ministerialdirektor Simons' 4.

[46] Materialien, Teil 3, S. 74.

[47] Siehe Anm. IV/40.

[48] Ausführungen in einer Besprechung vom 24. 5. 1919 im Reichswirtschaftsministerium; BA, Nl. Le Suire 113.

der Gemeinwirtschaft beeinflußt. Dernburg und Reichsschatzminister Georg Gothein (DDP) befürworteten die Beteiligung als Reparationsplan anstelle von Barzahlungen und darüber hinaus allgemein als Mittel der Kapitalbeschaffung und Stärkung der deutschen Wirtschaft. Wissell wollte die Beteiligung nur im Rahmen seiner Wirtschaftspolitik anwenden. Auch er dachte dabei an die Rettung wirtschaftlich wichtiger Gebiete für Deutschland und wies Brockdorff-Rantzau am 20. Mai 1919 telegraphisch und per Brief darauf hin, daß bei einem grundsätzlichen Angebot an die Entente die wirtschaftliche Einheit des Reiches das Hauptmotiv sei. Die Verfügung über die abzutretenden Anteile dürfe nur im Rahmen der Gemeinwirtschaft erfolgen. Wissell erinnerte daran, „daß auch bei einer ausländischen Kapitalsbeteiligung die deutsche Wirtschaftspolitik nicht durchbrochen werden darf. [...] Ich will noch bemerken, daß ich in dem Verhalten von Gothein, Erzberger usw. den Versuch erblicke, einer der meinen entgegengesetzten wirtschaftlichen Auffassung Geltung zu verschaffen." Gothein, Erzberger und Dernburg wollten den Beteiligungsgedanken offensichtlich dazu benutzen, um unabhängig von dem Friedensvertrag und der Reparationsleistung auf privatwirtschaftlicher Grundlage eine gewisse Verflechtung mit alliierten Unternehmungen zu fördern, und hätten erklärt, „nur so könnten wir wieder hochkommen"[49].

Es war ganz sicher eine Illusion, wenn Wissell glaubte, die etwaigen ausländischen Beteiligungen in die Gemeinwirtschaft einbringen zu können. Der Gedanke trat auch durchaus in den Hintergrund. Entscheidend war für die Reichsregierung doch die Schaffung von Werten für die Reparationszahlungen. Es bestand aber noch kein Plan, auf welche Weise das Reich die deutschen Unternehmer für die Abgabe von Anteilen entschädigen wollte. Trotzdem fand der Beteiligungsgedanke in den Gegenvorschlägen Aufnahme in zweifacher Form, einmal hinsichtlich der Schifffahrt: „Die Delegation stellt ferner anheim, in Verhandlungen darüber einzutreten, ob eine gegenseitige Beteiligung alliierter und deutscher Schiffsinteressen in beiderseitigen Schiffahrtsunternehmungen herbeigeführt werden kann." Zum andern ganz allgemein: „Die deutsche Delegation [verweist] auf die mit der Note vom 16. Mai überreichten Vorschläge in bezug auf Sicherstellung der Kohlenlieferungen durch Beteiligung an deutschen Kohlengruben. Die deutsche Regierung ist bereit, den hierbei angewandten Grundsatz auch auf andere Industrien auszudehnen, d.h. die Besitzer von in Nordfrankreich und Belgien zerstörten industriellen Unternehmungen zum Teil dadurch zu entschädigen, daß ihnen eine angemessene Beteiligung an einem gleichartigen oder verwandten Unternehmen in Deutschland überlassen wird. Es müßte weiteren Verhandlungen vorbehalten bleiben, wie im einzelnen Falle diese Beteiligung herbeizuführen und festzusetzen wäre und wie der Wert der auf diese Weise geleisteten Entschädigung bestimmt und Deutschland auf dem Wiederherstellungskonto gutgeschrieben werden soll. Die deutsche Regierung weist darauf hin, daß auf diesem Wege sich auch erhebliche Möglichkeiten

---

[49] Telegramm (BA, Nl. Le Suire 64) und Brief (PA, Deutsche Friedensdelegation Versailles, Pol. 1b, Bd. 1 – 4662/E 211 879–83) vom 20. 5. 1919. Vgl. Schieck, S. 248.

zur Finanzierung des Wiederaufbaues von Belgien und Nordfrankreich schaffen lassen können[50]."

Die deutsche Schwerindustrie glaubte indes, ungeachtet der schweren Friedensbedingungen, sich eine Beteiligung an den französischen Minettegruben und den Besitz deutscher Anlagen in Frankreich und Elsaß-Lothringen zu wenigstens 50% sichern zu können. Alle Angebote, gerade in der Reparationsfrage, wurden immer mit neuen Forderungen in dieser Richtung garniert. Auf der anderen Seite ist nicht zu verkennen, daß aus der einseitigen Beteiligung französischer Firmen in größerem Umfang der deutschen Industrie erhebliche Gefahren erwachsen konnten, wenn der französische Einfluß zu groß wurde.

Auf der Sitzung einer engeren Kommission des Stahlwerk-Verbandes am 2. Juni 1919 in Düsseldorf[51], bei der auch das Reichswirtschaftsministerium vertreten war, zeigte sich weiter, daß über die Durchführung des Beteiligungsplanes noch weitgehend Unklarheit bestand. Müller, der Vertreter des Stummschen Konzerns, zog französische Beteiligung vor, da die Franzosen auf deutschen Koks angewiesen waren. Bruhn (Krupp-Konzern) dachte eher an die Engländer, lobte den Plan Rechbergs und bedauerte, daß er vor 1914 nicht ausgeführt worden sei. Von den Amerikanern erhoffte er technische „Befruchtung unserer Industrie" und wollte deshalb vor allem das amerikanische Bankkapital anziehen. Albert Vögler, der Generaldirektor der Deutsch-Luxemburgischen Bergwerk- und Hütten-AG, hielt weitgehende Beteiligung angesichts der Verpflichtung, zunächst 20 Mrd. Goldmark zahlen zu müssen, für unvermeidbar, wollte sie aber auf die Kohlenindustrie beschränken und urteilte: „Bei unserer verkrüppelten Industrie werden wir Überschüsse an Kohle haben." Das trat wenige Jahre später auch ein.

Folgende Entschließungen wurden auf dieser Sitzung gefaßt: deutsch-französische Beteiligungen bei Kohle und Erz lägen im Interesse beider Länder, die Regierungsvermittlung sei auf ein Mindestmaß einzuschränken, und eine Vertrustung sei abzulehnen, da sie den fremden Zugriff erleichtere und einer Verständigung von Werk zu Werk entgegenstehe. Beachtlich war der Drang, aus der Isolierung heraus zu wirtschaftlichen Vereinigungen und Absprachen mit den Siegermächten, vor allem mit Frankreich, zu gelangen. Diese Entwicklung hielt in der Weimarer Republik an. Allerdings war der Gedanke der Industriebeteiligung keineswegs ein Hauptpunkt der deutschen Gegenvorschläge in der Reparationsfrage. Hier setzten sich die Bankiers gegen die Industriellen durch und boten eine Leistung von 100 Mrd. Goldmark an. Der Gedanke, Reparationen in der Form von Industriebeteiligungen zu leisten, blieb eine Anregung am Rande und wurde von den Alliierten in ihrer Antwort auf die deutschen Gegenvorschläge abgelehnt.

d) Das finanzielle Gegenangebot einer Reparationsleistung in Höhe von 100 Mrd. Goldmark

Der gewichtigste Beitrag zur Entgegnung auf die Reparationsbedingungen, das Gegenangebot der Friedensdelegation, hat seine Vorgeschichte im April 1919, als

[50] Materialien, Teil 3, S. 60, 77. [51] BA, Nl. Le Suire 64.

die deutsche Finanzdelegation sozusagen als Vorhut schon im Schloß La Villette bei Paris saß[52]. Sie leistete die ersten Vorarbeiten; und ihre wichtigsten Mitglieder, allen voran Melchior, hatten auch hervorragenden Anteil an den Entwürfen des deutschen Gegenangebots für die Reparationen. Die Reparationsangebote, die schließlich in einer unverzinsbaren Summe von 100 Mrd. Goldmark gipfelten, waren zunächst allerdings gering. Erst unter dem Eindruck der alliierten Friedensbedingungen setzten die Einsichtigeren in der deutschen Delegation sich teilweise durch. Das macht die Entwicklung der Ansichten bei den Finanzsachverständigen in La Villette und später in Versailles deutlich.

Den äußeren Anlaß für die Finanzsachverständigen in La Villette, ihre Vorstellungen von der Lösung des Reparationsproblems niederzuschreiben, bot eine Denkschrift Bergmanns vom 4. April 1919: „In welcher Währung sollen die von Deutschland zu übernehmenden Entschädigungszahlungen festgesetzt werden[53]?" Das war zugleich auch ein Beitrag zur Frage des Transfers der Reparationssummen. Nach wie vor wollte die Reichsregierung das Reparationsproblem am liebsten auf dem Anleiheweg lösen, obwohl die Hoffnung auf ausländische Kredite sehr ungewiß war. Sie stand dabei unter nachhaltigem Einfluß der Bankiers, die – das macht ihre Vorschläge nicht schlechter, darf aber nicht vergessen werden – in diesem Fall betroffen und, wie Warburg selbst einmal sagte, materiell interessiert waren.

Bergmann hielt wie die Bankiers und auch das Auswärtige Amt eine riesige Völkerbundsanleihe für die beste Lösung. Sie war zweifellos am elegantesten, hätte aber die finanzielle Liquidierung des Krieges durch ein ungeheures Kreditgeschäft bedeutet ohne Rücksicht auf die Absichten der Entente, Deutschland politisch und wirtschaftlich zu schwächen. Der Plan Bergmanns sah vor, daß den entschädigungsberechtigten Staaten die Völkerbundsanleihe zugute kommen und Deutschland ihre Verzinsung und Tilgung übernehmen sollte. Da Deutschland aber wegen seiner schwachen Zahlungsbilanz auf Jahre hinaus unfähig sein würde, diese Summe in fremder Währung zu leisten, erörterte Bergmann die Möglichkeit, sie in Mark zu zahlen. Damit wäre für die Verpflichtungen eine sichere Grundlage gewonnen worden, und das Ausland mußte dann ein Interesse an der Stützung des Markkurses haben.

Zwei Bemerkungen sind an dieser Stelle nötig: einmal wird hier erneut deutlich, wie sehr man in Deutschland davon ausging, daß die Alliierten von der Notwendigkeit überzeugt werden könnten, Deutschlands Wirtschaftskraft wiederherzustellen; zum andern konnte hinter der Festsetzung in Mark der Gedanke stehen, die Währung verfallen zu lassen, um billig die Reparationsverpflichtungen loszuwerden. Dieser Hintergedanke war jedoch keineswegs maßgebend. Vielleicht wurde Bergmann aber von der Zahlungsbilanztheorie beeinflußt, die den Wert der Mark von der Zahlungsbilanz abhängig darstellte. In diesem Fall mußten große Devisenkäufe für den Transfer der Reparationen besonders gefährlich wirken; denn große Devisenkäufe belasten eine Währung immer, erst recht aber, wenn sie über viele Jahre

[52] Siehe S. 141.

[53] Von Schiffer am 8. 4. 1919 den Finanzsachverständigen übermittelt; BA, R 2/2550.

hinweg periodisch auftreten. Unbeantwortet blieb die Frage, was das Ausland mit den hohen Markbeträgen anfangen sollte. Vielleicht spekulierte man darauf, daß sie in Deutschland wieder angelegt werden müßten. Bergmann jedenfalls lehnte jede Spekulation auf ein Absinken des Markwertes ab; es stelle sich „gebieterisch" die Forderung einer internationalen Stützungsaktion für die Mark[54]. Von einer stabilisierten Mark ausgehend, hielt er die Gefahr des Disagios bei Reparationszahlungen in deutscher Währung für zu groß und kam infolgedessen zu dem Schluß, daß man doch in Devisen zahlen müßte, soweit dies möglich wäre, und nur den Rest in Mark. Das Interesse der Alliierten an einer stabilen Mark war auch auf diese Weise gesichert, und sie mußten dann selbst zur Lösung des Transferproblems beitragen. Es stand aber tatsächlich nicht zu erwarten, daß sie überhaupt Markzahlungen akzeptieren würden. Interessant ist im übrigen, daß Bergmann, wie die Vertreter der Zahlungsbilanztheorie, eine Stabilisierung der Mark mit Hilfe des Auslands forderte, statt zunächst die Aufmerksamkeit auf die Beseitigung der Inflation im Innern zu lenken.

Die Finanzdelegation in La Villette beantwortete Bergmanns Denkschrift mit einer „Ersten Skizze" vom 15. April 1919 über die Reparationen im Rahmen der finanziellen Voraussetzungen Deutschlands[55]. Vieles davon ging später in den deutschen Gegenvorschlag ein. Zunächst nahmen die Finanzsachverständigen zu den inneren Voraussetzungen für eine „zweckdienliche Regelung der finanziellen Angelegenheiten Deutschlands im Friedensvertrag" Stellung. Ihre innenpolitischen Vorstellungen waren von Ruhe und Ordnung und einer gewissen Anpassung an mögliche Änderungen – Opportunismus wäre zuviel gesagt – bestimmt: die Gestaltung der inneren Verhältnisse und auch etwaiger neuer sozialer oder wirtschaftlicher Formen müsse derart sein, daß Ordnung, Produktionsfähigkeit und Arbeitslust wiederhergestellt werden könnten. Andernfalls sei der Abschluß finanzieller Verträge unmöglich, eine Verantwortung dafür nicht zu übernehmen. Die deutsche Leistungsfähigkeit wurde zum Maßstab für die Festsetzung der Reparationsbeträge gemacht. Da eine große Kapitalleistung unmöglich war, ging man von langfristigen Annuitäten aus. Um sie in ein Verhältnis zu den weiteren Verbindlichkeiten gegenüber dem Ausland zu setzen, folgte eine Erörterung der Zahlungsverpflichtungen Deutschlands. Sämtliche Devisenverpflichtungen – also auch gegenüber den Neutralen – sollten für fünf Jahre gestundet, Auslandsanleihen um die gestundeten Be-

[54] Auch Warburg sah in der Stabilisierung der Mark eine der wichtigsten Aufgaben. Er warnte aber in einem Brief vom 28. 5. 1919 an Reichswirtschaftsminister Wissell anläßlich einer Auseinandersetzung über die finanziellen Auswirkungen der Gemeinwirtschaft: „Für unser gesamtes Wirtschaftsleben ist es überaus gefährlich, bei den wirtschaftspolitischen Maßnahmen die Rücksicht auf die Valuta entscheiden zu lassen. In der finanziellen Lage, in der wir uns befinden, haben wir – wenigstens in dem nächsten Jahrzehnt – kein Interesse daran, unsere Valuta auch nur annähernd wieder auf den früheren Stand zu bringen. Nur auf eine Stabilisierung müssen wir hinarbeiten. Diese Stabilisierung läßt sich nur durch freien Zahlungsverkehr erreichen." Schieck, S. 228–29.

[55] PA, Deutsche Friedensdelegation Versailles, Finanzdelegation Villette (4664/E 219 441–49).

träge erhöht werden. Die Delegation bevorzugte wie Bergmann eine Völkerbundsanleihe. Zweifellos auch in der Absicht, dieser bedeutenden Kreditoperation eine breitere internationale Basis zu sichern, mithin die Konfrontation zwischen Siegern und Besiegten und die Gelegenheit zu Repressalien zu vermindern.
Reparationen sollten „grundsätzlich in natura, insbesondere durch Wiederaufbau" geleistet werden. „Damit die deutsche Wirtschaft wieder in geordnete Verhältnisse kommt, können in den ersten fünf Jahren Barleistungen nicht gefordert werden." Der Gegenwert für Naturalleistungen sollte bei der Festlegung der ab dem sechsten Jahr nach Friedensschluß in Form von Markannuitäten zu zahlenden Reparationssumme angerechnet werden. Sicherheiten zu stellen, lehnte man grundsätzlich ab, da sie ohne großen praktischen Wert seien und den deutschen Kredit schwächten, was nicht im Sinne der Alliierten sei. Die Erhaltung des deutschen Kredits war in Anbetracht der großen Anleihepläne ohne Frage der maßgebende Grund. Schließlich sollte den Alliierten eine umfangreiche Liste von Gegenforderungen präsentiert werden. Sie stützten sich auf: die als unrechtmäßig erachtete Liquidation deutschen Eigentums, Ablieferung von Heeres- und sonstigem Material und Forderungen auf Grund wirtschaftlicher Kampfmaßnahmen der Alliierten nach Waffenstillstand.
Schließlich wurde eine Schätzung des Finanzbedarfs vorgelegt: eine Valuta-Anleihe in Höhe von 31½ Mrd. Mark, darin enthalten 5½ Mrd. für gestundete Zinsen der ersten fünf Jahre und 17½ Mrd. als Wiederaufbaukredit sowie zur Abdeckung deutscher Verpflichtungen gegenüber den Neutralen[56]. An Markverpflichtungen wurden genannt: die Reparationen, die aus politischen Gründen notwendig seien, und zwar ab 1924 ca. eine Mrd. und ab 1929 ca. zwei Mrd. Mark, ausdrücklich keine Goldmark. Zu Meldungen aus Frankreich, Deutschland werde zunächst eine Pauschalsumme anzunehmen haben, und eine Kommission werde später festsetzen, was Deutschland jährlich zahlen müsse, erklärten die Finanzsachverständigen: „Diese Forderung möchten wir nach reiflicher Überlegung zurückweisen, weil der davon ausgehende Druck unerträglich wäre. Jede jährliche Prüfung würde neue Mißstimmung hervorrufen, und daher ist eine jetzt festzusetzende Annuität auf alle Fälle vorzuziehen." Hier liegt vielleicht insofern ein Mißverständnis vor, als ja die Annuitäten durchaus auch von vornherein für eine ganze Reihe von Jahren festgelegt werden konnten. Die Bemerkung zeigt aber, wie sehr den Finanzsachverstän-

---

[56] Es handelte sich wohl um Papiermark. – Den Gedanken einer großen Anleihe für alle vom Kriege betroffenen Länder entwickelte auch Keynes. Sie sollte 4 Mrd. Goldmark betragen – weitere 4 Mrd. waren für einen Garantiefonds zum Ankauf von Lebensmitteln und Rohstoffen vorgesehen –, bestmögliche Sicherheiten bieten, sowie hinsichtlich Zinsen und Tilgung Vorrang vor allen Reparationen, Kriegsschulden und dergleichen erhalten. Auf dieser Grundlage sei eine allgemeine Neuordnung der Währungen möglich. Hauptgeldgeber müßten die Vereinigten Staaten sein, daneben England. Keynes, Folgen, S. 234–35. – In den deutschen Gegenvorschlägen vom 29. 5. 1919 auf die alliierten Friedensbedingungen wurden Kredite „in stärkstem Ausmaß" für Deutschland und die anderen notleidenden Länder Europas auf der Basis internationaler Zusammenarbeit gefordert; Materialien, 3, S. 128.

digen an einer Rückkehr zu normalen, gesicherten und überschaubaren Wirtschaftsverhältnissen gelegen war.
Auch hinter dieser Denkschrift aus La Villette stand die allzu selbstgewisse Überzeugung, daß die Sieger, vor allem die Vereinigten Staaten, schließlich doch an einem wirtschaftlich gekräftigten Deutschland interessiert wären, ja daß Deutschland bei einem Neuaufbau der Weltwirtschaft unentbehrlich sei. Anders sind die ungeheuren Anleiheforderungen und die bescheidenen Reparationsangebote nicht zu erklären. Der Wille, vor allem anderen Deutschlands Wiederaufstieg wirtschaftlich zu sichern, ist klar erkennbar. Es war unvernünftig und kurzsichtig, alle Anleihen auf Deutschland konzentrieren zu wollen – bei diesen Anforderungen wäre für andere Länder praktisch nicht mehr viel übrig geblieben – und keinen Plan zu entwickeln, der den wirtschaftlichen Schwierigkeiten, insbesondere Frankreichs, entgegenkam. Wiederaufbau und Sachlieferungen allein, wobei die deutsche Wirtschaft verdienen und sich entwickeln konnte – nicht die französische und belgische –, trugen dieser Lage ungenügend Rechnung. Es zeugte nicht von dem auf deutscher Seite häufig beschworenen internationalen Verantwortungsgefühl, in den für alle Beteiligten schweren ersten Nachkriegsjahren zunächst einmal Zahlungen an Deutschland einleiten und deutsche Rückzahlungen und Leistungen auf später verschieben zu wollen, in die Periode eines zu erwartenden Konjunkturaufstiegs. Allerdings spielte die Furcht vor der Aussichtslosigkeit, in den folgenden Jahren auch nur ein annähernd ausgeglichenes Budget zu erreichen, bei diesen Überlegungen eine große Rolle.
Man hoffte natürlich auf die bedeutende Finanzkraft der Vereinigten Staaten, obwohl die Amerikaner weder bereit noch in der Lage waren, ihre europäischen Verbündeten und zudem noch Deutschland, und wer sonst noch danach drängte, mit umfangreicher Kapitalhilfe zu versorgen. Offenbar vertrat man in La Villette darüber hinaus die Ansicht, daß eine kraftvolle deutsche Haltung und die Drohung, einen nicht der Lansing-Note vom 5. November 1918 entsprechenden Friedensvertrag abzulehnen, die Alliierten zunehmend beeindrucken würde[57]. Das war ja auch die Hoffnung Brockdorff-Rantzaus.
Unter diesen Voraussetzungen waren die Friedensbedingungen vom 7. Mai 1919 für die Finanzsachverständigen der Friedensdelegation ein schwerer Schock. Während der ersten internen Besprechung in Versailles über den Vertragsentwurf[58] konnte der Bankier Stauß nur wiederholen, daß Deutschland zahlungsunfähig sei und eine große Anleihe brauche. Er verwendete eine Argumentation, die gerade

---

[57] Telegramme vom 15., 16. und 17. 4. 1919 aus La Villette; PA, Deutsche Friedensdelegation Versailles, Finanzdelegation Villette (4664/E 218 541–46). Darin hieß es am 16. 4.: „Private Besprechung mit französischen und amerikanischen Delegierten nach heutiger Vollsitzung ergab, daß scharfe Sprache unserer Staatsmänner und Presse gegen harte Friedensbedingungen, die mit Wilsons Punkten unvereinbar, hier großen Eindruck macht."

[58] Am 8. 5. 1919; PA, Deutsche Friedensdelegation Versailles, Pol. 2a (4662/E 212 380–99). Vgl. auch die Schilderung bei Schiff, S. 58–62.

nach dem 7. Mai 1919 öfter zu hören war. Die Reichsregierung hatte einen schnellen Frieden erhofft, und so wurde gesagt, wenn der Frieden oder wenigstens ein Präliminarfrieden schon im Dezember 1918 geschlossen worden wäre, hätte das sehr zur Erhaltung und Konsolidierung der deutschen Wirtschaft beigetragen; seitdem sei es viel schwerer geworden, Reparationen aufzubringen. „Wir hätten," so meinte Stauß, „sicher heute nach sechsmonatigem Waffenstillstand unter fortgesetzten, unerhörten Erschwerungen und innerer Zersetzung allen Grund zu sagen, es ist überhaupt nichts mehr da, irgend etwas zu leisten. Wenn ich mich finanziell ausdrücken soll, werde ich es für möglich halten, daß wir etwa nach fünf Jahren für ein Menschenalter von 25 Jahren etwa eine Mrd. werden aufbringen können." Zweifellos war dieses Argument in gewissen Grenzen richtig; ein Friedensvertragsentwurf wäre zwar kaum in kürzerer Frist vorzulegen gewesen, aber es hätte ein Präliminarfrieden geschlossen werden können. Die deutsche Wirtschaft hatte besonders infolge der Blockade und der unübersichtlichen inneren Verhältnisse in der ersten Hälfte des Jahres 1919 sehr gelitten, jedoch nicht so sehr, daß ihre Fähigkeit oder Unfähigkeit, später Reparationen aufzubringen, nennenswert verändert worden wäre. Außerdem gibt es kein Anzeichen für eine innere Stabilisierung bei einem früheren Friedensschluß, es sei denn, er hätte eine konservative Restauration begünstigt, in der allerdings viele Unternehmer eine Voraussetzung für Ruhe und Stabilisierung sahen. Stauß wies schließlich noch auf das Elend und die Verzweiflungsstimmung hin, die bei dem jahrzehntelangen Bemühen, allen Forderungen zu genügen, auftreten müßten. Die große Mehrheit der Delegation hielt die Bedingungen für unerfüllbar, nur Reichsjustizminister Landsberg warnte schon jetzt vor der Weigerung, den Friedensvertrag zu unterzeichnen. Sie würde furchtbare Zustände in Deutschland und den wirtschaftlichen Ruin zur Folge haben.

Stauß nahm einige Tage später zu den wirtschaftlichen Friedensbedingungen Stellung[59] und betonte nachdrücklich, daß sie in fast allen Punkten vom Grundsatz der Gegenseitigkeit abwichen. Er fürchtete das jährlich anwachsende wirtschaftliche Ungleichgewicht zwischen dem „kreditlosen Deutschland, das dauernd leistet, und den [...] kreditfähigen Staaten der Entente, die dauernd empfangen". Dieses Ungleichgewicht müsse mit dem Zusammenbruch Deutschlands enden. Wieder wird deutlich, mit welcher Sorge die Kreditwürdigkeit Deutschlands im Hinblick auf die großen Auslandsanleihen beachtet wurde. Außerdem ist damit die Frage nach den Bedingungen gestellt, unter denen Deutschland überhaupt Reparationen erwirtschaften konnte. Stauß antwortete darauf, die Voraussetzung für hohe Entschädigungsleistungen sei, daß im Friedensvertrag sämtliche wirtschaftlichen Vorteile, die sich die Alliierten sicherten, auch Deutschland eingeräumt werden müßten, und er forderte außerdem die unbedingte Meistbegünstigung. Die entschiedene Stellungnahme für die Meistbegünstigung hatte sich erst als Folge der alliierten Friedensbedingungen durchgesetzt[60].

---

[59] Am 11. 5. 1919; PA, Handakten Ministerialdirektor Simons' 2.

[60] In den deutschen Gegenvorschlägen vom 29. 5. 1919 auf die alliierten Friedensbedingungen heißt es: „Darüber hinaus wird beantragt, an Stelle der in dem Entwurf des Friedens-

Auch Warburg ließ zunächst seiner Entrüstung über die „schamlosen Rechtsverletzungen“ freien Lauf[61]. Er forderte für alle Differenzen zwischen Deutschland und den Alliierten schiedsgerichtliche Lösungen und wandte sich damit vornehmlich gegen die Reparationskommission; im Vergleich zu ihren Befugnissen habe die Machtvollkommenheit des Kaisers nichts bedeutet[62]. Jetzt hob er sogar die Bedrohung des wirtschaftlichen Selbstbestimmungsrechts hervor, das Moellendorff in die Diskussion eingeführt hatte. Für die Behandlung aller finanziellen und wirtschaftlichen Fragen des Friedensvertrags forderte er deutsch-alliierte Unterkommissionen, die den gemeinsamen Wiederaufbau Europas, der Deutschland zu großen Reparationsleistungen in den Stand setzen werde, und eine internationale Anleihe vorbereiten sollten. Nur in Zusammenarbeit mit Deutschland könnten die Alliierten die größtmögliche Entschädigung erhalten. Dieser Vorschlag der direkten Verhandlung in Unterkommissionen konnte als Ersatz für mündliche Verhandlungen der Delegation gelten und war einleuchtend, wenn auf alle Entrüstung und auf grundsätzliche wie detaillierte Erörterung der Rechtsbasis der alliierten Bedingungen verzichtet wurde. Dann konnte man sogar sagen, daß er zu den unter Umständen akzeptablen praktischen Vorschlägen gehörte, die Clemenceau in seiner ersten Note[63] der deutschen Delegation anheimgestellt hatte, solange sie nicht an den Rahmen und die Grundsätze des Friedensvertrags rührten.

Es gab jedoch noch eine andere Reaktion auf die Friedensbedingungen, die sich allmählich in der Delegation durchsetzte. Melchior hatte schon Ende April erklärt[64], zur Rettung wirtschaftlich wichtiger Gebiete des Reiches seien selbst bedeutende finanzielle Opfer gerechtfertigt. Er stellte gemeinsam mit Warburg Überlegungen über ein großes und möglichst entgegenkommendes Reparationsangebot an. Bevor Brockdorff-Rantzau in Begleitung einiger Vertreter der Delegation nach Spa fuhr, um mit Kabinettskollegen, vor allem mit Dernburg, am 18. Mai 1919 Rücksprache zu halten, drängte Melchior als Vorsitzender der Finanzkommission darauf, daß seine Gedankengänge bei dieser Gelegenheit erläutert würden[65]. Deutschland müsse zur Rettung Oberschlesiens, Danzigs und der Saar große Opfer in Posen und Westpreußen, vor allem aber auf finanziellem Gebiet bringen. Melchior kam es zunächst

---

vertrages vorgesehenen einseitigen Rechte für die Alliierten und Assoziierten Regierungen für eine kürzere Reihe von Jahren gegenseitige unbedingte Meistbegünstigung in allen wirtschaftlichen Beziehungen jeder Art mit einzelnen sachlich angemessenen Ausnahmen zu gewähren.“ Materialien, 3, S. 79.

[61] Memorandum über die Friedensbedingungen vom 13. 5. 1919; PA, Handakten Ministerialdirektor Simons' 4. Bei der Übermittlung an Legationsrat Gaus fügte Warburg die handschriftliche Bemerkung hinzu: „Es ist recht weitläufig geworden, man diktiert sich aber gleich in eine ellenlange Wut.“

[62] Der Satz findet sich ähnlich in den Gegenvorschlägen vom 29. 5. 1919 wieder; Materialien, 3, S. 125.

[63] Vom 10. 5. 1919; Materialien, 1, S. 21.

[64] Siehe Seite 158.

[65] Aufzeichnung Haniels über die Besprechung der Delegation am 17. 5. 1919; PA, Deutsche Friedensdelegation Versailles, Pol. 2a (4662/E 212 415–16).

weniger auf die Höhe der gesamten Reparationssumme als auf die Höhe der Annuitäten an. Er entwickelte zusammen mit Warburg – dieser erklärte, es sei Melchiors Gedanke gewesen – das deutsche Gegenangebot von 100 Mrd. Goldmark.
Warburg brachte diesen Gedanken am 18. Mai 1919 in Spa zur Sprache[66]. Es war noch kein fertiger Plan, aber es gab einen Kern, aus dem sich alle weiteren Überlegungen bis hin zum Gegenangebot entwickelten: Melchior und Warburg wollten als äußerstes deutsches Entgegenkommen die Zahlung der von den Alliierten vorläufig verlangten 100 Mrd. anbieten – allerdings ohne Verzinsung. Die erste Reparationsformel[67], anscheinend von Melchior und Warburg verfaßt und in Spa vorgelegt, sollte offenbar der technischen Abwicklung dieses Vorschlags dienen. Sie stimmte jedenfalls nicht mit den Vorstellungen des Reichsfinanzministeriums überein, dagegen konnte sie ihrem Inhalt nach als erste Stufe zur Verwirklichung des Plans der beiden Hamburger Bankiers gelten. Die Formel ließ zwar die Höhe der Maximalsumme und der Annuitäten noch offen – vielleicht in der Absicht, Dernburg schonend zu behandeln –, ging aber von Barzahlungen aus. Der erste Schritt zur Annäherung der deutschen Angebote an den Text des alliierten Friedensvertragsentwurfs wurde mit dem Vorschlag getan, dem Gegner Goldmarkobligationen in noch festzusetzender Höhe zu übergeben, die mit 4% zu verzinsen und mit 1% zu tilgen wären. Zur Abdeckung sah man Zölle und „gutzubringende Positionen", also Sachleistungen und Ablieferungen nach dem Waffenstillstand vor. Sollte die später errechnete Reparationssumme geringer sein, könne der Überschuß Deutschland gutgeschrieben werden, sollte sie höher sein, würde den Alliierten ein weiterer General-Bond übergeben. Dieser General-Bond aber müsse unverzinslich sein. Zu seiner Einlösung wurden weitere deutsche Sachleistungen und ein noch zu bestimmender Prozentsatz der Reichseinnahmen, der eine gewisse Mindestsumme jedoch nicht unterschreiten solle, angeboten. Deutschland übernehme die Verpflichtung, seine Steuerlast nicht geringer zu bemessen als eine der alliierten Großmächte. Bei Zahlungsrückständen solle eine aus Zöllen, Staatsmonopol-Einnahmen und indirekten Steuern gespeiste, unter alliierter Kontrolle stehende Schuldentilgungskasse in Anspruch genommen werden.
Die Gegensätze zu den Vorstellungen des Reichsfinanzministeriums sind offensichtlich, ebenso die Übereinstimmungen der Formel mit dem späteren offiziellen deutschen Gegenangebot in der technischen Behandlung der Reparationsleistungen. Der gravierende Unterschied zwischen beiden liegt allerdings darin, daß man das

---

[66] Brief Warburgs an Dernburg vom 19. 5. 1919; PA, Deutsche Friedensdelegation Versailles, Pol. 1b, Bd. 1 (4662/E 211 852–56). – Schwabe, S. 608 Anm. 58, erwähnt einen Brief Warburgs vom 17. 5. 1919 an Brockdorff-Rantzau über das 100-Mrd.-Angebot. Abgesehen davon, daß beide sich dauernd sahen und ein Brief unwahrscheinlich ist, findet sich das Schreiben nicht in dem von Schwabe angegebenen Aktenband. Dort gibt es nur den zitierten Brief Warburgs an Dernburg vom 19. 5. 1919. Schwabe irrt sich auch beim Datum der 1. Sitzung in Spa (S. 608; 18., nicht 19. 5.).

[67] BA, Nl. Saemisch 94. Der Geheime Regierungsrat Saemisch (RFM) hat auf dem Schriftstück am 20. 5. 1919 eine Verfügung notiert.

Hauptgewicht auf immerhin mit 4% zu verzinsende Goldmarkobligationen legte und noch nicht mit einer den vorläufigen Forderungen der Alliierten von 100 Mrd. Goldmark entsprechenden Gesamtsumme ohne Verzinsung operierte. Diese Summe ist gleichermaßen noch offen gelassen in einem undatierten Vorentwurf zu dem Gutachten der Versailler Finanzsachverständigen, das den deutschen Gegenvorschlägen vom 29. Mai 1919 beigefügt wurde. Bemerkenswert an diesem Schriftstück ist der Nachdruck, mit dem die „friedliche gemeinsame Arbeit" und die „gegenseitige Hilfe" als entscheidend für die Erleichterung der Lasten und die Förderung des Wiederaufbaus aller vom Krieg betroffenen Länder hervorgehoben wurde[68]. Dernburg allerdings lehnte den Gedanken Melchiors und Warburgs, durch ein 100-Mrd.-Angebot den Alliierten entgegenzukommen, ab. Er hielt es angesichts der völlig unübersichtlichen Wirtschaftslage in Deutschland für unmöglich und taktisch unklug, sich zu einer festen Summe zu verpflichten[69].

Warburg war es aber mit seinem großen Angebot ernst. Er brachte am 18. Mai 1919 in Spa, offenbar im größeren Kreis, noch ein ähnliches Projekt zur Sprache und schwieg bei dieser Gelegenheit von dem 100-Mrd.-Plan; jedenfalls wird in dem Bericht über diese Besprechung nichts davon gesagt. Warburg schlug vor, den Franzosen eine feste Summe von 27 Mrd. Goldmark anzubieten, wenn alle finanziellen und wirtschaftlichen Kontrollen in Deutschland wegfielen, eine Bedingung, die gegen eine von den Alliierten einseitig geplante Reparationskommission und ihren Einfluß gerichtet war. Er hatte aber auch mit dieser Anregung kein Glück, nur in der Ablehnung einer alliierten Reparationskommission und fortlaufender Kontrollen war man sich einig. „Herr Geheimrat Hagen vertrat das Projekt des Herrn Reichsfinanzministers, welches keine feste Summe anbietet, sondern vorschlägt, es einer aus Vertretern der vertragschließenden Mächte und der neutralen Staaten paritätisch zusammengesetzten Kommission zu überlassen, die finanzielle Leistungsfähigkeit Deutschlands von fünf zu fünf Jahren festzustellen und danach die Entschädigungssumme zu bemessen[70]." In diesem Sinne wurde ein Entschluß gefaßt. Die Mehrheit der Gesprächspartner in Spa war der Ansicht, 27 Mrd. würden nur die französische Begehrlichkeit wecken. Man wollte die Nennung einer Summe vermeiden, um mündliche Verhandlungen zu erreichen. Das war eine grundsätzliche Verkennung der Lage; sofern überhaupt eine Möglichkeit bestand, zu mündlichen Verhandlungen zu gelangen, war das höchstens durch Aufsehen erregende Angebote zu erreichen, nicht durch Verschleierung der eigenen Absichten. Darin hatte die Delegation durchaus recht, wenn sich auch ihre Angebote auf den wichtigen Gebieten wesentlich enger an den Vertragsentwurf hätten anschließen müssen, so daß

---

[68] BA, Nl. Saemisch 94.

[69] „Aufzeichnung zu den Friedensverhandlungen von Versailles im Jahre 1919" vom Juli 1919, offensichtlich von Legationsrat Roediger verfaßt; PA, Nl. Brockdorff-Rantzaus, Az. 20 (9105/H 235 617–59).

[70] Besprechung vom 20. 5. 1919 in der Geschäftsstelle für die Friedensverhandlungen über einen Bericht des Bankiers und Handelskammervorsitzenden Louis Hagen aus Spa; BA, Nl. Le Suire 64.

mündliche Verhandlungen von den Alliierten ohne große Sorge um ihren Zusammenhalt zu ertragen gewesen wären.

Die Delegation ließ sich dadurch, daß Dernburg ihre Pläne zurückwies, keineswegs beirren; Warburg und Melchior bemühten sich hartnäckig darum, ihren Plan zum wichtigsten Punkt der Gegenvorschläge zu machen. Die Friedensbedingungen hatten ihnen die Augen darüber geöffnet, welchen Illusionen sie in bezug auf die Regelung der wirtschaftlichen und finanziellen Fragen des Krieges erlegen waren.

Warburg übernahm es unmittelbar nach der Zusammenkunft in Spa, Dernburg noch einmal ausführlich die Gründe für seine Auffassung zu erläutern[71]. Er sah die Zwangslage, in der Deutschland steckte, und erkannte die Skrupel des für den Haushalt verantwortlichen Reichsfinanzministers als das entscheidende Hemmnis. Deshalb verzichtete er von vornherein darauf, irgendwelche Deckungsmöglichkeiten für die ungeheure Summe von 100 Mrd. Goldmark vorzuschlagen. Er hätte auch keine angeben können. Warburg sah das Ganze als ein großes Wagnis an, aber das Wagnis auf sich zu nehmen hielt er für die einzige Chance. „Man kann nach meiner Auffassung einen Krieg, der fünf Jahre gedauert hat und den man, soweit die finanzielle Seite in Betracht kommt, in höchst leichtsinniger Weise führte, nicht liquidieren, indem man am Schlusse desselben nach Grundsätzen vorgeht. [...] Es gibt eben Momente im Leben, wo man nicht rechnen darf, sondern den Mut finden muß, auch wenn man es nicht mit Zahlen belegen kann, ein Aktivum, wie das Deutsche Reich es noch immer darstellt, zu retten. Es ist der tote Punkt, um den wir herum müssen, und ich möchte Ihnen Mut machen, die große Verpflichtung zu übernehmen, auch wenn dies im innern Deutschland vielleicht nicht verstanden wird und die Opfer, die in pekuniärer Beziehung von den Deutschen zu bringen sind, unmenschlich große sein werden." Er führte Dernburg die Ziele vor Augen, die solch einen hohen Einsatz wert waren und die man den Alliierten als Gegenleistung abverlangen müsse: Die Abtretung wichtiger deutscher Territorien – vielleicht auch der Kolonien, von denen Warburg nicht lassen wollte – könne vermieden werden. Freie wirtschaftliche Betätigung in der Welt und im eigenen Land werde ermöglicht, die Unternehmungslust angeregt und das private Eigentum im Ausland vor Liquidationen gesichert. Außerdem nannte er einen Punkt, der für Brockdorff-Rantzau und die Delegation entscheidend wichtig war und von dem alles abhing: die Aussicht auf direkte Verhandlungen mit den Allierten.

Als die Erwägungen dieses Stadium erreicht hatten und sich einflußreiche Sachverständige und Mitglieder der Delegation immer stärker für ein großes finanzielles Gegenangebot einsetzten, war das Thema nur noch in größeren Zusammenhängen zu erörtern. Die 100 Mrd. Goldmark hatten innerhalb der gesamten Überlegungen, die sich mit den deutschen Gegenvorschlägen beschäftigten, ein derartiges Übergewicht, daß die Friedensdelegation und die Reichsregierung darüber nachdenken mußten, in welches Verhältnis sie dieses Angebot zu den übrigen deutschen Vor-

---

[71] Siehe Anm. IV/66.

schlägen über die Reparationen und zu den anderen, vor allem den territorialen Fragen bringen wollten. Das Gegenangebot für die Reparationen stand ohne Frage im Mittelpunkt der Erörterungen.

3. Die endgültige Formulierung der finanziellen und wirtschaftlichen deutschen Gegenvorschläge zu den alliierten Bedingungen

Die Gegenvorschläge und in erster Linie das 100-Mrd.-Angebot waren Brockdorff-Rantzaus letzte Chance, sein Ziel, das er vor der Abreise nach Versailles immer wieder verkündet hatte, zu erreichen: die direkten mündlichen Verhandlungen mit dem Gegner. Bisher hatte er auf dem Wege dahin nicht den geringsten Fortschritt gemacht. Es war ihm andererseits bekannt, wie schwer sich die Alliierten auf den Kompromiß der vorgelegten Friedensbedingungen geeinigt hatten, so daß jede unmittelbare Verhandlung die Einigkeit der Alliierten in nicht wieder gutzumachender Weise erschüttern konnte. Brockdorff-Rantzau hatte sich zwar davor gehütet, durch Sonderabmachungen mit einzelnen Mächten den Verdacht zu erwecken, er wolle die Alliierten spalten. Nichtsdestoweniger war das seine Absicht, nur wollte er sie erst in Versailles durchführen, ohne sie erkennbar werden zu lassen. Das Mittel dazu sollte die nicht abreißende Folge von deutschen Noten zu einzelnen Fragen des Friedensvertrags sein; sie sollten den gegnerischen Kommissionen „Arbeitsstoff liefern", die Siegermächte in dem einen oder anderen Punkt unsicher machen und schließlich Diskrepanzen in ihrer Auffassung aufdecken. Außerdem sollten sie für Verständigung werben und natürlich an die Weltöffentlichkeit appellieren, soweit sie nicht nationalistisch eingestellt war[72].

Hatte auf diese Weise die eine oder andere unter den alliierten Mächten die Berechtigung deutscher Einwände anerkannt, so sollte zur Erweiterung des Zwiespalts die von Brockdorff-Rantzau bei jeder Gelegenheit verkündete Richtlinie dienen, daß Deutschland keinen Friedensvertrag – und selbstverständlich auch nicht den am 7. Mai 1919 vorgelegten – unterzeichnen werde, der nicht seinen Vorstellungen eines Rechtsfriedens auf der Grundlage des Wilson-Programms entspreche. Das heißt also, eine Macht, die von den deutschen Gegenargumenten und Alternativvorschlägen beeindruckt war, sollte gleichzeitig mit der Drohung konfrontiert werden, daß Deutschland einen auch in ihren Augen ungerechtfertigten Vertrag nicht anerkennen würde – mit all den Schwierigkeiten, die daraus folgten. Die auf diese Weise gestärkte Einsicht, daß es richtiger wäre, bestimmte Teile des Vertragsentwurfs

---

[72] Telegramm Brockdorff-Rantzaus vom 21. 5. 1919 an die Reichsregierung; PA, Deutsche Friedensdelegation Versailles, Pol. 13, Bd. 2 (4663/E 215 820–21). Holborn, History, 3, S. 560, 571. Allerdings waren die „practical limitations" der deutschen Politik, von denen Holborn spricht, nicht allein in der Schwäche des liberalen Gedankens in der Welt und im mangelnden Verständigungswillen der Alliierten, sondern auch in der Person Brockdorff-Rantzaus und seiner Konzeption begründet. Siehe auch sein Telegramm vom 12. 5. 1919 an das AA; PA, WK 31, Bd. 1 (4121/D 931 490).

zu revidieren, hätte aber zu Konflikten mit jenen Mächten geführt, die sich weder von deutschen Argumenten noch von der Verweigerung beeindrucken ließen. Nach Verhandlungen streben hieß also in diesem Zusammenhang gleichzeitig, die Einheitsfront der Alliierten zu durchbrechen. Das Konzept war in sich folgerichtig, aber viel zu starr. Brockdorff-Rantzau setzte alles auf eine Karte, das war sein größter Fehler. Wenn in Deutschland der Wille, die Unterschrift zu verweigern, nicht in völliger Einmütigkeit vorhanden war – und daß es nicht so war, beweist schon die Auseinandersetzung zwischen Brockdorff-Rantzau und Erzberger –, so hatte Brockdorff-Rantzau keine andere Alternative, als hilflos unterzugehen. Das galt erst recht für den Fall, daß die Alliierten – was man eigentlich hätte erwarten können – ihren Zusammenhalt über jeden möglichen Zweifel an der Richtigkeit ihres Tuns stellten, so sehr auch solche Zweifel berechtigt waren und so große Angriffsflächen ihr Vertragsentwurf auch bot – vornehmlich in der Regelung der Wirtschafts- und Finanzfragen.

Brockdorff-Rantzau war im übrigen durch seinen Vetter, Unterstaatssekretär Freiherr Langwerth von Simmern, und den Leiter der Nachrichtenabteilung im Auswärtigen Amt, Victor Naumann, davon unterrichtet[73], daß die einheitliche Stellungnahme gegen die Unterzeichnung des Friedensvertrages sich schon Mitte Mai 1919 aufzulösen begann. In der Öffentlichkeit begleitete eine gewisse Resignation die vorherrschenden Bekundungen entschiedenen Abwehrwillens. Unter den Parteien trat die USPD eindeutig für die Unterzeichnung ein, auch wenn sie den Inhalt des Vertrages ablehnte. Bei SPD und Zentrum wuchs die Zahl derer, die ähnlich dachten. Selbst im Kabinett begannen sich die Meinungen zu spalten. Vor allem Erzberger trat für die Unterzeichnung ein. Schließlich waren sogar im Auswärtigen Amt die Ansichten nicht ungeteilt; Bernstorff vor allem neigte der Unterzeichnung zu. Brockdorff-Rantzau richtete beschwörende Appelle an die Heimat, um den Zusammenbruch seiner „Einheitsfront" aufzuhalten[74]. Das einzige, was ihm zweifellos gelang, war die Bildung einer einheitlichen Stellungnahme der Friedensdelegation in Versailles gegen die Unterzeichnung. Dabei ist natürlich zu berücksichtigen, daß die Mitglieder der Delegation auf engem Raum, umgeben von einer feindlichen Umwelt in dauernder Berührung miteinander waren und während der ganzen Zeit ihres Aufenthalts in Versailles in höchster Anspannung gegen die Entscheidungen der Alliierten arbeiten mußten. Das erleichterte Brockdorff-Rantzau die Einflußnahme.

---

[73] Siehe PA, Nl. Brockdorff-Rantzau, Az. 19.

[74] K. Epstein, S. 347ff.; Kessler, S. 183–84; Aufzeichnung Brockdorff-Rantzaus vom 19. 5. 1919, Akten der Reichskanzlei, S. 349, darin der Satz: „Ich hoffe und glaube, daß, wenn wir noch zwei Monate durchhalten könnten, ein annehmbarer Friede zu erzielen sein werde." Schwabe, S. 553, 592–95; Prittwitz, S. 233–34 (Briefe des Legationssekretärs und späteren Staatssekretärs von Bülow aus Versailles vom 11. und 17. 5. 1919). Warnungen vor der Illusion, die Alliierten würden nachgeben: Telegramm Graf Wedels (Wien), 19. 5. 1919, und Aufzeichnung von Blüchers, 21. 5. 1919, PA, WK 31, Bde. 2 und 3 (4121/D 931 728, D 931 801–03).

Die Gegenvorschläge waren der letzte Versuch, die Haltung der Siegermächte zu ändern oder zu beeinflussen, und der Hauptpunkt war ohne Zweifel das umfassende Angebot in der Reparationsfrage. Die Delegation wollte sich im Grunde damit einen günstigeren Frieden erkaufen – auch unter großen Opfern. Warburg war sich darüber im klaren, daß der Staat gerade die wohlhabenden Schichten in rigoroser und bis dahin unbekannter Weise würde besteuern müssen[75]. Der Druck des starren Entschlusses, die vorgelegten Bedingungen als unerfüllbar abzulehnen, begann sich in der Delegation auszuwirken und erregte eine gewisse Furcht vor den Folgen. Brockdorff-Rantzau erklärte Dernburg am 18. Mai 1919 in Spa, daß die Reichsregierung die Lage zu optimistisch ansehe, dem Gegner wenig bieten wolle und zu sehr auf dem Standpunkt der Ablehnung verharre[76]. Der von Dernburg nach Spa mitgebrachte Entwurf für einen Teil der Antwort auf die alliierten Friedensbedingungen und die kurze Skizzierung deutscher Gegenangebote[77] rechtfertigten diesen Vorwurf durchaus; das war nicht nur die Ansicht der Delegation, sondern auch die des Auswärtigen Amts. Ministerialdirektor Ernst von Simson beurteilte den Kabinettsentwurf treffend: „Meiner Meinung nach ist der Grundfehler des Exposés, daß es in seiner Gesamtheit den Eindruck der Anklage und der Kritik erweckt, während unsere Antwort den Gesamteindruck gewaltiger Zugeständnisse auf unserer Seite machen müßte. Es nützt nichts, große Zugeständnisse zu machen, wenn man sie unter einem Wust von Jammer und Klagen derartig verbirgt, daß sie kaum herauszufinden sind[78]." Der Entwurf wurde von der Delegation zwar abgeändert, trotzdem erweckten die am 29. Mai 1919 überreichten Gegenvorschläge genau den Eindruck, den Simson vermeiden wollte.

Außerdem schlug Simson vor, ein kurzes Dokument mit einer gedrängten Aufzählung der deutschen Zugeständnisse und zusätzlich eine zusammenfassende Denkschrift zu übergeben, „in der ja denn soviel geklagt werden könnte, wie es den Herren Ministern beliebt". Die Kluft wird an dieser Stelle sehr deutlich; allerdings war Simsons Vorschlag wenig sinnvoll, weil dieses zweite Dokument mitsamt seinem Inhalt an Rechtserörterungen, Kritik, Vorwürfen und Einschränkungen erst gar nicht vorgezeigt werden durfte, wenn das erste einen Sinn behalten und eine klare, einheitliche deutsche Äußerung zustande kommen sollte. Einfluß auf die endgültige Formulierung hatte Simson insofern, als Brockdorff-Rantzau tatsächlich den wesent-

---

[75] Siehe Anm. IV/66.

[76] Geheime Aufzeichnung Brockdorff-Rantzaus vom 19. 5. 1919 über die Zusammenkunft in Spa am 18. 5.; PA, Nl. Brockdorff-Rantzaus, Az. 19 (9105/H 235 294–300). Er erklärte Dernburg, die Reichsregierung stehe in einer Reihe von Fragen „auf einem erstaunlich hohen Standpunkt der Ablehnung allen Entente-Forderungen gegenüber". Siehe auch Akten der Reichskanzlei, S. 352.

[77] PA, Handakten Bernstorff 6; vgl. Deutsche Friedensdelegation Versailles, Pol. 13, Bd. 2 (4663/E 215 739–73).

[78] Brief Simsons an Simons vom 22. 5. 1919. Simson hatte seine Einwände am 20. 5. Bernstorff und Langwerth vorgetragen; PA, Handakten Ministerialdirektor Simons' 4.

lichen Inhalt der Gegenvorschläge in einer Mantelnote zusammenfaßte, was aber auch nach deutscher Ansicht wirkungslos blieb[79].

Brockdorff-Rantzau war entschlossen, großzügigere Angebote zu machen; es war seine letzte Hoffnung: „Ich werde [...] mit allen mir zu Gebote stehenden Mitteln versuchen, zu mündlichen und, wie ich glaube, damit praktischen Verhandlungen zu kommen, und nur sofern diese meine Absicht sich als undurchführbar herausstellen sollte, zu einem Abbruch der Verhandlungen schreiten[80]." Drei Wochen zuvor noch hatte er Ebert gegenüber eine schroffere Haltung eingenommen[81]. Er wollte mit seinem Namen keinen Vertrag decken, der seiner Überzeugung nach nicht gehalten werden konnte oder den er nicht zu halten entschlossen war. Ebert hingegen belastete der Gedanke an die Folgen, er empfand die Not, die der Bevölkerung drohte, und wollte die „unendlich schwere Verantwortung" nicht übernehmen, „die eine solche Weigerung in sich schließe; er sei überzeugt, daß sie zweifellos das Chaos nach sich ziehen würde; man müsse daher mit allen Mitteln versuchen, zum Friedensschluß zu kommen". Erst daraufhin lenkte Brockdorff-Rantzau etwas ein: „Ich entgegnete", so schrieb er, „ich werde selbstverständlich alles, was mir zu Gebote stehe, einsetzen, um dieses Ziel zu erreichen und selbstverständlich nicht von vornherein die feindlichen Bedingungen ablehnen, sondern praktische Gegenvorschläge machen. Ich glaube im übrigen, daß man doch auch mit den großen Schwierigkeiten rechnen müsse, die unsere Feinde im Falle der Ablehnung unsererseits zu gewärtigen hätten." Seine Taktik in Versailles hatte er unwiderruflich davon abhängig gemacht, daß die Haltung im Reich, falls er die Ablehnung des Vertrags für nötig ansah, einig und stark bliebe – eine völlige Verkennung der innenpolitischen Situation. Moellendorff hatte die Gefährlichkeit einer solchen Haltung deutlich erkannt, als er sich öffentlich gegen das „berüchtigte deutsche Stimmunghalten" und die „Stimmungsmache" wandte; das habe nie dem Zusammenbruch vorgebeugt, und gewisse Katastrophen seien geradezu die Folgen dieser Kunstfertigkeit[82].

Die Verantwortung für die wahrscheinlichen Gegenmaßnahmen der Alliierten, Einmarsch ins Reich, verschärfte Blockade, Chaos, Zusammenbruch und Spaltung

---

[79] Siehe dazu S. 206.

[80] Siehe Anm. IV/76.

[81] Geheime Aufzeichnung Brockdorff-Rantzaus vom 27. 4. 1919; PA, Nl. Brockdorff-Rantzau, Az. 17 (9105/H 234 983–88). Um Ebert weiterhin zu einer „festen Haltung" zu drängen, ließ er ihm am 28. 4. 1919 ein Telegramm Müllers (Bern) vom 26. 4. vorlegen, der „von sicherer englischer Seite" und mit Bestätigung eines einflußreichen schweizerischen Freundes den Rat erhalten hatte, Deutschland solle vier Wochen lang dilatorisch verhandeln, nur einen Versöhnungsfrieden akzeptieren und Unerfüllbares ablehnen. „Auch Amerika wartet auf unser Nein." Während der Verhandlungen sei es möglich, so viel Lebensmittel nach Deutschland zu schaffen, daß die erneute Blockade im Falle der deutschen Weigerung, den Vertrag zu unterzeichnen, erträglich sei. PA, WK 30 geheim (4099/D 931 188).

[82] Rede vor dem Reichsverband der deutschen Industrie am 12. 6. 1919; BA, Nl. Moellendorff 84.

in Deutschland, drohte nun aber der Delegation in Versailles zuzufallen als Folge der Unfähigkeit, einen besseren als den für unannehmbar erklärten Vertragsentwurf zu erreichen. Um dieser Belastung zu entrinnen, sollte alles Erdenkliche – soweit die Gedanken und der Wille der Delegation reichten – getan werden, damit sich die Alliierten zu einer Änderung ihres Standpunktes veranlaßt sähen. Dabei bildeten die 100 Mrd. das Kernstück. Gingen die Alliierten auf die deutschen Bemühungen und Angebote dann nicht ein, so hatte die Delegation ein Alibi für die Ablehnung des Vertrages und konnte die Verantwortung für die Folgen der Ablehnung zurückweisen.

Warburg schrieb an Reichsfinanzminister Dernburg[83]: „Was geschieht, wenn wir nicht zahlenmäßig unseren Gegnern eine Offerte machen, die es ihnen erschwert, im eigenen Lande ein Nichtverhandeln mit uns zu rechtfertigen? Wir können entgegenkommen mit Bezug auf militärische, marinetechnische und finanzielle Fragen. In allen anderen Fragen müssen wir unerbittlich sein, soweit es irgend geht, weil alle Konzessionen in territorialer, politischer, kolonialer und wirtschaftlicher Hinsicht nicht wieder gutzumachen sind. Zwingen wir durch eine derartig überraschend gute Offerte unsere Gegner nicht, in Unterhandlungen zu treten, sondern erhalten sie von unserer Seite nur Kritik und Ablehnung und Inaussichtstellungen, so brechen sie die Unterhandlungen ab, besetzen große Teile von Deutschland, verhandeln, wenn es irgend geht, mit einzelnen Bundesstaaten, und in zwei Monaten wird der Widerstand der jetzt mit Recht empörten Bevölkerung gebrochen sein – was dann? Dann werden die fortgejagt, die es nicht zustande gebracht haben, einen Frieden zu machen, es wird jeder Friede gezeichnet, und ich fürchte, man wird sich sehr täuschen, wenn man glaubt, daß Deutschland so bald sich wieder aufraffen wird, um sich wieder zu einer Großmacht zusammenzuschließen. Dann ist es nach meiner festen Überzeugung nicht nur für Jahrzehnte, sondern für immer aus, denn nach fünfjährigem Krieg ist das Volk so entnervt, daß irgendeine längere Belastungsprobe nicht mehr von ihm getragen werden kann. Zehn, fünfzehn oder gar zwanzig Jahre Gewohnheit werden dann das Übrige tun, um die einen nach dem Osten, die anderen nach dem Westen Anschluß suchen zu lassen und finis Germaniae ist dann besiegelt."

Den Äußerungen Warburgs zufolge überwog innerhalb der Delegation andererseits die Ansicht, daß die Friedensbedingungen vom 7. Mai 1919 derart ruinös seien, daß ihre Ablehnung noch das geringere Übel nach sich ziehe[84], selbst wenn, so muß man folgern, die von Warburg aufgezählten Ereignisse dann einträten.

Da also die Frage der Gegenvorschläge für sie von entscheidender Bedeutung war, unternahmen die sechs Hauptdelegierten einen bemerkenswerten Schritt, der das Ausmaß der schwerwiegenden Meinungsverschiedenheiten mit der Reichsregierung

---

[83] Siehe Anm. IV/66.

[84] Aufzeichnung aus Versailles aus dem Juni 1919: „Einige wichtige Argumente für die Nichtunterzeichnung des Friedensvertrags"; PA, Deutsche Friedensdelegation Versailles, Pol. 13, Bd. 5 (4663/E 216 487–96).

wegen des Friedensvertrags deutlich machte. In einem ausführlichen Telegramm vom 19. Mai 1919[85] forderten sie die Zustimmung des Kabinetts zu ihren Vorstellungen über die weitere Führung der Politik gegenüber den Alliierten und lehnten es ab, in irgendeiner Form die Verantwortung weiterhin zu übernehmen, falls ihre Vorschläge unberücksichtigt blieben. Nachdem sich Brockdorff-Rantzau schon in Spa jede Einmischung in sein Vorgehen scharf verbeten hatte, und zwar unter ausdrücklicher Hervorhebung seiner alleinigen außenpolitischen Kompetenz und Ablehnung jeder unqualifizierten Einflußnahme innenpolitischer Kräfte[86], bedeutete das Telegramm im eigentlichen Sinne eine Bestätigung der Unabhängigkeit der Delegation und die Leugnung der letzten Entscheidungsgewalt von Reichsministerpräsident Scheidemann. Er war auf Grund der innenpolitischen Schwäche seiner Regierung zu Kompromissen gezwungen – gleichgültig, ob er die Vorschläge der Delegation billigte oder nicht.

In ihrem Telegramm stellten die Delegierten u.a. fest: „Der Entwurf des Friedensvertrags hat bisher bei den feindlichen Völkern keinen Widerstand gefunden, von dem erwartet werden könnte, daß er sich binnen absehbarer Zeit praktisch durchsetzen würde. Die feindlichen Regierungen werden daher nur dann gezwungen sein, in Verhandlungen über Abänderungen des Vertragsentwurfs einzutreten, wenn unsererseits so klare und so umfangreiche Zugeständnisse gemacht werden, daß jene Regierungen es vor ihren eigenen Völkern schwer verantworten könnten, die Verhandlungen abzubrechen und mit Zwangsmitteln gegen uns vorzugehen, und daß sie, wenn sie trotzdem derartige Schritte tun, sich selbst und nicht uns ins Unrecht setzen.“ Die Delegation ging allerdings von der Voraussetzung aus, daß die Forderungen der Siegermächte Höchstforderungen darstellten, von denen sich noch etwas abhandeln ließ; anders läßt sich die Auffassung nicht erklären, daß deutsche Zugeständnisse auf einem Gebiet Entgegenkommen der Alliierten auf einem anderen zur Folge haben würden. Diese Voraussetzung wurde außerdem noch nur rechnerisch abwägend, nicht eigentlich diplomatisch verwertet: Da territoriale Abtretungen – und man ging in erster Linie von der wirtschaftlichen Bedeutung, nicht vom nationalen Standpunkt aus – als endgültige Verluste am schwersten zu ertragen waren, sollten sie durch Zugeständnisse auf finanziellem und militärischem Gebiet in möglichst engen Grenzen gehalten werden. Es überrascht, daß politische Gesichtspunkte überhaupt nicht in Erwägung gezogen wurden; etwa die Überlegung, welcher gegnerischen Macht an bestimmten Zugeständnissen am meisten gelegen war, so daß sie in anderen Punkten vielleicht entgegenkam, oder von welcher man bei der Ablehnung bestimmter Forderungen Unterstützung erwarten konnte. Deshalb ist sogar ein gewisser Zweifel an der deutschen Verhandlungs- und Verständigungsbereitschaft möglich für den Fall, daß mündliche Ver-

---

[85] Telegramm Brockdorff-Rantzaus, Landsbergs, Giesberts', Leinerts, Melchiors und Schükkings für den Reichspräsidenten Ebert und das Kabinett; PA, Deutsche Friedensdelegation Versailles, Pol. 13, Bd. 2 (4663/E 215 784–88).

[86] Siehe Anm. IV/76.

handlungen tatsächlich stattgefunden hätten. Ohne weitgehende Kompromißbereitschaft und mit der Beibehaltung der deutschen Auslegung der 14 Punkte wären die Verhandlungen sehr rasch gescheitert. Um das zu vermeiden, hätte der Wechsel von der juristisch-bürokratisch bestimmten Konzeption zu einer flexibleren, mehr den eigentlichen Erfordernissen angepaßten Haltung eindeutiger durchgeführt werden müssen – so wie es in der Reparationsfrage ja schon begonnen hatte. Kurz gesagt, die Delegation hätte eine wirklich politische Haltung einnehmen müssen.

Die Delegierten verschrieben sich einem anderen Gedankengang, sie hofften noch immer auf ein allgemeines Einlenken der Alliierten: „Weitgehende Opfer auf finanziellem und wirtschaftlichem Gebiet [...] würden den feindlichen Regierungen gestatten, ihren Völkern gegenüber den Standpunkt zu vertreten, daß zwar nicht alles, aber viel erreicht sei. Je weniger wir finanziell zugestehen, desto mehr wird uns in territorialer Beziehung abgefordert werden." Es kam aber darauf an, zu vermeiden, daß der Gegenvorschlag in einer Fülle von kleinen und kleinlichen Rechtsfragen unterging und eine Verständigung unmöglich wurde. „Wir glauben, daß wir zwar bei unserer Auslegung der Lansing-Note (Beschränkung der Schadenersatzpflicht auf die besetzten Gebiete) rechtlich stehen bleiben, den Rechtsstandpunkt bezüglich dieser Entschädigungspflicht aber nicht zu sehr in den Vordergrund rücken sollten, daß wir vielmehr solche praktischen Anerbietungen machen müssen, die die feindlichen Regierungen ihren Völkern gegenüber in die Lage versetzen, darauf eingehen zu können. [...] Die in dem Friedensentwurf genannten Summen von zwanzig, vierzig und eventuell weiteren vierzig Milliarden Mark müssen hierfür den Ausgangspunkt bilden, dergestalt, daß durch Änderung der Verzinsungs- und Tilgungsbedingungen die Jahresbelastung erträglich wird. [...] Bezüglich der wirtschaftlichen Entschädigungsleistungen – Schiffe, Kohlen usw. – müßte gleichfalls bis an die äußerste Grenze des Erträglichen entgegengekommen werden." In einem Punkt allerdings herrschte in allen Behörden und Gremien volle Übereinstimmung: die weitgehenden Befugnisse der Reparationskommission wurden vollkommen abgelehnt. Das betonte auch die Delegation.

Sie schloß ihre Erklärung mit den Sätzen: „Die Delegation bittet deshalb dringend, daß die Reichsregierung sich auf ihren Standpunkt stellt. Für die Folgen, die eintreten würden, wenn die Verhandlungen hier scheitern, weil wir nicht befugt wären, die Zugeständnisse zu machen, die nach Deutschlands gegenwärtiger Lage unvermeidlich sind, kann die Delegation die Verantwortung nicht übernehmen[87]." Aus diesen Worten wird deutlich, daß die Delegation ihr gesamtes Pulver verschossen hatte, falls die Alliierten auf ihre Zugeständnisse nicht eingingen. Eine Alternativlösung konnte dann keiner mehr anbieten. Es blieben nur die beiden

---

[87] Die industriellen Sachverständigen billigten den Schritt der Hauptdelegierten ausdrücklich; Telegramm Brockdorff-Rantzaus vom 21. 5. 1919. Die im Vertragsentwurf genannten Summen seien beim deutschen Gegenvorschlag zugrunde zu legen; PA, Deutsche Friedensdelegation Versailles, Pol. 13, Bd. 2 (4663/E 215 789–90).

Möglichkeiten, den Vertrag bedingungslos zu unterzeichnen oder abzulehnen. Auch aus Weimar wurde die Delegation nicht aufgefordert, weitere Überlegungen anzustellen und Vorschläge mitzuteilen für den Fall, daß mit Hilfe der deutschen Gegenvorschläge keine grundlegende Verbesserung der Friedensbedingungen zu erreichen war.

Das Telegramm der Hauptdelegierten beschäftigte das Reichskabinett in seiner Sitzung am 20. Mai 1919. Dernburg hielt die Vorschläge der Delegation für unausführbar; er sah für den finanziellen Bedarf keinerlei Deckungsvorschläge. Das Kabinett schloß sich seiner Stellungnahme an und entschied zunächst, statt des 100-Mrd.-Angebots die bereits in Spa erörterte ausländische Beteiligung an der deutschen Industrie im Sinne einer großzügigen Reparationslösung weiter zu verfolgen[88].

Die Delegation selbst war sich allerdings über die Ausgestaltung des 100-Mrd.-Angebots noch nicht ganz im klaren. Fest stand nur, daß die Summe sich an der im alliierten Friedensvertragsentwurf vorab geforderten Zahlungsverpflichtung in Höhe von 20 und zweimal 40 Mrd. Goldmark anlehnen sollte, oder wie Warburg es angesichts der Zinslosigkeit des deutschen Angebots ausdrückte: „Dann wird die Summe von 100 Mrd. wenigstens nominell aufrecht erhalten[89].“ Die Schwierigkeit lag in zwei Voraussetzungen: Einmal lehnte Dernburg für die ersten Nachkriegsjahre jede Barzahlung kategorisch ab, zum andern wollte die Reichsregierung ihren Rechtsstandpunkt nicht aufgeben, daß die Verpflichtungen in dem Notenwechsel vor dem Waffenstillstand, insbesondere der Lansing-Note vom 5. November 1918 festgelegt waren und die Friedensbedingungen weit darüber hinausgingen. Warburg wies deshalb den Reichsfinanzminister darauf hin, daß auch er Deutschlands Verpflichtung, die Schäden Belgiens und Nordfrankreichs wiedergutzumachen, anerkannt hatte. „Der Betrag“, so schrieb er, „wird 20 Milliarden Mark erreichen, und in dem Augenblick, wo wir die prinzipielle Schuld anerkennen müssen, begehen wir keinen Leichtsinn mehr, auch die Schuld als solche mit Namen zu nennen und anzuerkennen. Der große Spielraum für uns liegt darin, daß wir weder mit Bezug auf Zinsen noch mit Bezug auf Rückzahlung zunächst eine Zusage zu machen brauchen. Sollte die aber nötig sein, so würde ich auch für diese 20 Milliarden eine 5%ige Verzinsung, beginnend 1926, für richtig halten [...]. Das würde eine feste Belastung von 5% auf 20 Milliarden, also eine Milliarde Gold bedeuten, plus Amortisation, sobald sie eintritt [...].“

Auf diese Weise versuchte Warburg den erwähnten beiden Voraussetzungen zu entsprechen: Indem er die von den Alliierten verlangte erste Zahlung von 20 Mrd. Goldmark mit der ungefähren Höhe der Reparationsschuld gleichsetzte, wie sie von der Reichsregierung aufgefaßt wurde, wollte er den deutschen Rechtsstandpunkt wahren; indem er mit der Zahlung nicht vor dem 1. Januar 1926 beginnen wollte, trug er dem Finanzprogramm Dernburgs Rechnung. Allerdings lag hierin eine

---

[88] Akten der Reichskanzlei, S. 374–78.

[89] Siehe Anm. IV/66.

weitere wichtige Abweichung von den Forderungen der Alliierten, die zum 1. Mai 1921 bereits die vollständige Zahlung und feste Zusagen über erhebliche Leistungen gerade für die schweren ersten Jahre erwarteten. Auf die Anrechnung deutscher Ablieferungen, Sach- und Arbeitsleistungen ging Warburg nicht ein, obwohl das nahegelegen hätte; ein Zeichen dafür, wie sehr es ihm nur auf den Hauptgedanken ankam. Die Anrechnung wurde aber bald in den Plan eingefügt und die Möglichkeit, Zahlungen auf die erste Rate von 20 Mrd. Goldmark auch ab 1926 noch zu leisten und dann zu verzinsen, nicht mehr erwähnt.

Seinen Hauptgedanken konnte Warburg allerdings nicht mehr mit dem deutschen Rechtsstandpunkt in Einklang bringen. Infolgedessen verzichtete er auf jeden Versuch dazu und fuhr fort: „Ich würde sogar weiter gehen und würde ruhig aussprechen, daß wir auch die 80 Milliarden zahlen, aber nur in dem Verhältnis, in dem 10% der Budget-Einnahmen es uns gestatten. Mit Bezug auf diese 80 Milliarden wird es aber keinerlei Verzinsung geben dürfen.“ Zwei Dinge sind hierbei wichtig: 1. Die Summe von insgesamt 100 Mrd. Goldmark ging ohne Zweifel über die gemäß dem deutschen Rechtsstandpunkt zu leistenden Beträge hinaus und hat auch in den Gegenvorschlägen keine formale Begründung erfahren. 2. Aus diesem Grunde wird gerade hier deutlich, daß man sich mit dem Angebot bessere Bedingungen erkaufen wollte, dies aber natürlich in den Gegenvorschlägen nicht aussprechen konnte. Zu berücksichtigten ist dabei noch, daß die Zahlung der 80 Mrd. Goldmark in eine fernere Zukunft verschoben werden sollte. Auch das entsprach der Auffassung des Kabinetts, das sich mit Rücksicht auf die wirtschaftliche Erholung Deutschlands für lange Fristen und kleine Raten ausgesprochen hatte[90]. Dabei mag auch die Erwägung mitgespielt haben, daß sich die Zeiten ändern würden.

Zur Bereinigung der tiefgreifenden Meinungsverschiedenheiten trafen sich Vertreter des Kabinetts und der Delegation am 23. Mai 1919 erneut in Spa[91]. Melchior leitete die Besprechung mit einer kurzen Erläuterung der wichtigsten Gesichtspunkte des 100-Mrd.-Angebots ein. Die Delegation müsse ein Finanzprogramm vorlegen, das in England und Frankreich werbende Kraft entfalten könne. Das sei der Grund für das ziffernmäßige Zugeständnis; es halte sich an die vorläufige Forderung im alliierten Friedensvertragsentwurf. Die Finanzsachverständigen befürworteten das Projekt, nur Urbig (Disconto-Gesellschaft) habe Bedenken. Das Angebot wollte Melchior ganz klar und eindeutig gestalten, damit nicht der Verdacht eines plumpen Finanzmanövers entstehe. Gerade hier setzte aber die Kritik ein. Reichskolonialminister Johannes Bell stellte im Hinblick auf die Unverzinslichkeit rundheraus fest, die Delegation dürfe den Bluff mit den 100 Mrd. nicht machen,

---

[90] Am 21. 3. 1919; PA, WK 30, Bd. 32 (4080/D 924 225–53).

[91] Diesen Vorschlag hatte Warburg schon in seinem Brief vom 19. 5. 1919 an Dernburg gemacht. Über die Besprechung betr. das 100-Mrd.-Angebot siehe das hschr., wohl inoffizielle Protokoll Saemischs; BA, Nl. Saemisch 94. Dieses wichtige Dokument ist bisher unentdeckt geblieben; es ist auch nicht berücksichtigt in: Akten der Reichskanzlei.

sie erreiche die alliierte Bereitwilligkeit doch nicht und sei schließlich auf die Summe festgenagelt. Er befürchtete, daß man sie dann auch mit Zinsen werde bezahlen müssen. Ähnlich argumentierte Erzberger, der aber in seiner Stellungnahme schwankte. Anfangs fand er den Vorschlag gut, weil die Reparationssumme reduziert würde, später nannte er ihn eine Komödie, weil keine Zinsen gezahlt werden sollten, und ein großes Risiko, da die Verzinsung kaum zu umgehen sei. Daraufhin bemerkte Stauß (Deutsche Bank), in der Delegation habe man ähnliche Befürchtungen gehabt, betrachte aber das Angebot zugleich als deutsche Maximalleistung. Die Alliierten glaubten selbst nicht an die Möglichkeit, 100 Mrd. zu verzinsen. Diese Auffassung deckte sich mit der des Finanzexperten der britischen Friedensdelegation, Keynes, und es ist bei den, obgleich geringen, Kontakten zwischen Deutschen und Engländern in Versailles durchaus möglich, daß Stauß seine Kenntnis von Keynes hatte. Erzberger erklärte schließlich, er habe keine Bedenken mehr, und verteidigte den Vorschlag sogar gegen Bell, indem er darauf hinwies, die Absicht sei, das französische Volk zu hypnotisieren[92].

Damit war der Widerspruch gebrochen. Dernburg stand von Beginn an unter dem Eindruck dessen, was ihm Warburg geschrieben hatte, und plädierte für das 100-Mrd.-Angebot, weil damit deutsches Territorium gerettet werde, das Steuereinnahmen bringe[93]. Die Franzosen erhielten einen Schuldtitel, mit dem sie in den Vereinigten Staaten borgen könnten, und Deutschland wäre frei von alliierter Kontrolle und von einer Besetzung des Rheinlands als Garantie für Reparationsleistungen.

Brockdorff-Rantzau sagte wenig auf dieser Besprechung. Er hielt das Angebot nur für den letzten Ausweg. Seine größte Hoffnung, und auch die der Finanzsachverständigen, war, daß der Vorschlag den Weg zu mündlichen Verhandlungen ebnen würde. Melchior konkretisierte diesen Gedanken, indem er empfahl, keine festen Annuitäten zu nennen, sondern zu erklären, über sie müsse verhandelt werden.

An diesem Punkt, der nicht mehr zur grundsätzlichen Entscheidung, sondern zur Ausgestaltung des Angebots im einzelnen gehörte, entzündeten sich erneut Meinungsverschiedenheiten, allerdings mit ganz anderen Frontstellungen. Melchior, Stauß und Erzberger verlangten, daß die ersten 20 Mrd. sehr rasch und vornehmlich durch Sachlieferungen bezahlt werden müßten. Sie wollten damit in einem weiteren wichtigen Punkt den Alliierten entgegenkommen. Stauß erklärte, neben der Nennung einer hohen Gesamtsumme sei die Anzahlung eines erheblichen Betrages sehr wichtig, und Erzberger war sogar bereit, diese ersten, in kurzer Frist abzutragenden 20 Mrd. zu verzinsen. Abgesehen von der Verzinsung setzte sich ihr Vorschlag

---

[92] Siehe dagegen noch die alte Auffassung bei: K. Epstein, S. 354–55. Siehe dazu Keynes, Folgen, S. 179–84, dagegen: Keynes, Writings, S. 468, wo er selbst erklärte, daß eine Verzinsung unmöglich sei. – Über die Kontakte: Schwabe, S. 638 Anm. 5. Melchior wurde nicht nur von Keynes, sondern auch von Wilson sehr geschätzt – Schwabe, S. 582 –, was seinem 100-Mrd.-Plan aber bei den Alliierten nichts nützte.

[93] Siehe dazu Aufzeichnung mit Anlagen über Steuerverluste des Reichs und Preußens bei Gebietsabtretungen, am 16. 5. 1919 nach Versailles geschickt; BA, Nl. Saemisch 94.

vorerst durch. Dernburg ließ sich demgegenüber von den früheren Mitteilungen Warburgs leiten, der für die ersten 20 Mrd. eine Frist bis zum 1. Januar 1926 vorgeschlagen hatte.
In einem weiteren wichtigen Punkt setzte sich aber Dernburg durch. Er wollte die Zahlung der verbleibenden 80 Mrd. auf einen sehr langen Zeitraum verteilen und schlug eine Annuität von 1 Mrd. auf 80 Jahre vor. Dem widersetzten sich – ohne Erfolg – Erzberger und Melchior, die mit Recht eine Beeinträchtigung des gesamten Vorschlags darin erblickten. Erzberger schlug eine Annuität von 2 Mrd. auf 40 Jahre vor. Stauß nahm eine vermittelnde Position ein, indem er die Dernburgsche Forderung unterstützte; Hauptsache sei, daß man zu Verhandlungen komme, „bei denen wir noch etwas nachlassen können, zumal wir auf finanziellem Gebiet eher Entgegenkommen zeigen können als auf territorialem". Die Bemerkung von Stauß verstärkt den Eindruck, daß die Bankiers weitaus risikofreudiger und für die Zukunft – wie sich erweisen sollte, mit Recht – optimistischer waren als die hohe Reichsbürokratie, voran das Reichsfinanzministerium. Dernburg beharrte darauf, daß über die 80 Jahresraten hinaus nichts zugestanden werden dürfe, und hielt ausdrücklich und prinzipiell an den im Kabinett formulierten Grundsätzen der Schadensberechnung auf Grund der deutschen Auslegung von Wilson-Programm und Lansing-Note fest. Darin pflichtete ihm Erzberger bei.
An diesem Punkt setzte aber ein weiterer, mit großer Hartnäckigkeit vorgetragener Angriff gegen die Vertreter des Kabinetts ein. Der Generalkommissar der Delegation, Ministerialdirektor Simons, wollte die Delegation bei den letzten und wichtigsten Entscheidungen von der Fessel der deutschen Auslegung der Lansing-Note befreien. Ebenso wie die Finanzsachverständigen wollte er für die Formulierung des Gegenangebots freie Hand haben und bei den erhofften Verhandlungen weiteres Entgegenkommen in der Reparationsfrage zeigen können. Dernburg hielt aber an seinem Standpunkt fest; er sah die wirtschaftliche und finanzielle Lage für so schwierig an, daß er nicht wußte, ob überhaupt die Verpflichtungen aus dem 100-Mrd.-Angebot erfüllt werden könnten. Man müsse die Verhandlungen abwarten. Allerdings fügte er hinzu: „An den finanziellen Bedingungen darf der Frieden nicht scheitern. Aber Deutschland ist schon jetzt sanierungsbedürftig."
Nach dieser Sitzung waren einige Streitpunkte zwischen Kabinett und Delegation erledigt. Entscheidend blieb jedoch, daß trotz ihres Erfolges in der Frage des Gegenangebots die Delegation es nicht erreichte, das Kabinett von der deutschen Auslegung der Lansing-Note zu lösen. Hier hätte der sonst so empfindliche, auf seiner Kompetenz für die Verhandlungsführung beharrende Außenminister eingreifen und in dieser Situation ausnahmsweise am rechten Platz sogar mit seinem Rücktritt drohen sollen. Aber offensichtlich war er nur halbherzig bei den Vorschlägen Melchiors und Simons'. Er konnte sich wohl nicht überwinden, seinen Grundsatz eines im deutschen Sinne zu schließenden Wilson-Friedens aufzugeben, auch wenn er kurz zuvor für größeres Entgegenkommen eingetreten war, und verstummte daher auf dieser entscheidenden Sitzung.
Die Delegation erhielt den Auftrag, die endgültige Redaktion der Gegenvorschläge

vorzunehmen. Zur Reparationsfrage wurde folgender Beschluß gefaßt: „Unter Aufrechterhaltung der im ursprünglichen Finanzprogramm des Finanzministers enthaltenen Einschränkungen wird ein General-Bond von 20 Mrd. als erste Rate angeboten. Davon werden die schon gemachten oder zu machenden Leistungen abgezogen. Der Rest bis zum Jahre 1921 durch Kohlenlieferungen zu zahlen. Darüber hinaus Angebot im Rahmen der Zahlungsbestimmungen des Wilson-Programms von einer zinslosen Entschädigung, die 100 Mrd. nicht übersteigen darf, einschließlich belgischer Schuld an die Alliierten und der ersten 20-Mrd.-Rate[94].“ Die Niederlage der Delegation in der prinzipiellen Frage der weiteren Verhandlungsgrundlage geht auch aus dem Beschluß hervor: „Der Teil [der Gegenvorschläge] des Professors Schücking wird an Hand seines ursprünglichen Entwurfs wieder erweitert.“ Es handelt sich um die Einleitung, in der Schücking mit Unterstützung Brockdorff-Rantzaus alle Anklagen gegen den Bruch der im Notenwechsel vor dem Waffenstillstand getroffenen Vereinbarungen vorbrachte. Dieser Teil war in der Delegation offensichtlich gekürzt und gemildert worden[95].

Wahrscheinlich im Anschluß an die Besprechung entstand die „Ausarbeitung der Pariser Finanzdelegation“, datiert „Spa, 23. 5. 1919“, zum „Finanziellen Teil der Ausführungen über den Schadensersatz“[96]. Diese Ausarbeitung enthielt wieder die enge Auslegung der Lansing-Note, stellte jedoch die für den Gegner positiven Punkte stärker heraus, also die Bestimmungen, mit denen man einverstanden war, und die deutschen Leistungen, wobei zunächst noch keine Summe genannt wurde. Anstelle der alliierten Reparationskommission schlug man eine deutsche und eine alliierte Kommission vor, die sich einigen müßten, andernfalls sollte ein Schiedsgericht entscheiden. Der Entwurf war noch in sich uneinheitlich. Für die Zahlungen wurden bis 1. Mai 1921 Sachlieferungen angeboten, danach Annuitäten, die vor allem einen noch offen gelassenen Prozentsatz der Staatseinnahmen umfassen sollten. Beides war überholt, denn Warburg hatte ja schon andere Vorstellungen entwickelt. Eine Schuldentilgungskasse sollte die fortlaufenden Reparationsleistungen garantieren. Für den Fall einer unerwartet günstigen wirtschaftlichen Entwicklung fügte man sogar noch eine Besserungsklausel ein, d.h. eine höhere Reparationsleistung auf Grund steigender Reichseinnahmen. Das eigentliche 100-Mrd.-Angebot folgte beziehungslos und nicht ohne Widersprüchlichkeit in einem besonderen Teil der Aufzeichnung und enthielt schon alle wesentlichen Elemente, die dann in den deutschen Gegenvorschlägen auftauchten, vor allem die Bedingungen, daß Deutschland keinerlei Handelsbeschränkungen auferlegt und keine Abtretung wichtiger Gebiete, wie Oberschlesien, das Saarland und die Landverbindung zwischen Ostpreußen und dem Reich verlangt werden dürften. Die Einzelheiten seien in mündlicher Verhandlung zu klären.

---

[94] Akten der Reichskanzlei, S. 368f.

[95] Siehe dazu S. 206.

[96] BA, Nl. Saemisch 94.

Die Delegation hatte in der Frage des Gegenangebots ihren Grundgedanken durchgesetzt, mußte dem Kabinett aber in Einzelheiten schwerwiegende Zugeständnisse machen. Außerdem waren auch nach der zweiten Sitzung in Spa die Meinungen innerhalb der Delegation über die Details des 100-Mrd.-Angebots noch nicht völlig geklärt. So ist der unsinnige Vorschlag der 80 Annuitäten à eine Mrd. Goldmark offensichtlich nur eingefügt worden, um der Besorgnis des Kabinetts vor unübersehbaren Zahlungsverpflichtungen Rechnung zu tragen. Melchior machte auch nach der Besprechung vom 23. Mai 1919 erhebliche Bedenken dagegen geltend. Er hielt die Zahlungsdauer von 80 Jahren für absurd und legte statt dessen Nachdruck auf das Angebot eines bestimmten Prozentsatzes der Staatseinnahmen, der ungefähr in der Höhe des Friedensbudgets des Reiches vor dem Krieg liegen sollte. Er setzte sich nur teilweise durch. Die Finanzkommission paßte sich zunächst den Vorstellungen Warburgs und Dernburgs an, daß die Annuitäten erst am 1. Januar 1926 einsetzen sollten, und beschloß außerdem, diese Annuitäten wenigstens für die ersten zehn Jahre (1926—35) auf eine Mrd. zu begrenzen. Danach sollte dann gemäß Melchiors Vorschlag verfahren werden. Diesem Vorschlag gab das Kabinett in seiner Sitzung vom 26. Mai 1919 statt[97].

Der auf Grund dieses Beschlusses fertiggestellte Kabinettsentwurf für den „Finanziellen Teil der Ausführungen über den Schadensersatz"[98] entsprach nach Einfügung der neuen Fristen und Ziffern der erwähnten „Ausarbeitung der Pariser Friedensdelegation" vom 23. Mai 1919. Allerdings wurden zwei den Alliierten entgegenkommende Vorschläge ausgelassen, die Besserungsklausel und die Einrichtung der Schuldentilgungskasse. Da hieß es jetzt nur noch vage, eine solche Kasse könne eingeführt werden. Das 100-Mrd.-Angebot war fest in den Text eingefügt worden, statt dessen verschwand die vorher sehr positiv formulierte Zusammenfassung der deutschen Angebote und Vorschläge. Nach anfänglichen Bedenken wegen einer schriftlichen Festlegung auf die Zahlung von 100 Mrd. Goldmark erklärten sich auch die in Berlin gebliebenen Sachverständigen mit den in Spa getroffenen Vereinbarungen einverstanden[99]. Aus den Schwierigkeiten wird deutlich, wie mühsam ein einigermaßen großzügiges Angebot durchzusetzen war und daß die 100 Mrd. Goldmark auf deutscher Seite tatsächlich als die äußerste Grenze dessen angesehen wurden, was man überhaupt würde leisten können.

In diesen Zusammenhang gehören die erwähnten schwerwiegenden Kompromisse, die man in Spa hatte eingehen müssen. Sie veränderten den Charakter der von der Delegation entwickelten Vorstellungen erheblich. Das veranschaulicht ein undatier-

---

[97] Telegramm der Finanzkommission vom 25. 5. 1919; PA, WK 31, Bd. 4 (4121/D 931 908–09). Kabinettssitzung: Akten der Reichskanzlei, S. 374–78. Melchiors Gegenvorschlag war sehr beachtlich, denn das Friedensbudget von 1913 (ordentlicher und außerordentlicher Haushalt) betrug fast 3,7 Mrd. Goldmark; Statistisches Jahrbuch für das Deutsche Reich 1914, S. 355.

[98] BA, Nl. Saemisch 94.

[99] Am 26. 5. 1919; BA, Nl. Saemisch 94.

ter Entwurf für eine Formulierung des deutschen Gegenangebots[100], der vielleicht ein unter dem Einfluß Melchiors verfaßter, von Dernburg nicht akzeptierter Alternativvorschlag zu der „Ausarbeitung" vom 23. Mai 1919 war. Dieses Schriftstück enthält als einzigen Schönheitsfehler die in Spa beschlossenen 80 Jahresraten à eine Mrd. Das spricht für seine Entstehung unmittelbar nach der Besprechung vom 23. Mai 1919. Es unterscheidet sich sehr von den späteren Gegenvorschlägen, die den Alliierten am 29. Mai 1919 überreicht wurden. Zunächst einmal war der Entwurf wesentlich knapper. Die Finanzsachverständigen der Delegation gaben sich Mühe, vor allem ihre Zugeständnisse hervortreten zu lassen. Moralische Vorwürfe gegen die Alliierten fehlten zwar nicht – die einleitenden Sätze enthielten die Feststellung, die Aufgabe sei so lange unlösbar, „als der Geist des Entwurfs, der von Haß und Vernichtungswillen bis zum Äußersten getragen ist, nicht durch den Geist der Versöhnung der Völker ersetzt wird" –, aber insgesamt war man sichtlich bestrebt, die Grundlage einer Verständigung zu schaffen. Es entsprach den Absichten der Delegation, die Gegner davon zu überzeugen, daß ihrem Standpunkt „in weitestgehendem Maße" Rechnung getragen wurde. Die Einwände wurden in konziliantem, um Verständnis werbendem Ton vorgetragen. Inhalt und Formulierung waren, von einigen Seitenhieben auf die moralisch anfechtbare Position der Alliierten abgesehen, aufeinander abgestimmt und im großen und ganzen dem Ziel, Verhandlungen zu erreichen, angemessen. Nur in diesem Entwurf wurde die Grundsatzerklärung der Delegation vom 19. Mai 1919 verwirklicht, den deutschen Rechtsstandpunkt zurücktreten zu lassen[101]. Nur dieser Entwurf enthält eine klare Begründung des 100-Mrd.-Angebots und die ausgesprochene Absicht, über die bis dahin vertretene deutsche Auffassung hinauszugehen:

„Die deutsche Friedensdelegation ist sich bei ihrer Reise nach Versailles darüber klar gewesen, daß nach den Wirkungen der Waffenstillstandszeit es eine materiell kaum noch lösbare Aufgabe sein wird, die schweren im Vorvertrag[102] übernommenen Bedingungen zu erfüllen. Trotzdem will sie, nachdem die A[lliierten] und A[ssoziierten] Regierungen die erwartete Weitherzigkeit in der Auslegung des schweren Vorvertrages gänzlich vermissen lassen, ihrerseits noch Entgegenkommen zeigen, und erklärt sich bereit, eine Ausdehnung der deutschen Entschädigungspflicht über den Wiederaufbau von Frankreich und Belgien hinaus zu übernehmen. Sie erachtet es aber für unumgänglich nötig, daß das Maß der deutschen Leistungen ziffernmäßig fest umschrieben wird. Andernfalls würde keine deutsche Finanzverwaltung wieder zu einer geordneten Wirtschaft kommen können und die daraus sich ergebende Unsicherheit müßte den ungünstigsten Einfluß auf die Arbeitsleistung Deutschlands ausüben.

Bei ihren Vorschlägen hat die deutsche Friedensdelegation sich in den meisten Fällen vom Rechtsstandpunkt loszulösen gesucht und sich auf die in der Note Eurer

---

[100] PA, Nl. Brockdorff-Rantzau, Az. 19 (9105/H 235 322–27).
[101] Siehe Anm. IV/85.
[102] Notenwechsel vor dem Waffenstillstand.

Excellenz vom [10. Mai 1919][103] angeregten ‚Suggestions de l'ordre pratique' beschränkt; dadurch soll natürlich für die gegebenenfalls auf Grund des Vorvertrages zu prüfende Rechtslage kein Präjudiz geschaffen werden."

Ein weiterer Vorzug des Entwurfs ist seine Übersichtlichkeit. Die Voraussetzungen einer Politik der Verständigung und erheblicher deutscher Angebote wurden in wenigen Punkten zusammengefaßt: In erster Linie die Aufnahme Deutschlands in den Völkerbund, freie wirtschaftliche Betätigung und Schutz des Auslandsbesitzes, Regelung der territorialen und kolonialen Fragen nach den Grundsätzen der 14 Punkte und Sicherheit vor wirtschaftlichem Druck durch die Reparationskommission. An diese Voraussetzungen schließen sich unmittelbar drei große Hauptabschnitte an: Territoriale Zugeständnisse, militärische Zugeständnisse, finanzielle und wirtschaftliche Zugeständnisse[104].

Diese klare Herausstellung der wesentlichen Punkte fiel den Kompromissen als erstes zum Opfer. In der endgültigen Formulierung wurden die wichtigeren Friedensbedingungen eine nach der anderen erörtert, so daß jede große Linie verlorenging. Die Uneinheitlichkeit der deutschen Gegenvorschläge vom 29. Mai 1919 gibt davon Zeugnis. Sie bilden ein für die beabsichtigte Wirkung viel zu umfangreiches Dokument. Daran sind die ausführlichen Darlegungen des deutschen Rechtsstandpunktes schuld, die sowohl in einem eigenen großen Kapitel[105] wie auch bei der Erörterung der einzelnen Punkte erfolgten. Dieser Rechtsstandpunkt, der auf der deutschen Auslegung des Wilson-Programms und der Berufung auf den Notenwechsel vor dem Waffenstillstand beruhte, wurde detailliert auch in der Erörterung der Wiedergutmachung vorgetragen, ganz im Sinne der in Berlin ausgearbeiteten Analyse und damit der engen Auslegung der Reparationsverpflichtung[106]. Es war kein Beweis von großem Entgegenkommen, den Alliierten zu erklären, daß, wenn sie die vertragsmäßige Grundlage, nämlich den sogenannten Vorvertrag, verließen, auch Deutschland darüber hinausgehen und nun seinerseits erhebliche Schadensrechnungen aufstellen könne. Selbst das vom Reichsfinanzministerium aufgenommene unredliche Argument wird verwendet, daß die deutsche Entschädigungsverpflichtung nur auf der Grundlage des Besitzstandes am Tage der Lansing-Note vom 5. November 1918 eingegangen worden sei, die Reparationssumme also im Verhältnis der abzutretenden Gebiete verringert werden müßte[107]. Und dies, obwohl die Reichsregierung auch nach ihrer eigenen Rechtsauffassung Entschädigungen gleichzeitig mit territorialen Abtretungen im Rahmen des Wilsonschen Programms anerkannt hatte, ohne ihre Entschädigungspflicht auf Grund dessen einzuschränken.

---

[103] Materialien, 1, S. 21.

[104] Die ersten beiden Abschnitte sind nicht ausgefüllt.

[105] „Erster Teil: Allgemeine Bemerkungen"; Materialien, 3, S. 12–29.

[106] Siehe S. 167–72.

[107] Materialien, 3, S. 62, 65; vgl. das Memorandum der Finanzsachverständigen vom 16. 5. 1919; BA, R 43 I/2.

Simons selbst sprach es resignierend aus, daß sich die Vorstellungen des Kabinetts über die Formulierung der gesamten Gegenvorschläge, abgesehen von dem grundlegenden Entschluß der Delegation, größere finanzielle Zugeständnisse zu machen, durchgesetzt hätten. Er schrieb am 30. Mai 1919 an Ministerialdirektor Simson[108]: „Ich habe Ihnen noch für den Brief[109] zu danken, den Sie mir nach Spa schickten und der gerade im richtigen Moment eintraf, um gegen Erzberger in der Debatte verwendet zu werden. Hoffentlich nehmen Sie es mir nicht übel, daß ich Ihre Autorität gegen die des ‚Reichsministers für alles' ins Feld führte. Leider genügte auch sie nicht, eine wesentliche Abänderung des sogenannten Kabinettsentwurfs durchzusetzen. Was Sie und ich an dem Opus auszusetzen hatten – ich hatte unmittelbar vor Empfang Ihres Briefes dem Grafen Bernstorff mein Urteil fast genau mit Ihren Worten abgegeben –, hat sich inzwischen als richtig herausgestellt. Der französische Unterhändler, der im Auftrage Tardieus unterirdisch mit uns verhandelt, hat mir heute nachmittag erklärt, er fände nach dem Studium unserer Denkschrift keine Handhabe, um praktische Verhandlungen vorzuschlagen. Ich habe ihm geraten, zunächst einmal Denkschrift Denkschrift sein zu lassen und die Verhandlungen auf die Mantelnote[110] aufzubauen, wo man die Pros und Contras übersichtlicher beieinander fände [!]. Auch habe ich ihm den Glauben gestärkt, daß er bei genauerem Studium der Einzelausführungen doch manchen Haken finden würde, an den sich Verhandlungen anknüpfen ließen. Er ging mit dem Versprechen weg, nach dieser Methode zu verfahren." Die ganze Vergeblichkeit der Gegenvorschläge in ihrer uneinheitlichen Konzeption wird mit diesen Sätzen klar.

Auch die im Rahmen der Gegenvorschläge überreichte Äußerung der Finanzkommission der Delegation[111] mußte den Widerwillen der Alliierten erregen, da sie zum Teil stichhaltig argumentierte und hervorhob, daß die im Vertragsentwurf geforderten vorläufigen 100 Mrd. Goldmark, die sich auf Grund der verlangten Verzinsung vervielfältigen müßten, niemals von Deutschland gezahlt werden könnten. Noch ärgerlicher war für die Alliierten die treffende Feststellung, daß die meisten ihrer Forderungen gar nicht einmal den unmittelbaren Bedürfnissen der zerstörten Gebiete zugute kamen, also keine vernünftigen Reparationen im Sinne von Wiederherstellung und Wiedergutmachung an die Geschädigten darstellten. In bezug auf den Termin, bis zu dem die Höhe der Entschädigung endgültig festgestellt werden sollte, den 1. Mai 1921, war man sich übrigens mit den Alliierten einig. Schon in der Geschäftsstelle für die Friedensverhandlungen, aber auch in späteren Darstellungen[112] wurde es jedoch als großer Nachteil angesehen, daß die Entschädigungssumme im Versailler Vertrag offen blieb. Die Regelung war aber an sich durchaus vernünftig, denn sie ermöglichte es, das Reparationsproblem noch

---

108 PA, Handakten Ministerialdirektor Simons' 4.

109 Siehe S. 193.

110 Ebenfalls vom 29. 5. 1919; Materialien, 3, S. 7–11.

111 Materialien, 3, S. 115–31.

12 Wüest, S. 85; Erdmann, Weltkriege, S. 106.

einmal gründlich zu durchdenken und die Entscheidung über ihre Höhe in einer etwas entspannteren Atmosphäre unter Mitwirkung der Deutschen zu treffen. Auch auf englischer Seite spielte dieser Gedanke eine Rolle. Daß sich derartige Hoffnungen nicht erfüllten und daraus später schwere Krisen entstanden, ist eine andere Sache. Wenn darüber hinaus auch immer wieder, vor allem in Deutschland, betont wurde, die Reparationen müßten gemäß der deutschen Leistungsfähigkeit festgesetzt werden – was durchaus vernünftig war –, so gab es doch nur wenige Einsichtige wie Mankiewitz, die offen erklärten, es sei noch gar nicht möglich, die deutsche Leistungsfähigkeit festzustellen[113]. Die wirtschaftliche Lage war viel zu unübersichtlich. Der Streit um die Gemeinwirtschaft war noch nicht beendet, die Reichsregierung hatte weder Maßnahmen gegen die Inflation eingeleitet noch über die Steuer- und Zollgesetzgebung entschieden; Rohstoffe fehlten ebenso wie Kredite, und ob die Zeit der großen Streiks nun endgültig vorüber war, vermochte auch niemand mit Sicherheit zu sagen. Unterstaatssekretär Schroeder schrieb deshalb am 4. Juni 1919 aus Versailles an Saemisch[114], selbst wenn es zu mündlichen Verhandlungen komme, werde eine Erörterung der deutschen Finanzlage und Leistungsfähigkeit nicht stattfinden. Die Frage, was Deutschland leisten könne, sei den Deutschen ebenso unklar wie den Franzosen. Deshalb begrüße er es, daß für die Festsetzung der gesamten Reparationssumme eine Frist bis zum 1. Mai 1921 bestehe: „Ich kann mir die Lösung nicht anders denken, als daß man später unsere Leistungen beziffern wird.“

Den Vorbehalten und Einschränkungen in den deutschen Gegenvorschlägen wurde dann ohne rechten Zusammenhang oder Begründung das 100-Mrd.-Angebot angehängt[115]: „Deutschland ist bereit, innerhalb 4 Wochen nach Ratifikation des Friedens eine auf 20 Milliarden Goldmark lautende, spätestens am 1. Mai 1926 fällige Schuldverschreibung in den von den Alliierten und Assoziierten Mächten anzugebenden Abschnitten auszustellen, ferner über den Rest der Gesamtsumme des festgestellten Schadens in gleicher Weise die notwendigen Schuldurkunden

---

[113] Siehe S. 170.

[114] BA, Nl. Saemisch 94.

[115] Materialien, 3, S. 67. – Schwabes Annahme (S. 663), das 100-Mrd.-Angebot sei auch im Hinblick auf die wirtschaftliche Wiederannäherung an die Vereinigten Staaten gemacht worden, findet in den Quellen keine Stütze. – Schon im Dezember 1918 hatte Bergmann 30 Mrd. Goldmark zur äußersten Grenze der deutschen Belastung erklärt; allerdings als verzinsliche Leistung. Aus dem Vergleich dieser zu verzinsenden 30 Mrd. mit den unverzinslichen 100 Mrd. ist der Schluß gezogen worden, daß die tatsächlich angebotene Leistung sich gar nicht verändert habe; siehe Wolfram Fischer, S. 16. Der Schluß ist falsch. In beiden Fällen sollten die unter den Waffenstillstandsbedingungen bereits erfolgten oder in kurzer Frist noch durchzuführenden Sachlieferungen und anderen bargeldlosen Leistungen in Höhe von 15–20 Mrd. Goldmark angerechnet werden, so daß man die verbleibenden Summen von ca. 15 und 85 Mrd. vergleichen muß. Dieser Unterschied ist, auch wenn man die 15 Mrd. verzinsen wollte, doch beträchtlich. Im übrigen waren die 30 Mrd. nur eine interne Erwägung, niemals Bestandteil der Richtlinien für die deutschen Friedensunterhändler oder gar ein irgendwie bekanntgegebenes Angebot.

auszufertigen und vom 1. Mai 1927 jährlich Abzahlungen darauf in zinsfreien Raten zu leisten, mit der Maßgabe, daß die gesamte festzustellende Schadenlast in keinem Fall den Betrag von 100 Milliarden Goldmark übersteigen soll, hierin eingerechnet sowohl die Leistungen an Belgien für die ihm von den Alliierten und Assoziierten Mächten vorgeschossenen Beträge, wie die bereits erwähnten 20 Milliarden Mark Gold." Selbst diese Formulierung war so, daß noch immer eine winzige Hoffnung blieb, mit einer Zahlung von weniger als 100 Mrd. durchzukommen. An dieser Stelle fügte man zwei verschiedene Konzeptionen unvermittelt zusammen[116]. Neben dem neuen Konzept, auf die gegnerischen Bedingungen großzügiger einzugehen, behauptete sich das alte, vornehmlich vom Reichsfinanzministerium verwendete, der formalen Verrechtlichung politischer Probleme[117]. Einer der größten Fehler des 100-Mrd.-Angebots neben dem Beharren auf Erörterungen von Recht und Unrecht war, daß es keine Gedanken oder Vorschläge zur Milderung der wirtschaftlichen und finanziellen Notlage in den ersten Nachkriegsjahren enthielt. Vor allem Frankreich war auf rasche Hilfe angewiesen[118]. Trotzdem war das 100-Mrd.-Angebot ganz beträchtlich. Die Summe stellte ein wesentliches Entgegenkommen dar – dies sollte bei aller Kritik am deutschen Vorgehen nicht übersehen werden. Es war kurzsichtig und unvernünftig von den Alliierten, daß sie nicht in irgendeiner Form auf das Angebot eingingen.

Die Besorgnisse über die Höhe des Angebots waren recht verbreitet. Der sozialdemokratische Journalist Viktor Schiff, der wie Alexander Redlich und andere Pressevertreter die Friedensdelegation nach Versailles begleitet hatte, berichtete später, daß innerhalb der Delegation das 100-Mrd.-Angebot von einigen als zu schwere Belastung empfunden wurde, und bezeichnet es selbst als Wahnsinn. Die Bekanntmachung des Angebots habe zu einer nationalistischen Hetze gegen Warburg, Melchior und andere geführt und antisemitische Kundgebungen an der Hamburger Börse ausgelöst[119]. Auch der Industrielle Richard Merton, der als Kommissar des Reichswirtschaftsministeriums in Versailles war, fand das Angebot zu hoch. Er hatte sich mit einem eigenen Reparationsvorschlag in der Delegation nicht durchgesetzt:

---

[116] Bemerkenswert ist, daß die Äußerung der Finanzkommission der Delegation (siehe Anm. IV/111), die das 100-Mrd.-Angebot auch bringt, geschlossener wirkt. Im Gegensatz zu den Gegenvorschlägen wird an der entsprechenden Stelle von der Bereitschaft zu großen finanziellen Opfern gesprochen und das deutsche Angebot als ein besonderer Vorschlag herausgehoben (S. 128–29). Auch das verstärkt den uneinheitlichen Charakter.

[117] Noch Schulz, S. 223, skizziert Form und Gehalt der Gegenvorschläge zu summarisch-positiv. Seine Formulierung, „sie zeichneten sich durch eine beträchtliche Annäherung an die Positionen der Alliierten aus", läßt sich wohl nicht mehr halten. Damit möchte ich aber nicht leugnen, daß die Angebote an sich eine Verhandlungsgrundlage abgegeben hätten.

[118] Telegramm Lucius' (Stockholm) vom 28. 5. 1919; PA, WK 31, Bd. 4 (4121/D 931 977). Lucius hatte erfahren, daß die Gegenvorschläge nur Erfolg hätten, wenn eine größere Summe sofort an Frankreich gezahlt würde, da das Land sich in einer finanziell sehr kritischen Lage befinde.

[119] Schiff, S. 85–86.

Die Alliierten sollten eine 10- oder 15jährige Option erhalten, so viele auf Dollar und Pfund lautende Obligationen, als man bis zum Ausgabekurs von 97% unterbringen könne, abzusetzen. Die Obligationen seien von Deutschland langfristig zu tilgen und zu verzinsen. Er ging von der Überlegung aus, daß Deutschland so viel leisten könne, wie es Kredit habe; riesige außerökonomische Zahlungen hingegen würden den Wirtschaftsverkehr zerstören[120].

Die „Frankfurter Zeitung" kommentierte die Gegenvorschläge mit starken Übertreibungen: „Wenn unsere Gegner nicht jeden Sinn für die Maße des Möglichen verloren haben, wenn sie überhaupt den Frieden mit Deutschland und nicht einfach die Zerstückelung und Vernichtung Deutschlands wollen, dann werden sie bei Prüfung der deutschen Gegenvorschläge eines zugeben müssen: Noch niemals ist ein Volk so Ungeheuerliches auf sich zu nehmen bereit gewesen, noch niemals hat der Niedergeworfene dem Sieger so fürchterliche Anerbietungen gemacht, um nichts anderes von ihm zu erlangen als das eine Gut des Friedens." Die 100 Mrd. wurden als „grauenhafte Zahl" bezeichnet. Aus der Tatsache, daß die Alliierten zunächst nur Deckung für 20 Mrd. und 40 Mrd. Goldmark anforderten, zog die Zeitung ohne Rücksicht auf die noch ausstehende Gesamtsumme der Reparationen den unredlichen, die Tatsachen verdrehenden Schluß, der gegnerische Entwurf selbst habe „die Erlangbarkeit dieser Summe in Zweifel gestellt", da Obligationen über die zweiten 40 Mrd. nur mit der Einschränkung vorgesehen seien, „daß die Wiederherstellungskommission auf Grund ihrer eigenen Untersuchung Deutschland dazu für fähig erachtet. Wir überschreiten diesen Vorschlag selbst, indem wir auf die Wohltat dieser einschränkenden Klausel freiwillig verzichten[121]." Der unkundige Leser mußte annehmen, die Friedensdelegation habe mehr angeboten, als verlangt worden war. In vielen weiteren Punkten bediente sich der Kommentar ähnlicher Mittel. Dabei war der Sinn des Ganzen keineswegs ein Angriff gegen die Delegation oder die Reichsregierung, es sollte nur der Eindruck eines ungeheuren Ausmaßes der deutschen Konzessionsbereitschaft suggeriert und propagiert werden. So weit ging also immerhin selbst eine gemäßigte liberale Zeitung. Das Gefährliche daran war, daß eine Stimmung in Deutschland erzeugt wurde, aus der heraus es unerträglich erscheinen mußte, wenn nach solch großen deutschen Opfern die Alliierten nicht zu sehr weitgehendem Entgegenkommen bereit waren. Indes hatten die Alliierten den deutschen Gegenvorschlag am 16. Juni 1919 in der Tat abgelehnt und damit in Deutschland den historischen Streit über Annahme oder Ablehnung des Versailler Vertrags entfesselt.

---

[120] Merton, S. 69.
[121] Der große Krieg, S. 10447–48.

SCHLUSSBETRACHTUNGEN

Im Oktober und November 1918 war die SPD zwar zur führenden Partei Deutschlands aufgestiegen. Jedoch glaubte die Partei im November, mit drei wichtigen Führungsgruppen des wilhelminischen Reiches, dem Heer, der hohen Bürokratie und den Unternehmern, eine auf gegenseitige Kompromisse gegründete Zusammenarbeit suchen zu müssen. Das Bündnis versetzte die Partei tatsächlich in die Lage, die extreme Linke zu überspielen, machte es ihr aber unmöglich, die Grundlinien der Innen- und Außenpolitik zu bestimmen. Das gilt auch und gerade für die Reparationsfrage.

Die Grundzüge der deutschen Reparationspolitik sind in ihrer entscheidenden Anfangsphase von den führenden Unternehmern und von der Reichsbürokratie fixiert worden. In der Organisation für die Friedensvorbereitungen, die das Auswärtige Amt ins Leben rief, dominierten die Repräsentanten der Wirtschaft, namentlich der großen Banken, die nun in enger Verbindung mit dem Auswärtigen Amt und mit dem Reichsschatzamt bzw. dem Reichsfinanzministerium Richtlinien für die Friedensverhandlungen durchsetzten, wie sie ihren Vorstellungen und Interessen entsprachen: Begrenzung der Reparationsverpflichtung auf die deutsche Interpretation der relevanten Sätze in den 14 Punkten Wilsons und in der Lansing-Note; keine Barzahlungen in den ersten Jahren, sondern Sachlieferungen und Wiederaufbau der zerstörten Gebiete; weitgehende Freiheit des Handels; unbedingte Meistbegünstigung und unbehinderter Zugang zu Rohstoffen und Absatzmärkten. Ferner galt die Beschaffung großer Auslandsanleihen als unentbehrlich, mit denen die deutsche Wirtschaft gekräftigt und dann auch die Leistung von Barzahlungen eingeleitet werden sollte.

Auch unterblieben in jenen Monaten die als Voraussetzung für Reparationszahlungen notwendigen inneren Maßnahmen. Weder erklärte man den Staatsbankrott noch wurden die Kriegsanleihen gestrichen, die das Budget schwer belasteten. Die Reichsregierung unternahm keine Schritte zur Stabilisierung der Mark, obwohl das ihre erklärte Absicht gewesen war, erst recht vermochte sie kein Finanz- und Steuerprogramm aufzustellen.

Nachdem die Alliierten am 7. Mai 1919 ihren Friedensvertragsentwurf überreicht und damit die schockartige Erkenntnis ausgelöst hatten, daß Deutschland keineswegs auf die erhoffte Begrenzung der gegnerischen Reparationsforderungen rechnen konnte, vermochten die Bankiers, die als Finanzexperten die deutsche Delegation nach Versailles begleiteten, eine etwas größere Konzessionsbereitschaft durchzusetzen. Nachdem die Alliierten aber den deutschen Gegenvorschlag der 100 Mrd. Goldmark zurückgewiesen hatten, traten die Bankiers für die Ablehnung des Friedensvertrags ein, worin ihnen Reichsregierung und Nationalversammlung freilich nicht mehr folgen konnten[1].

Gleichwohl blieben die Ziele bestehen: Restaurierung der deutschen Großmachtstellung und als wirtschaftliche Voraussetzung die Abschüttelung der Reparationslast. Als einige Jahre später Stresemann und seine engsten Mitarbeiter eine Politik zu machen versuchten, die einen realistischen und vernünftigen Interessenausgleich mit den Siegermächten anstrebte, entwickelte sich daher eine scharfe Spaltung im deutschen Lager. Die breit gefächerte nationale Opposition und ihre ebenso demagogische wie einflußreiche Publizistik griff die Konzeption Stresemanns mit zunehmender Wucht an. In den frühen dreißiger Jahren endete die Auseinandersetzung mit dem Sieg der emotionalen „nationalen" Außenpolitik. Ihre Vertreter wollten Revanche für einen nie verwundenen Schlag: den Zusammenbruch von 1918, den Verlust der Weltgeltung und die Verweigerung eines „Rechtsfriedens" für Deutschland – Revanche für den „Betrug von Versailles".

Es war verhängnisvoll, daß die deutsche Außenpolitik den Versuch unternahm, politische Konflikte mit anderen Staaten in erster Linie unter dem Aspekt des Rechtsanspruchs zu behandeln. Die hohe Erwartung auf internationale Verständigung, die Wilsons Friedensprogramm auch in manchen politischen Gruppen Deutschlands geweckt hatte, gehörte freilich nicht zu den Wurzeln der mit Rechtsansprüchen handelnden nationalen Politik. Ihr diente das Programm Wilsons lediglich als bequeme Stütze eines in Begriffen wie Recht und Unrecht ausgedrückten politischen Anspruchs: des Anspruchs nämlich, Deutschland habe als Großmacht ein natürliches politisches und moralisches Recht auf bestimmte Dinge und auf eine bestimmte Behandlung. Die logische Umkehrung lautete, daß Deutschland schweres Unrecht geschehe, wenn ihm der Friede, der ihm zustehe, verweigert werde. Die hohe Bürokratie – auch das Auswärtige Amt – und die Vertreter der Wirtschaft haben diesen „Rechtsanspruch" konsequent verfochten und propagiert und damit entscheidend zur Entstehung einer Atmosphäre beigetragen, in der eine realistische Außenpolitik fast undurchführbar zu werden drohte. Die Reparationsfrage spielte in solchen Zusammenhängen naturgemäß eine Schlüsselrolle.

Die Problematik war nicht neu. Schon während des Krieges hatten die Verfechter eines Siegfriedens und die Anhänger eines Verständigungsfriedens einander erbittert bekämpft. Es mußte nun demoralisierend und verwirrend wirken, daß sich die Verkünder weitgespannter Kriegsziele plötzlich zu einem Verständigungsfrieden auf der Grundlage des Wilson-Programms bekannten, nachdem Deutschland den Krieg verloren hatte und es um die Rettung aus der Niederlage ging. Wer bereits während des Krieges für einen Verständigungsfrieden eingetreten war, fand jetzt keine rechte Möglichkeit zur Abgrenzung gegenüber den scheinbar bekehrten Anhängern des Rechtsfriedens, zumal er fast stets ebenfalls national dachte und im Versailler Vertrag sowohl eine Verletzung der Prinzipien Wilsons wie eine – ungerechte – Schädigung der deutschen Interessen erblickte. Wenige vertraten so

[1] PA, GFV-Protokolle, 18.6.1919; BA, R 2/2968; Akten der Reichskanzlei, S. 469–75.

konsequent wie der Berliner Sozialwissenschaftler Oskar Stillich den Standpunkt, daß der Vertrag akzeptiert und die Usurpierung des Rechtsfriedens durch die einstigen Propagandisten eines Siegfriedens energisch bekämpft werden müsse: „Man hätte erwarten können, daß sie nach dem Unheil, das sie mit ihren deutschen Kriegszielen und mit der Bekämpfung eines Rechtsfriedens angerichtet, sich jetzt ganz still und bescheiden verhalten würden. Aber weit entfernt davon, wettern sie wie besessen gegen den Friedensvertrag und seine Bestimmungen. Ich habe daher versucht, einmal die Forderungen, die von diesen Leuten während des Krieges erhoben worden sind, mit dem zu vergleichen, was wir jetzt nach dem Versailler Diktat zu tragen haben. Ich komme dabei zu dem Resultat: Wie milde ist doch dieser harte Vertrag, gemessen an der Gier und Habsucht all derer, die bei uns für einen Machtfrieden eintraten: der Alldeutschen, des Bundes der Landwirte, des schwerindustriellen Zentralverbandes, des Bundes deutscher Industrieller, des Mittelstandsverbandes, des Wehrvereins, des Flottenvereins, der Vaterlandspartei, des deutschen Sprachenvereins und wie diese Organisationen alle heißen. Ich behaupte: Diese Leute haben durch die Art ihres Auftretens und durch den Inhalt ihrer Kundgebungen in der Vergangenheit den Anspruch verwirkt, heute gegenüber dem Friedensvertrag von Versailles auch nur ein Wort zu sagen [. . .] und sich als Anwälte des Rechts aufzuspielen[2]."

Bei den vielfältigen deutschen Klagen über die Härte des Waffenstillstands und seiner Durchführung wie über den Friedensvertragsentwurf wurde den Alliierten immer wieder Unversöhnlichkeit, Rachsucht und ähnliches vorgeworfen. Das mag dahingestellt bleiben. Sicher aber ist, daß diese Unversöhnlichkeit auf deutscher Seite vorherrschte, und dagegen konnten auch die verständigungsbereiten Politiker nicht ankommen. Die Feindschaft gegen die Siegermächte setzte mit dem Versailler Vertrag nicht etwa neu ein, sondern sie bestand kontinuierlich seit dem Kriege fort. Dies machte in den Jahren nach Friedensschluß die Außenpolitik, die vornehmlich Reparationspolitik war, so schwer. An den Reparationen entzündeten sich die Feindseligkeiten immer von neuem, weil auf diesem Gebiet die Kriegsatmosphäre wachgehalten wurde durch immer neue Forderungen, Weigerungen, ultimative Drohungen und kriegerische Aktionen. Auf die Kontinuität der Unversöhnlichkeit wirkte sich vor allem die Ablehnung des Kernstücks der deutschen Gegenvorschläge vom 29. Mai 1919, des 100-Mrd.-Angebotes aus.

Bei einem Vergleich der deutschen Haltung im Oktober 1918, also vor der Unterzeichnung des Waffenstillstands, mit der Haltung im Juni 1919, vor der Annahme des Friedensvertrags, fällt noch etwas auf: die Kontinuität des Irrtums (Fritz Fischer). Auch unter dem Kanzler Scheidemann überspülten, wie unter dem Kanzler Max von Baden, nationale Emotionen rationale Politik, wiederholte sich das damalige bedenkliche Fehlverhalten: erst große Erregung und Bekundungen des festen Willens, die unzumutbaren Bedingungen der Gegner abzulehnen, dann schließlich die angesichts der Ohnmacht Deutschlands unvermeidliche Annahme. Wenigstens beim

---

[2] Stillich, S. III–IV.

zweiten Mal hätte die Reichsregierung wissen müssen, wie sinnlos und wie gefährlich derartige Aufwallungen und die unausweichlich folgende Demütigung waren. Indem die Regierung selbst einen gewichtigen Beitrag zur Rechtfertigung des exaltierten Nationalismus der Rechten lieferte, trug sie zugleich zu ihrer eigenen Gefährdung und – noch vor der Verabschiedung der neuen demokratischen Verfassung durch die Nationalversammlung – zur Gefährdung der jungen Republik bei. So Hervorragendes die SPD bei der Bewältigung vieler aktueller Aufgaben leistete, in der Außenpolitik zeigte sie sich noch führungsschwächer und sogar führungsscheuer, als es die innenpolitische Machtlage erheischte. In Brockdorff-Rantzau sah sie einen Fachmann der Diplomatie, der ihr nicht als Reaktionär galt und dem sie daher die Leitung der außenpolitischen Geschäfte überlassen zu können glaubte. Indes hätte sie ihn niemals wählen dürfen, als er mit aller Schärfe ein Programm formulierte, das auf die Ablehnung eines harten Friedensvertrags hinauslief. Ein solches Programm bedingte eine stabile innere „Front" und die Schürung nationaler Emotionen, was den Konservativen und extremen Nationalisten in die Hände spielte.

Allerdings wird man einräumen müssen, daß die Reparationsfrage der Rechten das Spiel sehr erleichterte. Beruhte der Versailler Vertrag in den meisten Punkten tatsächlich auf dem Programm Wilsons und auf den Vereinbarungen des Notenaustauschs vor dem Waffenstillstand, so stellten die Reparationsforderungen doch einen klaren Bruch dieser Vereinbarungen dar. Die Höhe der Forderungen und die Härte, mit der ihre Annahme erzwungen wurde, wirkten gleichsam als permanente Katalysatoren der Zusammenarbeit zwischen der SPD und der Rechten, als unerschöpfliche Quellen der Agitation gegen Versailles. Die Alliierten nahmen den Verstoß gegen die Vereinbarungen auf sich, da vor allem Frankreich aus Sicherheitsgründen an der nachhaltigen Schwächung des deutschen Wirtschaftspotentials interessiert war. Jedoch hat die französische Reparationspolitik eine dauerhafte Schwächung der deutschen Kraft nicht erreicht, sondern im Grunde jene besonders in der deutschen Schwerindustrie vorhandene und politisch so gefährliche Verbindung von Gewinn- und Machtstreben mit Nationalismus nur noch gefördert, den Widerstand gegen sie nur noch erschwert. Selbstverständlich wurden alle wirtschaftlichen Übel der folgenden Jahre, auch und gerade die Inflation, den Reparationen zur Last gelegt. Diese demagogische Propaganda erstickte die möglichen wirtschafts- und finanzpolitischen Konzeptionen zur Heilung der Übel. Als einziges Heilmittel blieb die Liquidierung der Reparationen, blieb nationale Politik. Die Erkenntnisse, die sich in Ansätzen während der deutschen Friedensvorbereitungen geregt hatten und deren Weiterverfolgung für eine sachliche Erörterung der Reparationsproblematik von Nutzen gewesen wäre, wurden wieder überdeckt. Fast alle künftigen Erscheinungsformen der Problematik waren bei den Besprechungen in der Geschäftsstelle für die Friedensverhandlungen schon erkannt worden. Was damals noch fehlte, war die Erkenntnis der verhängnisvollen Folgen, die sich aus dem Zusammenwirken der verschiedenen Aspekte und aus dem Umfang des eben keineswegs rein wirtschaftlichen Reparationsproblems ergaben.

QUELLEN UND LITERATUR

I. Unveröffentlichte Quellen
(Soweit in den Anmerkungen zitiert)

a) *Bundesarchiv Koblenz*

Bestand Reichskanzlei:

R 43 I/1–4: Akten betreffend Friedensverhandlungen, 1919, Bde. 1–4
R 43 I/161: Auswärtige Politik, Allgemeines, 1919–20
R 43 I/164: Waffenstillstandsverhandlungen 1919
R 43 I/342: Wiederaufbau der Feindgebiete, 1919–21, Bd. 1
R 43 I/803: Die Frage der Schuld am Weltkrieg, 1919, Bd. 1
R 43 I/1126: Wirtschaftlicher Notstand und Wiederaufbau des Wirtschaftslebens, 1919, Bd. 1
R 43 I/1146: Planwirtschaft, 1919, Bd. 1
R 43 I/1147: Monatliche Wirtschaftsberichte, 1919–21, Bd. 1
R 43 I/1172: Ein- und Ausfuhr, 1919–20, Bd. 1
R 43 I/1266: Lebensmittelversorgung Deutschlands durch die Entente, 1919–20, Bd. 1
R 43 I/1348, 1349: Sitzungen des Reichsministeriums 1919 (Protokolle), Bde. 1 u. 2
R 43 I/1837: Westdeutsche Republik, 1919, Bd. 1
R 43 I/2354: Finanz-, Zoll- und Steuerpolitik, Allgemein, 1919, Bd. 1

Bestand Reichsfinanzministerium:

R 2/188: Handakten AR Friedemann, 1919
R 2/2546, 2547: Friedensverhandlungen mit den Westmächten, Allgemeines, 1919, Bde. 2 u. 3
R 2/2550: Friedensverhandlungen mit den Westmächten, Finanzielle Verpflichtungen des Deutschen Reiches, 1919–20
R 2/2580: Friedensverhandlungen mit den Westmächten, Deutsche Stellungnahmen zu Entschädigungsforderungen der Alliierten, Verschiedenes, 1919 (Handakten Unterstaatssekretär Schroeder/Versailles)
R 2/2581: Friedensverhandlungen mit den Westmächten, Verhältnis des Friedensvertragsentwurfs zu den Erklärungen Wilsons und Lansings, Stellungnahmen der Reichs- und Preußischen Ressorts, 1919 (Handakten Unterstaatssekretär Schroeder/Versailles)
R 2/2968: Friedensverhandlungen mit den Westmächten, Besprechungen der Reichsregierung mit Sachverständigen, Jan.–Juli 1919

Bestand Handelspolitische Abteilung AA:

R 85/890: Friedensverträge, Vorbereitung, Bd. 1
R 85/967: Akten betr. Friedensverhandlungen, Wirtschaftliches

Bestand Wirtschaftsgruppe eisenschaffender Industrie, Verein Deutscher Eisen- und Stahlindustrieller:

R 13 I/92, 93, 95: Vorbereitung und Auswertung der Hauptvorstandssitzungen des Vereins, Bd. 14 (1918), Bd. 15 (1918–19), Bd. 17 (1920)

R 13 I/114: Vorbereitung und Auswertung der Hauptversammlungen des Vereins, Bd. 7 (1919–1920)
R 13 I/155: Sammlung von stenographischen Protokollen der Sitzungen des Hauptvorstandes und der Hauptversammlungen des Vereins, Bd. 11 (1918–19)
R 13 I/190: Sammlung von Rundschreiben und Drucksachen zur Unterrichtung der Mitglieder über die Tätigkeit des Vereins, Bd. 12 (1918–19)
R 13 I/274: Einflußnahme im Interesse der deutschen Eisen- und Stahlindustrie auf die Friedensverhandlungen, 1918–19
R 13 I/282: Bestrebungen zur Sozialisierung der Großindustrie, Bd. 1 (1917–19)

Bestand Nachlässe:

Le Suire 60: Friedensbedingungen der Entente
„ 64: Vorbereitende Verhandlungen in Berlin (Friko), Jan.–Mai 1919
„ 113: Verschiedenes zur Reparationsfrage
Moellendorff 84*: Allgemeines, Privat, 1918–19 (Grundlegender Schriftwechsel, Denkschriften usw.)
„ 85: Reichsfonds 1918
„ 86: Allgemeines 1918–19
„ 91: Verschiedenes 1919 (u.a. Besprechungen über Wirtschaftsordnung, Sozialverfassung, Finanzsystem)
Saemisch 92, 93, 94: Friedensverhandlungen, Bde. 1–3 (1917–19)

b) *Politisches Archiv des Auswärtigen Amts Bonn*

Bestand Abteilung I A:

Deutschland 137 geheim: Die allgemeine deutsche Politik, Bd. 8
England 78: Die politischen Beziehungen Deutschlands zu England, Bd. 99

Bestand Weltkrieg:

WK adh. 4: Sammlung von Schriftstücken zur Vorgeschichte des Krieges, Bd. 12
WK 2: Vermittlungsaktionen und Friedensstimmungen, Bd. 89
WK 15: Material zu Friedensverhandlungen, Bd. 29
WK 23 geheim: Die Friedensaktion der Zentralmächte, Bd. 29
WK 30: Waffenstillstands- und Friedensverhandlungen, Bde. 1–42
WK 30 geheim: Waffenstillstands- und Friedensverhandlungen
WK 31: Die Friedenskonferenz in Versailles, Bde. 1–4
WK 31 geheim: Die Friedenskonferenz in Versailles, Bde. 1 u. 3

Bestand Deutsche Friedensdelegation Versailles:

Pol. 1a: Zusammensetzung der Delegation
Pol. 1b: Sr. Exz. Reichsminister des Äußeren
Pol. 2: Allgemeines über die zu führenden Verhandlungen
Pol. 2a: Gesammelte Protokolle der Sitzungen der Friedensdelegation
Pol. 4: Geheime Vermittlungsaktionen und Agententätigkeit
Pol. 13: Friedensvertrag, Bde. 1–5 und Anl. 1, Bd. 2
Finanzdelegation

---

* Die Nummern beziehen sich noch auf die alte Aktenordnung.

Bestand AA Weimar:

IV, 1: Friedensverhandlungen, Allgemein
IV, 10: Friedensverhandlungen, Wiederaufbau der zerstörten Gebiete

Bestand Geschäftsstelle für die Friedensverhandlungen:

A 152: Richtlinien für die Friedensverhandlungen
Paket Protokolle
Paket Protokollmaterial

Bestand Handakten:

Bernstorff, 6: Umschlag mit losen Stücken
Ministerialdirektor Simons, 2: Aufzeichnungen über die Sitzungen der Friedenskommission (Versailles II)
„ 4: Anregungen und Äußerungen zu den Friedensverhandlungen
Toepffer, 11: Friedenskonferenz, Bde. 1 u. 2 sowie Beibände
„ 15: Deutschland
„ ohne Aktenzeichen: Deutschland, Holland, Schweden, Schweiz

Bestand Nachlässe:

Brockdorff-Rantzau, Az. 11: „P", Presseangelegenheiten, Einsendung von Büchern [enthält auch politisch wichtige Korrespondenz]
„ 13: „I", Innere Politik
„ 16: Erneuerung des Waffenstillstands
„ 17: Vorbereitung der Friedensverhandlungen
„ 18: Friedensverhandlung
„ 19: Versailles I
„ 20: Versailles II
„ 21: Versailles III
Haniel, 3: Aufzeichnungen aus Versailles

II. Gedruckte Quellen und Literatur

Abendroth, Wolfgang, Aufstieg und Krise der deutschen Sozialdemokratie, Frankfurt am Main 1964.

Akten der Reichskanzlei, Weimarer Republik: Das Kabinett Scheidemann, bearbeitet von Hagen Schulze, Boppard 1971.

Angermann, Erich, Die Vereinigten Staaten von Amerika (dtv-Weltgeschichte des 20. Jahrhunderts, Bd. 7), München 1966.

Archiv der Friedensverträge, Bd. 1, Mannheim 1923.

Auswärtiges Amt, Gedenkfeier des Auswärtigen Amts zum 40. Jahrestag des Todes von Reichsminister und Botschafter Ulrich Graf von Brockdorff-Rantzau, Bonn, den 6. September 1968 (Ansprache des Staatssekretärs Georg Ferdinand Duckwitz).

Bayerische Dokumente zum Kriegsausbruch und zum Versailler Schuldspruch, hg. im Auftrag des Bayerischen Landtags von Pius Dirr, München-Berlin [3]1925.

Berglar, Peter, Walther Rathenau, Bremen 1970.

Bergmann, Carl, Der Gang der Reparationen, Frankfurt am Main 1926.

Bermbach, Udo, „Das Scheitern des Rätesystems und der Demokratisierung der Bürokratie 1918/19“, in: PVS, 8. Jg. (1967), S. 445–60.

Bonn, Moritz Julius, Herrschaftspolitik oder Handelspolitik, München-Leipzig 1919.

Bonn, Moritz Julius, So macht man Geschichte, München 1953.

Brockdorff-Rantzau, Ulrich Graf von, Dokumente und Gedanken um Versailles, Berlin [3]1925.

Bry, Gerhard, Wages in Germany, 1871–1945, Princeton 1960.

Burnett, Philip M. (Hg.), Reparation at the Paris Peace Conference, Bd. 1, New York 1940.

Cahén, Max Fritz, Der Weg nach Versailles, Boppard 1963.

A catalogue of files and microfilms of the German Foreign Ministry Archives, 1867–1920, hg. von: The American Historical Association, Committee for the Study of War Documents, (University Press, Oxford) 1959.

A catalog of files and microfilms of the German Foreign Ministry Archives, 1920–1945, zusammengestellt und hg. von George O. Kent, Bde. 1–3, Stanford, California 1962–1966.

Czernin, Ferdinand, Die Friedensstifter, Bern-München-Wien 1968 (amerikanisches Original 1964).

Deuerlein, Ernst, Der Bundesratsausschuß für die auswärtigen Angelegenheiten 1871–1918, Regensburg 1955.

Dickmann, Fritz, Die Kriegsschuldfrage auf der Friedenskonferenz von Paris 1919, München 1964.

Drucksachen der Geschäftsstelle für die Friedensverhandlungen, Berlin 1919 (vollständig in der Bibliothek des AA, Bonn).

Elben, Wolfgang, Das Problem der Kontinuität. Die Politik der Staatssekretäre und der militärischen Führung von November 1918 bis Februar 1919, Düsseldorf 1965.

Epstein, Fritz T., „Zwischen Compiègne und Versailles“, in: VfZ, 3. Jg. (1955), S. 412–45.

Epstein, Klaus, Matthias Erzberger und das Dilemma der deutschen Demokratie, Berlin-Frankfurt am Main 1962.

Erdmann, Karl Dietrich, „Die Geschichte der Weimarer Republik als Problem der Wissenschaft“, in: VfZ, 3. Jg. (1955), S. 1–19.

Erdmann, Karl Dietrich, Die Zeit der Weltkriege, (Gebhardt, Bruno, Handbuch der deutschen Geschichte, Bd. 4, Stuttgart [8]1959, 5. Nachdruck 1967).

Erzberger, Matthias, Erlebnisse im Weltkrieg, Stuttgart-Berlin 1920.

Eyck, Erich, Geschichte der Weimarer Republik, Bd. 1, Zürich-Stuttgart 1954.

Feldman, Gerald D., Army, industry and labor in Germany, 1914–1918, Princeton 1966.

Feldman, Gerald D., „German business between war and revolution“, in: Gerhard A. Ritter (Hg.), Entstehung und Wandel der modernen Gesellschaft, Berlin 1970, S. 312–41.

Fellner, Fritz, „Die Pariser Vorortverträge von 1919/20“, in: Versailles – St. Germain – Trianon, Umbruch in Europa vor fünfzig Jahren, hg. von Karl Bosl, München-Wien 1971, S. 7–23.

Fischer, Fritz, Griff nach der Weltmacht. Die Kriegszielpolitik des kaiserlichen Deutschland 1914/1918, Düsseldorf 1961 (3. Aufl. 1964, gekürzte Neufassung 1967).

Fischer, Wolfram, Deutsche Wirtschaftspolitik 1918–1945, Opladen [3]1968.

Fraenkel, Ernst, „Das deutsche Wilsonbild“, in: Jahrbuch für Amerikastudien, Bd. 5 (1960), S. 66–120.

Gablers Wirtschaftslexikon, hg. von R. und H. Sellien, Bd. 2, Wiesbaden [7]1967.

Grebing, Helga, „Friedrich Ebert. Kritische Gedanken zur historischen Einordnung eines deutschen Sozialisten", in: Aus Politik und Zeitgeschichte, Beilage zur Wochenzeitung „Das Parlament", B 5 (1971), S. 3–18.

Halperin, William, „Anatomy of an armistice", in: JMH Bd. 43 (1971), S. 107–12.

Harmssen, Gustav W., Reparationen, Sozialprodukt, Lebensstandard – Versuch einer Wirtschaftsbilanz, Bremen 1947.

Hartenstein, Wolfgang, Die Anfänge der Deutschen Volkspartei 1918–1920, Düsseldorf 1962.

Hiller von Gaertringen, Friedrich Freiherr, „‚Dolchstoß'-Diskussion und ‚Dolchstoßlegende' im Wandel von vier Jahrzehnten", in: Waldemar Besson – Friedrich Freiherr Hiller von Gaertringen (Hg.), Geschichte und Gegenwartsbewußtsein, Festschrift für Hans Rothfels zum 70. Geburtstag, Göttingen 1963, S. 122–60.

Hoffmann, Walter G., u.a., Das deutsche Volkseinkommen 1851–1957, Tübingen 1959.

Hoffmann, Walter G., Das Wachstum der deutschen Wirtschaft seit der Mitte des 19. Jahrhunderts, Berlin-Heidelberg-New York 1965.

Hofstätter, Peter R., Einführung in die Sozialpsychologie, Stuttgart [3]1963.

Holborn, Hajo, Kriegsschuld und Reparationen auf der Pariser Friedenskonferenz von 1919, Leipzig-Berlin 1932.

Holborn, Hajo, „Diplomats and diplomacy in the early Weimar Republic", in: Gordon Craig – Felix Gilbert (Hg.), The diplomats 1919–1939, Princeton 1953, S. 132–48.

Holborn, Hajo, A history of modern Germany, Bd. 3, New York 1969.

Jessen-Klingenberg, Manfred, „Die Ausrufung der Republik durch Philipp Scheidemann am 9. November 1918", in: GWU, Bd. 19 (1968), S. 649–56.

Kastning, Alfred, Die deutsche Sozialdemokratie zwischen Koalition und Opposition 1919–1923, Paderborn 1970.

Kessler, Harry Graf, Tagebücher 1918–1937, hg. von Wolfgang Pfeiffer-Belli, Frankfurt am Main 1961.

Keynes, John Maynard, Die wirtschaftlichen Folgen des Friedensvertrages, München-Leipzig 1920.

Keynes, John Maynard, „Dr. Melchior: Ein besiegter Feind", in: John Maynard Keynes, Politik und Wirtschaft, Ausgewählte Abhandlungen, Tübingen-Zürich 1956, S. 93–127.

Keynes, John Maynard, The collected writings of John Maynard Keynes, Bd. 16: Activities 1914–1919, The Treasury and Versailles, hg. von Elisabeth Johnson, London 1971.

Klemperer, Klemens von, Germany's new conservatism, Princeton 1957.

Koeth, Joseph, „Die wirtschaftliche Demobilmachung", in: Handbuch der Politik, Bd. IV, Berlin-Leipzig 1921, S. 163–68.

Kolb, Eberhard, Die Arbeiterräte in der deutschen Innenpolitik 1918–1919, Düsseldorf 1962.

Der große Krieg – Urkunden, Depeschen und Berichte der Frankfurter Zeitung, Bd. 18 (22. 9. 1918–28. 2. 1919) und Bd. 19 (1. 3.–31. 7. 1919).

Kollman, Eric C., „Eine Diagnose der Weimarer Republik, Ernst Troeltschs politische Anschauungen", in: HZ, Bd. 182 (1956), S. 291–319.

Lange, Ernst-Georg, Steinkohle – Wandlungen in der internationalen Kohlenwirtschaft (Wandlungen in der Weltwirtschaft, Heft 4), Leipzig 1936.

Laun, Rudolf, „Zweierlei Völkerrecht", in: Jahrbuch für internationales und ausländisches öffentliches Recht, Bd. 2 (1949), S. 625–53.

Lebovics, Herman, Social conservatism and the middle classes in Germany, 1914–1933, Princeton 1969.

Link, Werner, Die amerikanische Stabilisierungspolitik in Deutschland 1921–1932, Düsseldorf 1970.

Linke, Horst Günther, Deutsch-sowjetische Beziehungen bis Rapallo, Köln 1970.

Lösche, Peter, Der Bolschewismus im Urteil der deutschen Sozialdemokratie 1903–1920, Berlin 1967.

Luchsinger, Fred, „Bonn – Gefangener der Ostpolitik?“, in: Neue Zürcher Zeitung, Fernausgabe Nr. 45 vom 15. 2. 1970.

Luckau, Alma, The German delegation at the Paris Peace Conference, New York 1941.

Materialien betr. die Friedensverhandlungen in Versailles, Teil 1–3, Berlin 1919.

Materialien betr. die Friedensverhandlungen in Versailles, 2. Beiheft: Die Pariser Völkerbundsakte vom 14. Februar 1919 und die Gegenvorschläge der deutschen Regierung für die Einrichtung eines Völkerbunds, Charlottenburg 1920.

Matthias, Erich, „Die Rückwirkungen der russischen Oktoberrevolution auf die deutsche Arbeiterbewegung“, in: Helmut Neubauer (Hg.), Deutschland und die Russische Revolution, Stuttgart 1968, S. 69–93.

Mayer, Arno J., Politics and diplomacy of peacemaking, London 1968.

Merton, Richard, Erinnernswertes aus meinem Leben, Frankfurt am Main 1955.

Mommsen, Wolfgang, Max Weber und die deutsche Politik 1890–1920, Tübingen 1959.

Neumann, Sigmund, Die Parteien in der Weimarer Republik. Mit einer Einleitung von Karl Dietrich Bracher, Stuttgart 1965 (Originalausgabe: Berlin 1932).

Oertzen, Peter von, Betriebsräte in der Novemberrevolution, Düsseldorf 1963.

Oppenheim, Lassa Francis, International Law, Bd. II, London [7]1952.

Papers relating to the foreign relations of the United States 1919: The Paris Peace Conference, Bd. I–XIII, Washington 1942–1947.

Parliamentary Debates, House of Commons, fifth series, Bde. 113 und 114.

Parrini, Carl P., Heir to Empire, United States economic diplomacy 1916–1923, Pittsburgh 1969.

Phelps, Reginald, „Aus den Groener-Dokumenten, Teil II: Die Außenpolitik der OHL bis zum Friedensvertrag“, in: Deutsche Rundschau, 76. Jg. (1950), S. 616–25.

Potthoff, Heinrich, „Der Parlamentarisierungserlaß vom 30. September 1918“, in: VfZ, 20. Jg. (1972), S. 319–32.

Prittwitz und Gaffron, Friedrich von, Zwischen Petersburg und Washington, München 1952.

Quellen zur Geschichte des Parlamentarismus und der politischen Parteien, 1. Reihe,
Bd. 2: Die Regierung des Prinzen Max von Baden, bearbeitet von Erich Matthias und Rudolf Morsey, Düsseldorf 1962.
Bd. 3/II: Die Reichstagsfraktion der deutschen Sozialdemokratie 1898–1918, bearbeitet von Erich Matthias und Eberhard Pikart, Düsseldorf 1966.
Bd. 6/I, II: Die Regierung der Volksbeauftragten 1918/19, eingeleitet von Erich Matthias, bearbeitet von Susanne Miller unter Mitwirkung von Heinrich Potthoff, Düsseldorf 1969.
Separatveröffentlichung der Einleitung: Erich Matthias, Zwischen Räten und Geheimräten – Die deutsche Revolutionsregierung 1918/19, Düsseldorf 1970.

Rathenau, Walther, Briefe, Bd. 2, Dresden [2]1926.

Walther Rathenau in Brief und Bild, eingeleitet und hg. von Margarete von Eynern, Frankfurt am Main 1967.

Renouvin, Pierre, L'Armistice de Rethondes, Paris 1968.

Richter, Werner, Gewerkschaften, Monopolkapital und Staat im Ersten Weltkrieg und in der November-Revolution (1914–1919), Berlin (Ost) 1959.

Ritter, Gerhard, Staatskunst und Kriegshandwerk, Bd. IV: Die Herrschaft des deutschen Militarismus und die Katastrophe von 1918, München 1968.

Ritter, Gerhard A. – Miller, Susanne (Hg.), Die deutsche Revolution 1918–1919 – Dokumente, Frankfurt am Main 1968 (Fischer Bücherei Nr. 1012).

Ritter, Gerhard A., „Kontinuität und Umformung des deutschen Parteiensystems 1918–1920", in: Gerhard A. Ritter (Hg.), Entstehung und Wandel der modernen Gesellschaft, Berlin 1970, S. 342–84.

Roesler, Konrad, Die Finanzpolitik des Deutschen Reiches im Ersten Weltkrieg, Berlin 1967.

Rosenberg, Arthur, Geschichte der Deutschen Republik, Karlsbad 1935.

Rürup, Reinhard, Probleme der Revolution in Deutschland 1918/19, Wiesbaden 1968.

Sauvy, Alfred, Histoire économique de la France entre les deux guerres. Bd. 1: De l'armistice a la dévaluation de la livre, Paris 1965.

Schieck, Hans, Der Kampf um die deutsche Wirtschaftspolitik nach dem Novemberumsturz 1918, phil. Dissertation (Maschinenschrift), Heidelberg 1958.

Schiff, Viktor, So war es in Versailles, Berlin [2]1929.

Schulz, Gerhard, Revolutionen und Friedensschlüsse 1917–1920 (dtv-Weltgeschichte des 20. Jahrhunderts, Bd. 2), München 1967.

Schulze, Hagen, „Der Oststaatenplan", in: VfZ, 18. Jg. (1970), S. 123–63.

Schwabe, Klaus, Deutsche Revolution und Wilson-Frieden, Düsseldorf 1971.

Seymour, Charles, The intimate papers of Colonel House, London 1928.

Simon, Hugo Ferdinand, Reparation und Wiederaufbau, Berlin 1925.

Somary, Felix, Erinnerungen aus meinem Leben, Zürich o. J.

Stillich, Oskar, Der Friedensvertag von Versailles im Spiegel deutscher Kriegsziele, Berlin 1921.

Stolberg-Wernigerode, Otto Graf zu, Die unentschiedene Generation – Deutschlands konservative Führungsschichten am Vorabend des Ersten Weltkrieges, München-Wien 1968.

Stolper, Gustav, Deutsche Wirtschaft seit 1870, Tübingen 1964.

Trendelenburg, Ernst, Amerika und Europa in der Weltwirtschaftspolitik des Zeitabschnitts der Wirtschaftskonferenzen, 1. Teil: Bis zum Dawes-Plan 1924, Berlin 1943.

Troeltsch, Ernst, Spektatorbriefe – Aufsätze über die deutsche Revolution und die Weltpolitik 1918–1922, hg. von H. Baron, Tübingen 1924 (Neudruck Aalen 1966).

Das Ultimatum der Entente, hg. von der Deutschen Liga für Völkerbund, Berlin 1919.

Ursachen und Folgen – Vom deutschen Zusammenbruch 1918 und 1945 bis zur staatlichen Neuordnung Deutschlands in der Gegenwart,
Bd. II: Der militärische Zusammenbruch und das Ende des Kaiserreichs, Berlin o. J.
Bd. III: Der Weg in die Weimarer Republik, Berlin o. J. (hg. und bearbeitet von Herbert Michaelis und Ernst Schraepler unter Mitwirkung von Günther Scheel).

Verdross, Alfred, Völkerrecht, Wien [5]1964.

Verhandlungen der Deutschen Nationalversammlung, Bd. 326, Berlin 1919.

Vietsch, Eberhard von, Arnold Rechberg und das Problem der West-Orientierung nach dem 1. Weltkrieg, Koblenz 1958.

Vietsch, Eberhard von, Wilhelm Solf, Tübingen 1961.

Der Waffenstillstand 1918–1919, hg. im Auftrag der Deutschen Waffenstillstandskommission von Edmund Marhefka, Bde. I–III, Berlin 1928.

Weill-Raynal, Etienne, Les réparations allemandes et la France, Bd. I, Paris [1938].

Wiedenfeld, Kurt, Zwischen Wirtschaft und Staat, hg. von Friedrich Bülow, Berlin 1960.

Wilson. Das staatsmännische Werk des Präsidenten in seinen Reden, hg. von G. Ahrens und C. Brinkmann, Berlin 1919.

Wise, Fredric, In Germany, March 1919. The personal diary of Fredric Wise, hg. von Lucy Wise, London o. J. (Privatdruck).

Wüest, Erich, Der Vertrag von Versailles in Licht und Schatten der Kritik, Zürich 1962.

Zapf, Wolfgang, Wandlungen der deutschen Elite. Ein Zirkulationsmodell deutscher Führungsgruppen 1919–1961, München 1965.

Zechlin, Egmont, „Deutschland zwischen Kabinettskrieg und Wirtschaftskrieg. Politik und Kriegführung in den ersten Monaten des Ersten Weltkriegs", in: HZ, Bd. 199 (1964), S. 347–458.

Der Zentralrat der deutschen sozialistischen Republik 19. 12. 1918–8. 4. 1919 (Quellen zur Geschichte der Rätebewegung in Deutschland 1918/19, Bd. 1), bearbeitet von Eberhard Kolb unter Mitwirkung von Reinhard Rürup, Leiden 1968.

ABKÜRZUNGEN

AA	Auswärtiges Amt
Az.	Aktenzeichen
BA	Bundesarchiv
DDP	Deutsche Demokratische Partei
DNVP	Deutschnationale Volkspartei
DVP	Deutsche Volkspartei
GFV	Geschäftsstelle für die Friedensverhandlungen
GWU	Geschichte in Wissenschaft und Unterricht
HZ	Historische Zeitschrift
JMH	The Journal of Modern History
Nl.	Nachlaß
OHL	Oberste Heeresleitung
PA	Politisches Archiv des Auswärtigen Amts
PVS	Politische Vierteljahresschrift
RFM	Reichsfinanzministerium
RWiM	Reichswirtschaftsministerium
SPD	Sozialdemokratische Partei Deutschlands
USPD	Unabhängige Sozialdemokratische Partei Deutschlands
VfZ	Vierteljahrshefte für Zeitgeschichte
WK	Weltkrieg (Aktenbestand im PA)
ZAG	Zentralarbeitsgemeinschaft

PERSONENREGISTER